NEW
서울대 선정
인문고전
60선

28
중용

NEW 서울대 선정 인문 고전㉘

만화 중용

개정 1판 1쇄 발행 | 2019. 8. 21
개정 1판 2쇄 발행 | 2021. 9. 27

이수석 글 | 진선규 그림 | 손영운 기획

발행처 김영사 | 발행인 고세규
등록번호 제 406-2003-036호 | 등록일자 1979. 5. 17.
주소 경기도 파주시 문발로 197 (우10881)
전화 마케팅부 031-955-3100 | 편집부 031-955-3113~20 | 팩스 031-955-3111

값은 표지에 있습니다.
ISBN 978-89-349-9453-4
ISBN 978-89-349-9425-1 (세트)

좋은 독자가 좋은 책을 만듭니다. 김영사는 독자 여러분의 의견에 항상 귀 기울이고 있습니다.
전자우편 book@gimmyoung.com | 홈페이지 www.gimmyoungjr.com

이 도서의 국립중앙도서관 출판예정도서목록(CIP)은 서지정보유통지원시스템 홈페이지(http://seoji.nl.go.kr)와
국가자료종합목록시스템(http://www.nl.go.kr/kolisnet)에서 이용하실 수 있습니다. (CIP제어번호 : CIP2018042949)

어린이제품 안전특별법에 의한 표시사항

제품명 도서 제조년월일 2021년 9월 27일 제조사명 김영사 주소 10881 경기도 파주시 문발로 197
전화번호 031-955-3100 제조국명 대한민국 ⚠주의 책 모서리에 찍히거나 책장에 베이지 않게 조심하세요.

미래의 글로벌 리더들이 꼭 읽어야 할 인문고전을 만화로 만나다

NEW 서울대 선정 인문고전 60선

28

중용

이수석 글 · 진선규 그림

주니어김영사

| 기획에 부쳐 |

〈NEW 서울대 선정 인문고전60〉이 국민 만화책이 되기를 바라며

제가 대여섯 살 때 동네 골목 어귀에 어린이들에게 만화책을 빌려주는 좌판 만화 대여소가 있었습니다. 땅바닥에 두터운 검정 비닐을 깔고 그 위에 아이들이 좋아하는 만화책을 늘어놓았는데, 1원을 내면 낡은 만화책 한 권을 빌릴 수 있었지요. 저는 그곳에서 만화책을 보면서 한글을 깨쳤고 책과의 인연을 맺었습니다.

초등학교 때는 용돈을 아껴서 책을 사서 읽었고, 중학교 때는 학교 도서 반장을 맡아 도서관에서 매일 밤 10시까지 있으면서 참 많은 책을 읽었습니다. 그 무렵 헤밍웨이의 《노인과 바다》를 손에 땀을 쥐며 읽으면서 인생에 대해 고민했고, 헤르만 헤세의 《수레바퀴 아래서》를 읽으며 사춘기의 심란한 마음을 달랬습니다. 김래성의 《청춘 극장》을 밤새워 읽는 바람에 다음 날 치르는 중간고사를 망치기도 했습니다.

당시 저의 꿈은 아주 큰 도서관을 운영하는 사람이 되어 온종일 책을 보면서 책을 쓰는 작가가 되는 것이었습니다. 나이가 들고 어느 정도 바라는 꿈을 이루었습니다. 큰 도서관은 아니지만 적당한 크기의 서점을 운영하고, 글을 쓰는 작가가 되었거든요. 저는 여기에 새로운 꿈을 하나 더 보탰습니다. 그것은 즐거운 마음과 힘찬 꿈을 가지게 해 주고, 나아가 자기 성찰을 도와주는 좋은 만화책을 만드는 일이었습니다. 이렇게 해서 만든 책이 바로 〈서울대 선정 인문고전〉입니다. 서울대학교 교수님들이 신입생과 청소년들이 꼭 읽어야 할 책으로 추천한 도서들 중에서 따로 60권을 골라 만화로 만든 것입니다. 인류 지성사의 금자탑이라고 할 수 있는 고전을 보기 편하고 이해하기 쉽도록 만화책으로 만드는 일은 쉬운 일은 아니었습니다. 약 4년 동안에 수십 명의 학교 선생님들과 전공 학자들이 원서의 내용을 정확하게 전달할 수 있도록 밑글을 쓰고, 수십 명의 만화가들이 고민에

고민을 거듭하면서 만화를 그려 60권의 책을 만들었습니다.

〈서울대 선정 인문고전〉이 완간되었을 무렵에 우리나라에 인문학 읽기 열풍이 불기 시작했습니다. 〈서울대 선정 인문고전〉은 인문학 열풍을 널리 퍼뜨리는 데 한몫을 하면서 독자들의 뜨거운 사랑과 관심을 받았습니다. 덕분에 지금까지 수백만 권이 팔리는 베스트셀러가 되었습니다. 그 사랑에 조금이나마 보답을 하기 위해 《칸트의 실천이성 비판》, 《미셸 푸코의 지식의 고고학》, 《이이의 성학집요》 등 우리가 꼭 읽어야 할 동서양의 고전 10권을 추가하여 만화로 만들었습니다.

〈서울대 선정 인문고전〉은 어린이와 청소년이 부모님과 함께 봐도 좋을 만화책입니다. 국민 배우, 국민 가수가 있듯이 〈서울대 선정 인문고전〉이 '국민 만화책'이 되길 큰마음으로 바랍니다.

손영운

'중용'의 인생여행 속으로 출발!

흐르는 물처럼 대지의 바위처럼 배우고 익히며, 때로는 세파의 유혹에도 흔들림 없이 살고 싶었습니다. 불혹의 나이를 지나면서 깨닫게 된 건, 지나친 것은 부족한 것만 같지 못하다는 '과유불급過猶不及'이었습니다. 술은 최고의 음식이면서도 최고의 독약일 수도 있다는 선친의 말씀처럼, 삶은 지옥이 될 수도 있고, 천당이 될 수도 있었습니다. 언제나 부족한 듯이 앞만 보고 달리는 제 모습을, 어느 날 보았습니다. 남들보다 더 넓은 아파트에서 살고 싶었고, 남들보다 더 좋은 차를 갖고 싶었고, 남들보다 더 멋진 옷을 입고 싶었습니다. 그렇게 앞만 보고 달리다 보니 제 옆의 누가 힘들어 하는지, 누가 제게 도움의 손길을 바라는지를 알지 못했습니다.

하늘은 제게 조금 쉬어 가라며, 이젠 주변을 돌아볼 줄도 알아야 한다며, 시련을 주었습니다. 전 이제 한 눈으로만 세상을 보게 되었습니다. 사고로 오른쪽 눈을 실명하였고, 그 일로 낙담하고 있을 때 불현듯 선친의 말씀이 떠올랐습니다. 최고의 음식과 최악의 독약이 될 수 있는 양면성을 갖고 있는 술을, 지혜롭게 최고의 음식과 보약으로 먹으라는 거였죠. 그리고 전 이제 남은 한 눈으로 세상의 아름다운 것, 착한 것, 생명을 살리는 것만을 보기로 했습니다. 왜냐하면 두 눈으로 세상을 볼 때는 선악과 미추 모두를 볼 수 있었지만, 이젠 그 모든 걸 보는 것이 제 눈의 역량으로는 너무 버겁

다는 생각이 들었기 때문입니다.

그러고 나서 만나게 된 책이 바로 《중용》이었습니다. 비겁과 만용의 사이, 낭비와 인색의 사이 그리고 방종과 교만의 사이에 있는, 용기와 절약과 자유를 찾는 중용의 미덕이었습니다. 이 책이 어린이와 청소년 그리고 일반인 들을 위해서 이렇게 만화로 나오기까지는, 후생가외後生可畏할 수 있는 조지형 선생님이 계셨습니다. 그는 '한길야학' 에서 만난, 열심히 공부하고 치열하게 생활하는 후배 교사이며 한학자漢學者입니다. 낮은 데로 임하는 선생님의 도움이 없었다면, 이토록 쉽고 편한 《중용》의 번역은 접할 수 없었을 겁니다. 이 자리를 빌려 감사의 말씀드립니다.

사람이 자신의 뜻을 세우는 일은 쉽다고 할 수 있습니다. 문제는 그 뜻을 이루기 위해서 공을 들이는 노력과 그로부터 얻어내는 정당한 성과라 하겠지요. 하지만 뜻을 세우고 이루기 위해서는 한쪽에 치우침이 없어야 합니다. 그리하여 자신의 행위와 마음씀씀이로 인해서 주변에서 힘들고 괴로워하는 사람이 있어서는 안 되겠지요. 자신의 일에 최선을 다하면서 주변까지도 돌아볼 수 있도록 하는, 지성이면 감천이라는 말이 실감날 수 있도록 《중용》이란 책에 한번 빠져 보십시오. 그리하여 자신이 행하는 바가 필요하지도 않는 욕망의 충족을 위한 건 아닌지, 혹은 자신에게 주어진 인생이란 시간을 낭비하고 있지는 않은지를 살펴보는 '중용' 의 인생 여행이 되길 바랍니다.

이수석

넘치지도 모자라지도 않는 중용의 미덕으로

우리가 아무 생각 없이 내뱉는 말 중에는 많은 의미를 담고 있는 말들이 많습니다.

'적당히'란 말이 그중 하나가 아닐까 생각합니다.

"적당히…… 적당히……해!"

저부터도 무슨 일을 할 때면 입속에서 불쑥불쑥 튀어나오는 말 중 하나입니다.

"적당히…… 적당히……."

이런 말을 할 때면 사람들은 제게 왜 물에 술탄 듯 술에 물 탄 듯 살아가냐며 핀잔을 주기도 했습니다.

하지만《중용》을 작업하면서 이 '적당히'란 말이 중용中庸의 뜻을 내포하고 있다는 걸 새삼 깨닫게 되었습니다.

본문 중에 이런 글이 나옵니다.

"중용中庸의 중中은 치우치지 않음, 지나치지도 모자라지도 않음, 감정이 겉으로 드러나지 않은 상태를 말해. 그리고 용庸은 변함없음을 의미하지. 우리말에도 '적당히'란 말이 있지. 과하지도 모자라지도 않는 상태 말이야. 바로 그 '적당히'란 말이 중용을 정확하게 말한다고 할 수 있어."

넘치지도 모자라지도 않는 것! 이것이 바로 중용이지요. 하지만 분명 대충대충 살아가는 삶이 중용의 삶은 아닐 것입니다. 그렇다면 과연 넘치지도 않고 그렇다고 모자라지도 않고 중심을 지키며 살아가는 그런 상태는 어디를 말하는 걸까요? 또한 천명天命은 뭐고 성性은 또 뭘까요? 그리고 과연 우리가 그런 삶을 살아갈 수 있을까요? 바로 이와 같은 궁금함을 이수석 선생님께서 이 책을 통해 우리에게 잘 알려 주고 있습니다.

요즘같이 각박한 세상을 이 《중용》과 함께한다면 지금보다는 더욱 따뜻하고 올바른 사회가 되지 않을까 생각해봅니다.

또한 그림 작가로서 좀 더 재밌고 좀 더 쉽게 여러분들이 중용에 접근할 수 있도록 노력했습니다만 중용이 형이상학적 의미를 담고 있는 부분들이 있어 이걸 다 표현하기에는 부족한 점이 있습니다. 다소 부족하더라도 '중용의 미덕'으로 이 책을 재미있게 읽어주시면 고맙겠습니다.

김선규

| 차 례 |

우두머리

《중용》 깊이 읽기

제1장 《중용》은 어떤 책일까?
中庸
안녕! 나는 여러분과 함께 《중용》이란 책을 공부할 철학 선생님이야.
'철학' 하면 뭐가 떠오르니?
철학…
저요, 저요! 철학관이 생각나요.
점쟁이가 생각나요! 할아버지가 생각나요!
개똥철학!
뭐…라!
헉
알았어. 하지만 철학의 본래 의미는 너희들이 알고 있는 것과는 조금 달라.
철학(哲學)에서 '밝을 철(哲)' 이라는 글자는 '앎' 을 뜻하는 '지(知)' 와 같은 뜻이야.
哲 → 知
알…지

학(學)은 '배움' 이나 '학문' 을 의미해. 따라서 철학은 지혜를 사랑하는 모든 행동, 즉 자신의 궁금증과 호기심을 해소하는 과정 전체를 말해.
學
영어로는 '필로소피(philosophy)' 라고 하는데,
philosophy
필로소피는 '사랑하다' 는 '필로스(philos)'와 '지혜' 라는 '소피아(sophia)'가 합쳐진 말이지.
philos
sophia
따라서 필로소피는 '지혜를 사랑하는 모든 것' 을 말해.
지혜
필로소피
우리가 알아볼 《중용》은 세상을 사는 이치를 연구하고 다룬 철학책이야.
중
용
모두 '사서삼경' 이란 말을 들어 보았을 거야.
사
서
삼
경
그런데 막상 사서삼경이 탄생한 중국에서는 '사서삼경' 이란 말을 잘 쓰지 않아. 왜냐하면 사서삼경이란 우리나라에서 만들어진 말이기 때문이지.
사서삼경을 아시나?
그게 뭔데?
조선시대 과거제도의 문제가 주로 사서삼경에서 출제되었고,
이번엔 장원급제다!
이것이 다시 교육제도에 영향을 끼쳤기에 사서삼경이란 말을 많이 듣는 거야.
사
서
삼
경
교
육
중국에선 사서삼경이 아닌 '사서오경' 이란 말을 더 많이 사용해.
사서오경
그럼 사서에는 어떤 책들이 있을까?
사서

《논어》, 《맹자》, 《대학》, 《중용》이지요.
그리고 삼경은 《시경》, 《서경》, 《역경》을 말해요.
앵
우아! 정말 대단한걸? 재영이와 남규의 공부 내공이 엄청나군.

그럼 오경은 무엇을 말하는 걸까?
그거야 삼경에 《예기》, 《춘추》를 합친 거죠.
그래, 정말 대단하구나. 유교의 역사는 당나라 이전까지는 오경이 중심이었어.
오경은 공자* 시대나 그 이전에 쓰여진 책이야.
험

*공자(B.C.551~B.C.479) - 중국 춘추 시대의 사상가, 학자.

그리고 송나라로 오면서 사서 중심으로 바뀌었지.
이제 자네의 시대야.
열심히.. 달려 보지!
송
사서는 모두 공자 이후에 쓰인 책이야.
언제나 중심엔 내가 있군!
송나라 때 주희(주자)**가 《대학》, 《논어》, 《맹자》, 《중용》을 사서라고 불렀어.
대학
논어
맹자
중용
사
서

**주희(1130~1200) - 중국 송나라의 유학자.

이후 천여 년 동안 사서는 유교사상의 중심을 이루어 왔어.
사서
유교
옛날 사람들은 이 사서삼경으로 공부했고, 시험을 쳐서 관리를 등용했다고 했지?
공자왈~
맹자왈~
그렇다면 우리 조상들은 사서삼경을 어떤 순서로 공부했을까?
아냐!
이것들이..
내가 먼저야

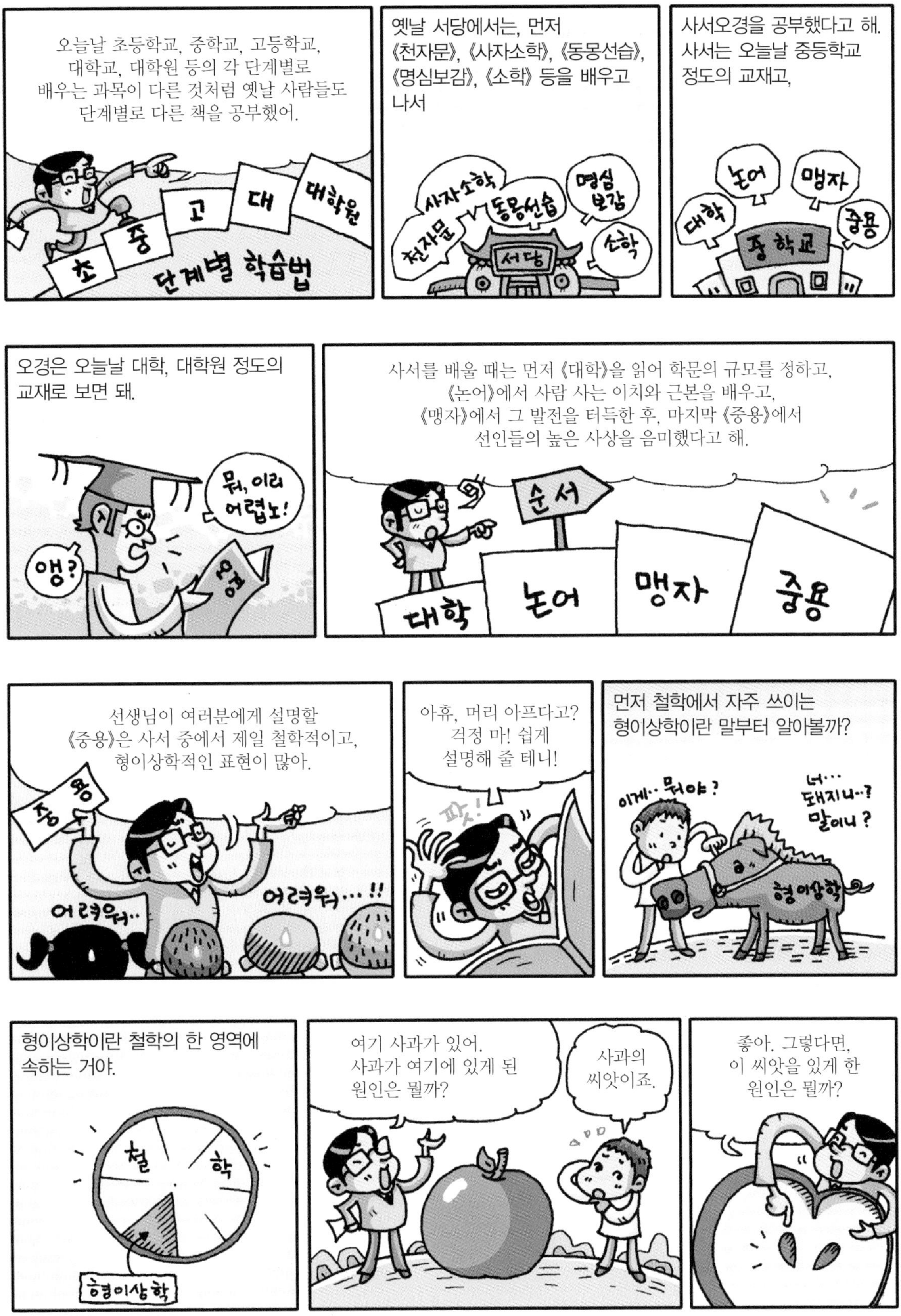
오늘날 초등학교, 중학교, 고등학교, 대학교, 대학원 등의 각 단계별로 배우는 과목이 다른 것처럼 옛날 사람들도 단계별로 다른 책을 공부했어.
초
중
고
대
대학원
단계별 학습법
옛날 서당에서는, 먼저 《천자문》, 《사자소학》, 《동몽선습》, 《명심보감》, 《소학》 등을 배우고 나서
천자문
사자소학
동몽선습
명심보감
소학
서당
사서오경을 공부했다고 해. 사서는 오늘날 중등학교 정도의 교재고,
대학
논어
맹자
중용
중학교
오경은 오늘날 대학, 대학원 정도의 교재로 보면 돼.
뭐, 이리 어렵노!
앵?
사서를 배울 때는 먼저 《대학》을 읽어 학문의 규모를 정하고, 《논어》에서 사람 사는 이치와 근본을 배우고, 《맹자》에서 그 발전을 터득한 후, 마지막 《중용》에서 선인들의 높은 사상을 음미했다고 해.
순서
대학
논어
맹자
중용
선생님이 여러분에게 설명할 《중용》은 사서 중에서 제일 철학적이고, 형이상학적인 표현이 많아.
중용
어려워..
어려워…!!
아휴, 머리 아프다고? 걱정 마! 쉽게 설명해 줄 테니!
팍!
먼저 철학에서 자주 쓰이는 형이상학이란 말부터 알아볼까?
이게.. 뭐야?
너… 돼지니..? 말이니?
형이상학
형이상학이란 철학의 한 영역에 속하는 거야.
철
학
형이상학
여기 사과가 있어. 사과가 여기에 있게 된 원인은 뭘까?
사과의 씨앗이죠.
좋아. 그렇다면, 이 씨앗을 있게 한 원인은 뭘까?

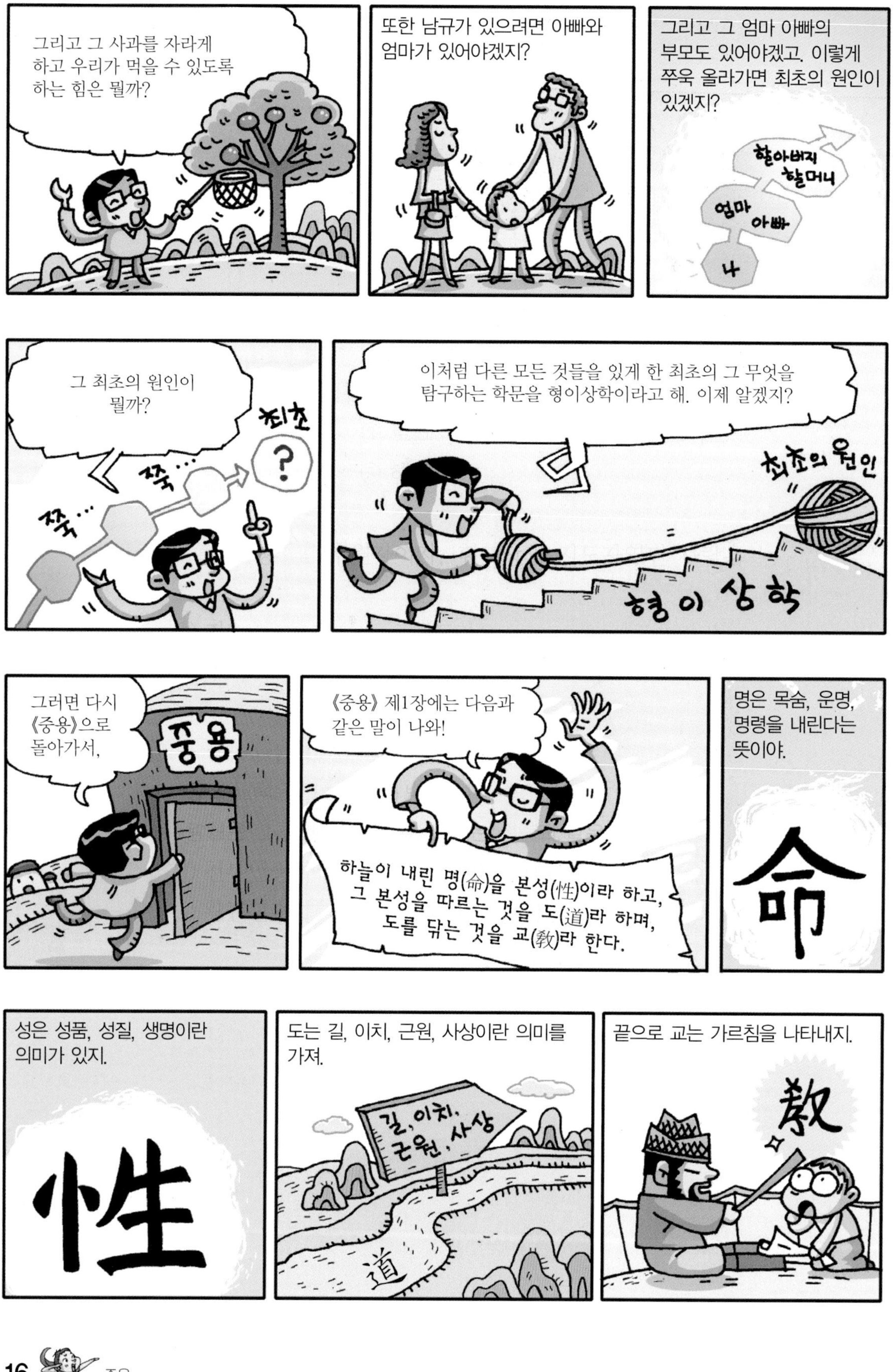
그리고 그 사과를 자라게 하고 우리가 먹을 수 있도록 하는 힘은 뭘까?
또한 남규가 있으려면 아빠와 엄마가 있어야겠지?
그리고 그 엄마 아빠의 부모도 있어야겠고. 이렇게 쭈욱 올라가면 최초의 원인이 있겠지?
할아버지 할머니
엄마 아빠
나
그 최초의 원인이 뭘까?
최초
?
쭈욱…
쭈욱…
이처럼 다른 모든 것들을 있게 한 최초의 그 무엇을 탐구하는 학문을 형이상학이라고 해. 이제 알겠지?
최초의 원인
형이상학
그러면 다시 《중용》으로 돌아가서,
중용
《중용》 제1장에는 다음과 같은 말이 나와!
하늘이 내린 명(命)을 본성(性)이라 하고, 그 본성을 따르는 것을 도(道)라 하며, 도를 닦는 것을 교(教)라 한다.
명은 목숨, 운명, 명령을 내린다는 뜻이야.
命
성은 성품, 성질, 생명이란 의미가 있지.
性
도는 길, 이치, 근원, 사상이란 의미를 가져.
길, 이치, 근원, 사상
道
끝으로 교는 가르침을 나타내지.
教

그런데 도대체 이 말이 무슨 의미일까? 여러분은 이해할 수 있겠어?
글쎄….
음….
그래그래. 너희들 마음 잘 알아.
너무 어려워서 이해할 수 없다는 거지.
네!
하긴 그래! '하늘에서 내린 운명을 천명이라 하고, 천명을 따르는 걸 길이라 하고, 길을 닦는 걸 배우는 것'이라고 하니….
만약 지금 이 모든 것을
너희들이 이해한다면 오히려 정상이 아니지.
오늘 아침의 남규와 지금의 남규는 같을까, 다를까?
?
같지요.
다르지요.
좋아. 오늘 아침의 남규와 지금의 남규는 신체적으로 에너지가 변했고, 세포의 탄생과 죽음이 있었으니 다르다고 할 수 있어.
그런가…?
그리고 정신적으로는 새로운 지식을 배우고 익혔으니 역시 다르지.
그런데도 이남규라고 부르면 남규가 대답하는 이유는 무엇일까?
그건 변하는 것 중에서 변하지 않는 그 무언가가 있기 때문이지. 도대체 그게 뭘까?
변하지만… 변하지 않는 것?
이렇게 모든 걸 변하게 하면서도 변하지 않는 그 무엇을 《중용》에선 명(命)이라, 성(性)이라, 도(道)라고 한 거야.
중용
명
성
도

이 때문에 《중용》은 실천적인 것보다 사상적인 개념을 많이 포함하고 있어.
사상적 개념
중용
어렵다고? 걱정하지 마! 선생님이 재미있게 알려 줄 테니!
그러니 포기하지 말고 나를 잘 따라와! 그러면 《중용》이 그다지 어렵지 않을 테니까.
나도 좀! 가르쳐 줘!
《대학》에서는 공부하는 첫걸음에서부터 자기 자신을 갈고 닦으며, 가정과 사회에서의 생활과 나라를 다스리고 세상을 구제하는 이치를 설명해 놓고 있어.
대학
그래서 사서 중에서 《대학》을 제일 처음 공부하는 거지.
대학
《대학》을 공부한 다음에는 일반적으로 《논어》를 공부했다고 해. 《논어》는 그야말로 공자의 말씀과 지혜를, 제자들과 후대의 학자들이 정리해 놓은 책이야.
논어

《논어》라는 책 제목도 바로 공자의 말과 공자가 제자들이나 당시 사람들에게 대답해 준 것, 그리고 제자들이 서로 주고받은 말과 들은 것을 공자가 죽은 뒤에 책을 내면서 기록한 것이지.
論
논(論)이라는 글자 자체가 '말하다, 기록하다, 사리를 밝히다, 토론하다' 는 뜻이 있거든.
삼인행.. 필유아사*...
語
어(語)라는 글자는 '말씀, 대답하다' 는 뜻이 있어. 이처럼 《논어》라는 책은 공자와 그의 제자들이 설명하고 대답하며 토론한 글들을 모은 책이지.

***삼인행 필유아사(三人行 必有我師)** – "세 사람이 길을 가면 그중 반드시 스승으로 삼을 만한 사람이 있다."라는 공자의 말.

그 다음은 《맹자》를 공부했다고 해. 맹자(?B.C.372~?B.C.289)는 공자의 손자인 자사*의 제자에게서 공부한 전국 시대의 학자야. 그 맹자의 제자들이 맹자의 말을 모은 책이 《맹자》야. 여기에는 맹자의 사상이 그대로 담겨 있지. 인간의 본성이 왜 착한지, 그리고 왜 악하게 되었는지를 설명하기도 해.

내 저놈 사람 만들려고 세 번씩이나 이사를 했다!
맹모 삼천 지교

그리고 덕으로 백성들을 다스리지 못한 임금은 갈아치울 수도 있다는 '역성혁명'을 설명해 놓기도 했지. 《맹자》 속의 문장은 논술식이며 변론조야. 왜 여러분을 괴롭히고 있는 논술도 설득적이며 논리적인 글이라고 하잖아. 또한 법정에서 사실이나 증거에 대해, 자신의 주장을 말로 표현하는 것을 변론이라 하지.

*자사(?B.C.483~?B.C.402) – 중국 전국 시대 노나라의 유학자.

휴, 드디어 여러분과 내가 만난 이유인 《중용》을 설명할 차례가 왔군.

《중용》은 본래 《대학》과 함께 오경의 하나인 《예기(禮記)》에 들어 있던 책의 한 편이야.

중용

《예기》 49편 가운데 《중용》은 제31편에, 《대학》은 제42편에 들어 있었어.

예기

《예기》는 사람이 살아가면서 지켜야 할 의례에 대한 설명을 한 것이야.

의례
인생

그래서 예의 근본정신에 대해 다방면으로 서술하고 있어서 《예기》라 한 거지.

예기

책 제목에는 이미 그 책의
핵심 내용이 압축되어 있는 셈이야.
예기
여러분이 글짓기를 하거나 논술할 때 쓰는 제목도 글의 내용을 압축적으로 표현한 거잖아.
제목
《중용》의 주된 내용도 '중용의 도'야.
중용
중용의 도
《중용》의 출처인 《예기》 〈단궁(檀弓)〉 상(上) 제31장에는 '지나친 것은 모자람만 못하다.' 는 자사의 이야기가 나와.
지나친 건 모자람만 못하다!
단궁 上 제31장
증자가 제자인 자사에게 이렇게 말해.
급*아! 나는 부모의 상에 이레 동안 물과 미음을 입에 대지 않았다.

*급 – 자사의 이름.

그러자 자사가 이렇게 말해.
선왕께서 예를 정하신 뜻은
과도하게 행하는 이는 예에 알맞게 절제하게 하고
그에 못 미치는 자는 예에 미치도록 노력하게 하려는 것입니다. 그러므로 군자가 부모의 상을 치를 경우
물과 미음을 사흘간만 입에 넣지 않게 하여 지팡이를 붙잡으면 곧 일어설 수 있을 정도로 하셨을 거라고 생각합니다.
자사가 스승인 증자에 대해 이야기한 건, 중용을 강조한 것이라 할 수 있어.
중용
헉
만약 일주일 동안 물과 미음만을 먹으면 어떻게 될까?
영양부족으로 어지러워 쓰러지겠죠.
맞아. 증자는 너무나 효심이 강해 부모님의 은혜를 생각하며, 부모의 상에 이레 동안 물과 미음만을 먹었지.

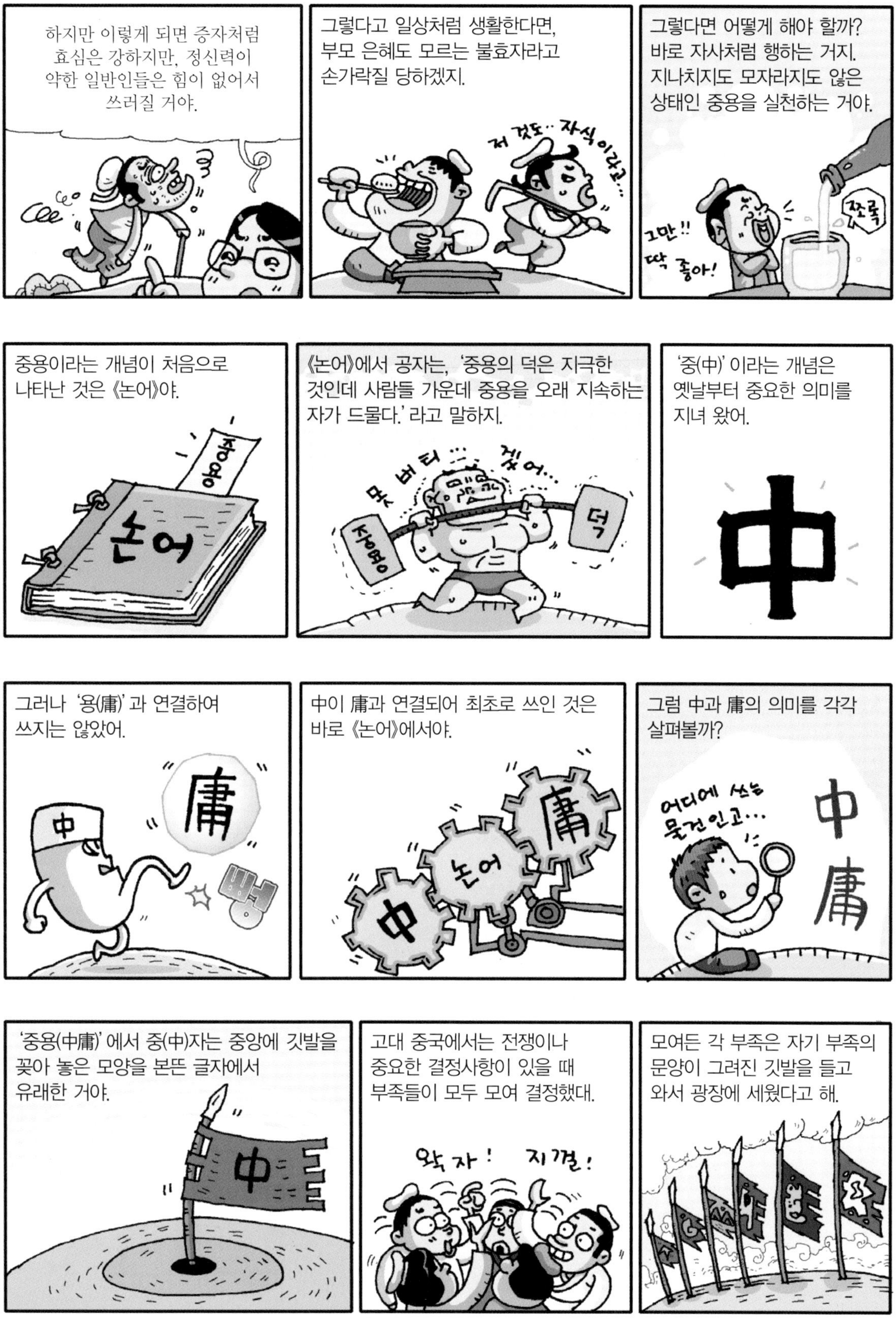

하지만 이렇게 되면 증자처럼
효심은 강하지만, 정신력이
약한 일반인들은 힘이 없어서
쓰러질 거야.
그렇다고 일상처럼 생활한다면,
부모 은혜도 모르는 불효자라고
손가락질 당하겠지.
저 것도.. 자식이라고...
그렇다면 어떻게 해야 할까?
바로 자사처럼 행하는 거지.
지나치지도 모자라지도 않은
상태인 중용을 실천하는 거야.
그만!! 딱 좋아!
중용이라는 개념이 처음으로
나타난 것은 《논어》야.
중용
논어
《논어》에서 공자는, '중용의 덕은 지극한
것인데 사람들 가운데 중용을 오래 지속하는
자가 드물다.' 라고 말하지.
못 버티... 겠어...
중용
덕
'중(中)' 이라는 개념은
옛날부터 중요한 의미를
지녀 왔어.
中
그러나 '용(庸)' 과 연결하여
쓰지는 않았어.
庸
中
뻥
中이 庸과 연결되어 최초로 쓰인 것은
바로 《논어》에서야.
庸
논어
中
그럼 中과 庸의 의미를 각각
살펴볼까?
어디에 쓰는 물건인고...
中
庸
'중용(中庸)' 에서 중(中)자는 중앙에 깃발을
꽂아 놓은 모양을 본뜬 글자에서
유래한 거야.
中
고대 중국에서는 전쟁이나
중요한 결정사항이 있을 때
부족들이 모두 모여 결정했대.
왁자! 지껄!
모여든 각 부족은 자기 부족의
문양이 그려진 깃발을 들고
와서 광장에 세웠다고 해.

이 깃발을 중심으로 부족이 모인 거지.
中
와글
와글
그렇게 중점, 중심을 뜻하게 되었어.
우리들이 운동회할 때도 청군, 백군으로 나누어서 체육복을 달리 입고, 깃발을 달리하잖아.
그리고 그 깃발을 중심으로 모두 모여 응원하고.
이런 이유에서 '가운데'라는 뜻이 나온 거야. 이 가운데에서 어느 한쪽으로 치우치지 않는다는 걸 뜻했지.
중심
중심(中心)에 깃발을 꽂았던 것에서 '적중(的中)'이라는 뜻도 나왔어.
'용(庸)'이란 변하지 않는 항상심과 공평함을 말해.
庸
상록수는 언제나 푸르름을 잃지 않지? 이렇게 언제나 변치 않는 마음을 항상심이라고 해.
심판은 공평해야 한다는 말을 잘 알 거야. 한쪽 편에 치우치거나 기울지 않는 게 공평함이야.
out....
따라서 '용(庸)'이란 글자는 언제나 중심을 잡고 한쪽으로 치우치지 않고 사는 마음을 말해.
똑같이 나눠 줘요!
하지만 때로는 기분 좋을 때도 있고, 기분이 나쁠 때도 있잖아? 중용은 언제나 한쪽에 치우치지 않는 마음의 평상심을 강조해.
말 안 듣는 녀석은….
좀 작은 걸로….
크기가 좀 다른데….

유가에서는 인간의 본성은 태어날 때부터 자연과 조화를 이룬 상태로 태어난다고 주장하고 있어.
그리고 자연은 어느 쪽에도 치우치지 않는 자연스런 마음, 중용의 마음을 가졌다고 생각하지.
자연에 있는 작은 나무는 큰 나무를 보면서 자신의 작음을 한탄하지 않아.
또한 큰 나무는 자신이 크다고 우쭐대지도 않아. 큰 나무와 작은 나무는 서로 조화를 이루며 자연을 보기 좋게 아름답게 만들잖아.
그런데 사람들은 서로 비교하면서 고통스러워해.
옆집.. 철이는 전교.... 1등이래...
그러니 가장 쉽고도 어려운 생활이 중용의 삶을 사는 거라 할 수 있어.
쉽고도... 어려운... 삶.....
중용의 '중'은 치우치지 않음, 지나치지도 모자라지도 않음, 감정이 겉으로 드러나지 않은 상태를 말해.
중심이 무너지면 끝이야
내려와!

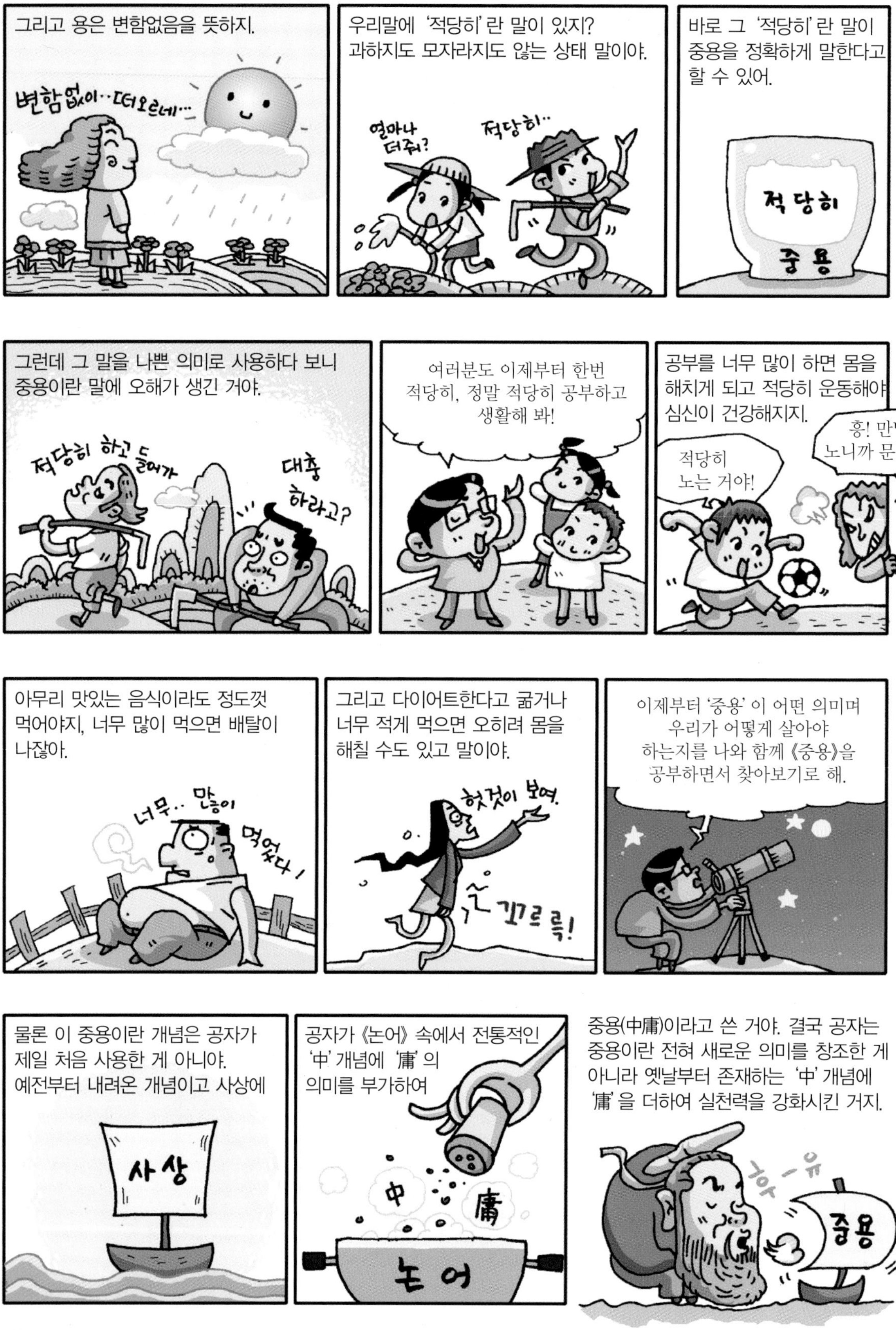
그리고 용은 변함없음을 뜻하지.
변함없이…떠오르네…
우리말에 '적당히'란 말이 있지? 과하지도 모자라지도 않는 상태 말이야.
얼마나 더 줘?
적당히…
바로 그 '적당히'란 말이 중용을 정확하게 말한다고 할 수 있어.
적당히
중용
그런데 그 말을 나쁜 의미로 사용하다 보니 중용이란 말에 오해가 생긴 거야.
적당히 하고 들어가
대충 하라고?
여러분도 이제부터 한번 적당히, 정말 적당히 공부하고 생활해 봐!
공부를 너무 많이 하면 몸을 해치게 되고 적당히 운동해야 심신이 건강해지지.
적당히 노는 거야!
흥! 만날 노니까 문제지!
아무리 맛있는 음식이라도 정도껏 먹어야지, 너무 많이 먹으면 배탈이 나잖아.
너무.. 많이 먹었다!
그리고 다이어트한다고 굶거나 너무 적게 먹으면 오히려 몸을 해칠 수도 있고 말이야.
헛것이 보여.
꼬르륵!
이제부터 '중용'이 어떤 의미며 우리가 어떻게 살아야 하는지를 나와 함께 《중용》을 공부하면서 찾아보기로 해.
물론 이 중용이란 개념은 공자가 제일 처음 사용한 게 아니야. 예전부터 내려온 개념이고 사상에
사상
공자가 《논어》 속에서 전통적인 '中' 개념에 '庸'의 의미를 부가하여
中
庸
논어
중용(中庸)이라고 쓴 거야. 결국 공자는 중용이란 전혀 새로운 의미를 창조한 게 아니라 옛날부터 존재하는 '中' 개념에 '庸'을 더하여 실천력을 강화시킨 거지.
후-유
중용

공자는 《논어》의 〈술이(述而)〉 편에서
이에 대해 겸손하게 말해.
나는 옛사람의 설을 저술했을 뿐 새로 창작한 것은 아니다.
한편 정자*는 중용을 두고 이르기를,
기울지 않으면 중(中)이라 하고, 변하지 않으면 용(庸)이라 한다. 중은 천하의 바른 길이고, 용은 천하의 일정한 도리이다.

*정자(程子) – 중국 송나라의 유학자 정호와 정이 형제를 높여 부르는 말.

그러면 '중용(中庸)' 이란 말을 좀 더 쉽게 이해하기 위해, 공자와 제자들이 나누었던 이야기를 살펴볼까?
공자와 그의 제자 자공**의 이야기야!
자장(子張)과 자하(子夏) 가운데 누가 더 현명합니까?

**자공(?B.C.520~?B.C.456) – 중국 춘추 시대 위나라의 유학자.

자장은 재주가 지나치고,
자하는 재주가 모자란다.
그러면 자장이 더 낫습니까?
과한 것은 미치지 못함과 같은 것이다.
이것이 무슨 말인지 예를 들어 알아볼까?
음식이 짜거나 맵다면 물을 더 많이 넣어 싱겁게 할 수 있어.
또한 싱거운 음식은 양념을 더 해서 맛있게 할 수도 있고 말이야.
자극성 있는 음식과 싱겁고 밋밋한 음식 중에서,
나은 것을 고르라면 어느 것을 고를까?
히히…
난 자극적인 것이 좋아!

건강상으로 본다면, 싱거운 게 더 낫다고 할 수 있어. 지나친 건 모자란 것보다 못하니까.
건강을 위해서 너무 지나치게 운동을 한다면 오히려 건강을 해치기도 하고
너무 뛰었더니… 무릎이 아파.
그렇다고 너무 쉬기만 하면 건강이 좋아지지도 않아.
건강한 생활을 위해서는 그야말로 적당히 운동하고 알맞게 쉬며 알맞게 일해야 하지.
으샤
으샤
이처럼 알맞게 적당히 하는 걸 '중용'이라고 해. 중용은 우리의 모든 생활에 적용할 수 있을 뿐만 아니라 윤리적 덕에도 적용할 수 있지.
중용
모든 것을 두려워할 때 겁쟁이가 되고,
덜덜
두려워하는 것이 없어 위험에 뛰어들 때 무모한 사람이 되지.
또한 온갖 쾌락에 파묻혀 조금도 삼가지 않을 때 방종한 사람이 되고,
모든 쾌락을 피하기만 하는 사람은 무감각한 사람이 되어 버리기도 해.
험
목석
차라리 돌부처랑 사는 게…
그러므로 용기와 절제 같은 윤리적 덕은 지나치거나 모자라는 경우에는 성립될 수 없으며 중용에 의해 보존되는 것이지.
중용

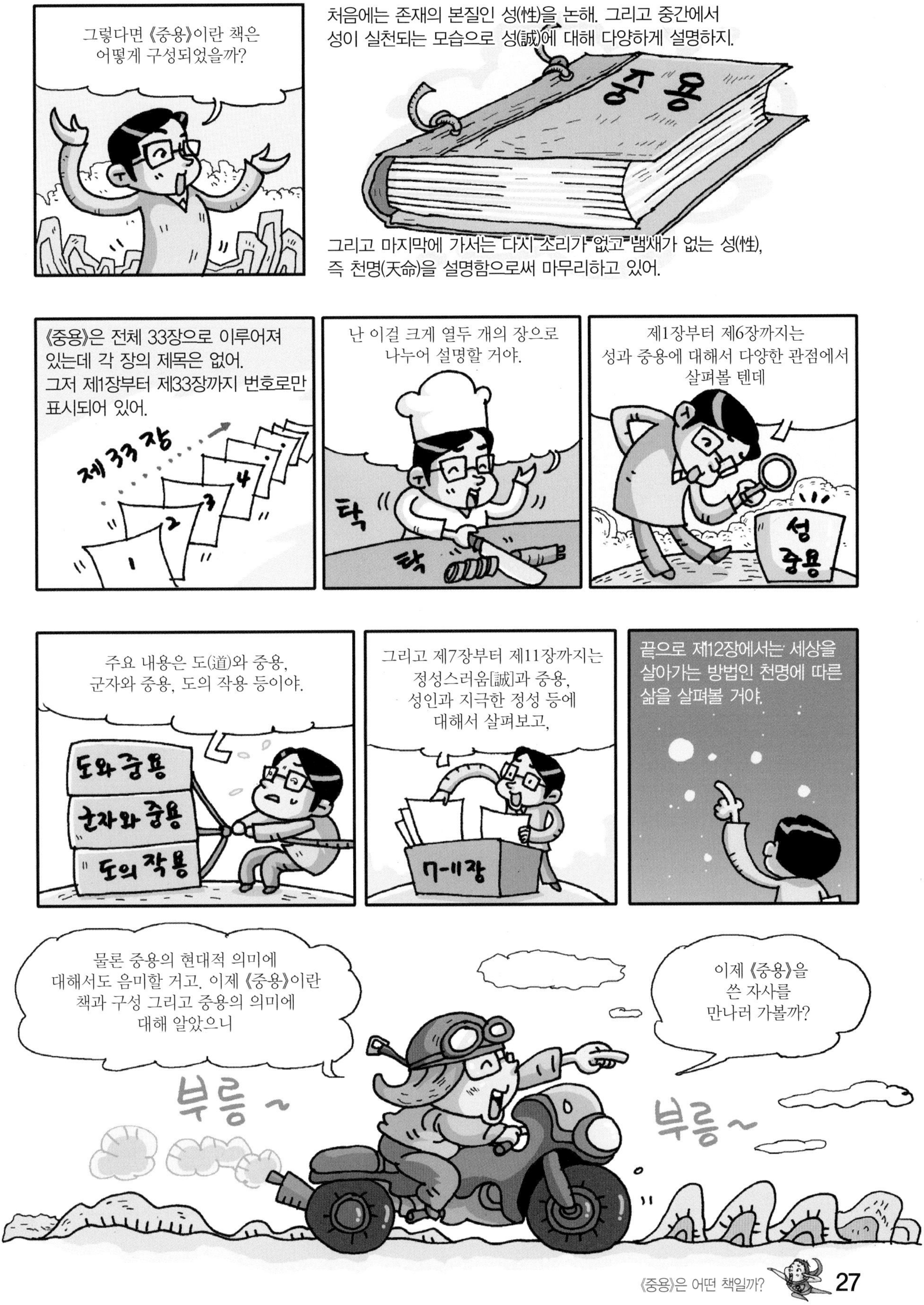
그렇다면 《중용》이란 책은 어떻게 구성되었을까?
처음에는 존재의 본질인 성(性)을 논해. 그리고 중간에서 성이 실천되는 모습으로 성(誠)에 대해 다양하게 설명하지.
중용
그리고 마지막에 가서는 다시 소리가 없고 냄새가 없는 성(性), 즉 천명(天命)을 설명함으로써 마무리하고 있어.
《중용》은 전체 33장으로 이루어져 있는데 각 장의 제목은 없어. 그저 제1장부터 제33장까지 번호로만 표시되어 있어.
제33장
1
2
3
4
난 이걸 크게 열두 개의 장으로 나누어 설명할 거야.
탁
탁
제1장부터 제6장까지는 성과 중용에 대해서 다양한 관점에서 살펴볼 텐데
성
중용
주요 내용은 도(道)와 중용, 군자와 중용, 도의 작용 등이야.
도와 중용
군자와 중용
도의 작용
그리고 제7장부터 제11장까지는 정성스러움[誠]과 중용, 성인과 지극한 정성 등에 대해서 살펴보고,
7~11장
끝으로 제12장에서는 세상을 살아가는 방법인 천명에 따른 삶을 살펴볼 거야.
물론 중용의 현대적 의미에 대해서도 음미할 거고. 이제 《중용》이란 책과 구성 그리고 중용의 의미에 대해 알았으니
부릉~
부릉~
이제 《중용》을 쓴 자사를 만나러 가볼까?

제2장 자사는 누구일까?
述聖
술
성

자사(子思)는 중국 전국 시대의 유학자로 이름은 급(伋)이야.

자사는 그의 자(字)*인데 자사를 높여서 사람들은 '자사자(子思子)' 라고 하기도 해.
흠
공자..
증자..
자사

자사는 공자의 손자로 공자의 학맥을 이은 증자의 수제자야.
할아버지..
오냐!

*자(字) – 남자가 성인이 되었을 때 붙이는 이름.

그는 또한 노나라 목공**의 스승도 하고 위나라에서 벼슬도 했다고 해.

저술로 《子思》가 있었으나 당나라 때 없어졌다고 해.
子思

한편 송나라 왕탁이 편집한 《子思子》가 있으며,
子思子
자..
사 자..

**목공(穆公, ?~B.C.621) – 중국 춘추 시대 진나라 9대 왕.

청나라 때 위원(魏源)은 《예기》 가운데 〈중용〉, 〈방기〉, 〈표기〉, 〈치의〉 편을 자사의 저술이라 하여 《자사장구(子思章句)》를 만들었어.
너희는…
원래 주인에게…
치의
중용
예기
자사장구
사마천이 쓴 《사기(史記)》 중의 〈공자세가(孔子世家)〉에는 다음과 같은 이야기가 나와.
공자세가
공자는 이(鯉)를 낳았는데, 그의 자(字)는 백어(伯魚)이다. 백어는 50세 나이에 공자보다 먼저 죽었다. 백어는 급(伋)을 낳았는데, 그의 자는 자사(子思)이고, 62세까지 살았다. 자사는 일찍이 송(宋)나라에서 고생을 하였고, 《중용》을 지었다.
나중에 정현, 공영달, 정초, 주희 등의 유학자들이 모두 《사기》의 말을 믿었기에 《중용》의 저자가 자사인 걸로 알려지게 된 거야.
그러나 이 《중용》이 자사의 저작이란 것에 대해서는 다른 의견이 많아.
중용
《중용》은 자사가 썼어!
무슨소리
자사에 대한 이야기를 찾을 곳이 많지 않다는 점에서 그래.
탈
중용
탈
사서 가운데 가장 철학적이고 현학*적인 《중용》의 저자인데도 말이야.
중용
철학적
현학적
사서

*현학(玄學) – 이론이 깊고 어려워 깨닫기 힘든 학문.

하지만 내가 누구야. 배우고 익히는 데 게으름 피우지 않는 여러분의 친구, 철학 선생님이잖아!
좀… 오버 하시…
자사의 이야기가 그래도 많이 나오는 곳은 사서 가운데 하나인 《맹자》야.
꾹
맹자
꾹
자 사 이 야 기
이…익
《맹자》에 등장하는 자사의 이야기를 들려줄게.
척…

증자의 수제자가 자사라고 했지?
제자여!
네! 사부님
그런데 이 스승과 제자의 태도가 정반대인 것 같은 모습의 이야기가 《맹자》 〈이루〉 제31장에 나와.
제31장
증자가 노나라 무성(武城)에 있을 때 월나라 군대가 쳐들어왔어.
증자는 집 안에 사람을 들이지 말고, 화초와 나무까지도 잘 보호하라고 집 지키는 사람에게 말하고 속히 피난을 떠나.
이럇~
그리고 적군이 모두 물러가자 무성에 있는 집으로 돌아왔지.
come back home
그러자 증자의 가까운 제자들이 이렇게 말했어.
무성의 대부가 선생님을 그토록 충성스럽고 공경스럽게 대접해 드렸는데,
선생님께선 적병이 온다고 앞장서서 피난 가셔서 백성들이 본받게 하셨다.
또 적군들이 물러간 다음에 돌아오셨으니, 그렇게 해서는 안 되는 게 아니었을까?
글쎄...
그러자 심유행이란 사람은 이렇게 말했어.
그건 너희들이 모르는 이야기다. 예전에 선생님께서 우리 집 안에 계실 때에 부추라는 자가 난리를 일으켰다.
그러나 선생님을 따라 피난 간 제자 70명은 한 사람도 화를 당하지 않았다.
반면 자사가 위나라에서 벼슬할 적에 제나라 군대가 쳐들어왔을 때
와아
와와와
자사는 피난 갈 생각을 안 하고 위나라에 머물렀던 거야.
음....

스승인 증자와는 정반대의 행동이지.
개~골
남들 하는 대로 하면 재미 없어!
그래서 어떤 사람이 자사에게 물었어.
적군이 쳐들어 왔는데, 왜 이곳을 떠나지 않으십니까?
만약 내가 떠나면 임금께서 누구와 함께
나라를 지키시겠느냐?
왜 똑같은 전쟁 상황이었는데도 증자는 잽싸게 피난 가고, 자사는 우직하게 남아 있었을까?
음……
그거야 증자가 자사보다 겁쟁이이기 때문이죠. 그리고 효성심이 강해서 도망갔을 것 같아요. 자기가 살아야 부모를 모실 것 아니에요?
맞아요. 증자는 자사보다 비겁한 것 같아요. 전쟁이 나면 적군에 맞서 싸워야지 도망은 왜 가요?
아니지. 증자와 자사의 처지가 바뀌었더라도 그들은 똑같이 피난을 가거나 적군에 맞서 싸웠을 거야.
앵~
왜냐하면 그들이 처한 입장이 달랐기 때문이지.
그게 무슨 말씀이세요?
증자는 선생이었고 부형*의 자리에 있었기 때문에 백성과 제자 들을 보호하기 위해 피난을 간 거야.
보호
백성
와아아
그리고 자사는 신하이자 미천한 지위에 있었기에 나라를 지키는 자세에 임한 거지. 지혜로운 두 사람은 서로의 위치가 바뀌었다 할지라도 똑같이 행동했을 거야.
내 한 몸! 나라를 위해 싸우다 죽는들 어떠리…….

*부형(父兄) – 리(里)의 대표자이며 질서유지의 책임자.

자사가 노나라 목공의 스승을 지내기도 했다고 했지?
딱
노나라
《맹자》에는 다음과 같은 이야기가 나와. 노나라 목공이 스승인 자사에게 자주 문안드리고 삶은 고기를 자주 보내 위로하였지.
택배
배
왜… 이리 멀어…
자사의 집
그런데 자사는 기뻐하지 않았고, 나중에는 목공이 보낸 사자를 대문 밖으로 내보냈어.
나가
사인은…
그야말로 모시는 주군의 뜻을 거부한 거지.
N O
그리고 북쪽으로 얼굴을 향하고, 머리를 조아려 두 번 절하고 받지 않았대. 그러고는 말했지.
지금에서야 군주께서 개와 말로
나를 기르심을 알았습니다.
이때부터 목공은 물건을 보내지 않았지.
뚝
자사가 제자인 목공이 주는 고기를 왜 받지 않았을까?
NO~
너무 고기만 주었기 때문인가요? 편식하면 안 좋잖아요.
삶은 고기를 자주 보내주어 자사로 하여금 귀찮게 자주 머리를 숙이게 했기 때문인 것 같아요.
하하! 바로 마음이 없기 때문이지. 누구를 좋아하거나 존경하면, 그에 알맞은 예의를 갖추어 자신의 마음을 표현해야겠지? 친구를 좋아한다면서 뒤통수를 친다면, 그걸 좋아하는 친구가 있을까?
그런데 목공은 스승을 대할 때 그저 삶은 고기라는 물질만으로 대접하고, 존경하는 마음은 나타내지 못한 거야.
택배
배
택배 왔어요!
이 때문에 자사는 제자인 목공이 문안을 올리고 삶은 고기로 대접하는 것을 받아들이지 않은 거야.

공자는, 누구라도 부모를 대할 때 '견마지양' 으로 봉양해서는 안 된다고 말해.
'견'.. 이면 내 얘기 인데
견마지양
견마지양(犬馬之養)은 개나 말을 기른다는 뜻이지.
犬
馬
이건 마음 없이 봉양만 하는 것은 효도가 아니라는 뜻이야.
요즘 바빠서… 돈으로 드릴게요…
나 흔들었어 빨리해

현자*를 좋아한다고 하며, 존경하는 마음도 없이 그저 술과 음식으로만 대접하는 건, 진실로 선비와 스승을 존경하는 태도가 아니야.
선물
흥! 날 뭘로.. 보고..
그래서 자사는 이렇게 말했어.
현자를 좋아하되, 제대로 들어 쓰지 못하고 또 봉양도 못한다면,
현자를 좋아한다고 말할 수 있겠는가?

＊현자(賢者) – 어질고 총명하여 성인에 다음가는 사람.

또 노나라 목공이 자주 자사를 뵙고 말하기를,
옛날에 천승(千乘)의 국군(國君)**이 선비와 벗하였으니, 어떻습니까?
이에 자사는 기뻐하지 않으며 말했지.
옛사람의 말에 '섬긴다' 고는 하였을지언정
'벗한다' 고는 하지 않았다.

＊＊천승의 국군 – 전쟁할 때 쓰는 천 대의 수레를 가진 나라의 임금이란 뜻으로, 제후를 말함.

자사가 기뻐하지 않은 까닭은 다음과 같은 이유 때문이야.
지위로 보면 그대는 군주요, 나는 신하이니 내 어찌 감히 군주와 벗할 수 있으며
덕으로 보면 그대는 나를 섬기는 자이니, 어찌 나와 더불어 벗할 수 있으리오.
이는 사람은 모두 그 처한 위치에 따라서 행동하고 처신해야 함을 일깨운 말이야.

이 처신과 관련하여 중국 전한 시대의 유향*이 엮은 설화집인 《설원(說苑)》에는
설원
학문하는 자세에 대한 자사의 생각이 나타나 있어.
學
자사의 공부 방법이기도 하지.
중용.. 5일 만에 정복!!

*유향(劉向, ?B.C.77~B.C.6) – 중국 전한 시대의 학자.

자사가 말하길
학문하는 것은 재주를 더하기 위함이요,
지식
숫돌에 칼을 가는 것은 칼날을 예리하게 하기 위해서다.
슥
슥
내가 깊이 생각해 보았는데 속히 배우는 것만한 것이 없고,
내가 발뒤꿈치를 들고 바라보았으나 높은 산에 올라 널리 보는 것만한 것이 없었다.
그러므로 바람에 순하여 외치면 소리를 더 크게 하지 않아도 듣는 사람은 많으며,
야~
호~
언덕에 올라서 부르면 팔을 길게 뻗지 않아도 보려는 사람은 멀리서도 볼 수 있다.
쟤.. 뭐야
그러므로 물고기는 물을 타고, 새는 바람을 타고, 초목은 때에 올라탄다.
이 말은 무슨 의미일까?
배움에는 때가 있다는 것 같아요.

그리고 높은 산과 바람처럼 좋은 스승을 만나야 한다는 것 같고요.
학문의 목적을 분명히 하여 공부하라는 것 같기도 해요. 마치 대학 갈 때 자기가 하고 싶은 공부, 전공하는 과목을 선택하는 것처럼요.
제법…
와우! 대단해요.
또한 이 책에는 자사가 스무 날 동안 아홉 끼밖에 먹지 못했다는 '이순구식(二旬九食)'이란 일화도 나와.
이순 구식
꾸르르…
이순구식이란, 자사가 위나라에 살 때에 해진 옷을 입고 겉옷도 걸치지 않은 채 스무 날 동안 아홉 끼니밖에 먹지 못했다는 이야기야.
二旬九食
위나라 대부 전자방이라는 사람이, 자사의 이 이야기를 듣고 사람을 시켜 자사에게 여우 가죽을 보냈다고 해.
여우 가죽
또 쫓겨 날 텐데….
그는 자사가 받지 않을 것을 걱정해 다음과 같은 말을 했지!
내가 남에게 빌려 준 것은 잊어버리고 마니 내가 남에게 주는 것은 버리는 것과 같다.
그런데 자사가 누구야. 당연히 사양하며 받지 않았지.
NO~
여우 가죽
사인이라도…
그러자 전자방이 또 말하기를,
나는 그대가 없는 것이 있어 주었는데, 무슨 이유로 받지 않는가?
내가 듣기론
함부로 다른 사람에게 주는 것은 시궁창에 물건을 버리는 것과 같다고 들었다.
내가 비록 가난하지만 차마 몸을 시궁창으로 삼을 수 없기에 받을 수가 없다.

자사는 가난하게 살면서도 전자방이 준 여우 가죽을 받지 않았어. 그 여우 가죽만 있으면 곡식도 사 먹을 수 있고, 여러 가지를 할 수 있는데도 말이야.
돌발 퀴즈! 자사는 왜 선물을 받지 않았을까?
벌떡
시끌
저요!
저요!
그래, 재영이가 말해 보렴.
전자방의 말이 자사의 자존심을 건드렸기 때문이죠.
맞아요!
자사는 선비인데 거지 취급을 받았거든요.
여러분은 이미 삶의 지혜를 갖고 있구나! 인간 관계 속에서 살아갈 수밖에 없는 인간은, 그 어떤 상황에서도 지켜야 할 예의와 격식이 있어야 해.
사람과 선물을 주고받을 때도 예의와 격식이 있는 거야.
모든 정성을 다해서….
그런데 자사가 태어나고 죽은 시기는 정확하지가 않아. 왜 그럴까?
그야 전쟁 때문이죠. 전쟁이 너무나 자주 일어났기 때문에
약탈과 방화가 있었을 것이고… 그 때문에 여러 기록과 문서가 사라졌겠죠.
우아

그럼 왜 전쟁이 잦았던 걸까?
제가 알아요! 지난번 읽은 책 《노자》에 나왔어요!
음, 자사가 살던 시대는 전국 칠웅이 할거하던 시대였어요.
이 전국 시대에는 철제 농기구를 사용했고 농업기술이 발달했대요.
깡
그전까지는 돌멩이로 밭을 갈았는데 말이죠.
그러다 보니 농사를 잘 지을 수 있었어요. 그래서 쌀 수확량, 아니 생산력이 늘어났대요.
또한 청동제 화폐의 사용으로 시장경제가 활성화되었다고 해요. 이러다 보니 돈이 많은 강대한 여러 지방 국가가 형성되었겠죠.
경제가 활성화되고 나라가 부유해지자, 국가들은 무기를 사들이고 개발하기 시작했죠.
정말 대단하네. 어떻게 그렇게 잘 알 수 있지? 선생님이 여러분에게 배우네.
맞았어요. 춘추 시대에는 주나라의 분열로, 중국이 100여 개의 지역으로 나뉘어 서로 싸우다가, 제(齊) · 진(晉) · 초(楚) · 오(吳) · 월(越)나라의 춘추오패가 있었어.
물론 이때는 나라가 아닌 제후들이었어.
제
진
초
오
월

제후란 한 지역을 지배하면서 세력을 떨치고 있는
그 지역의 지배자라고 생각하면 돼.
우두머……리…

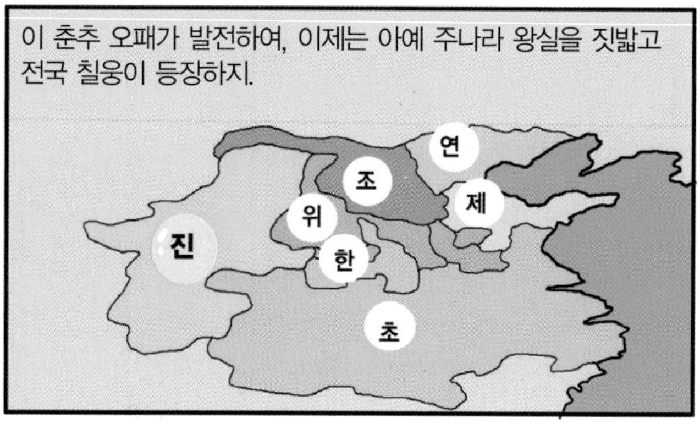
이 춘추 오패가 발전하여, 이제는 아예 주나라 왕실을 짓밟고
전국 칠웅이 등장하지.
연
조
제
위
진
한
초

국가 간의 전쟁이란 의미의
전국(戰國) 시대가 온 거야.
쓸어버려!
전
쟁

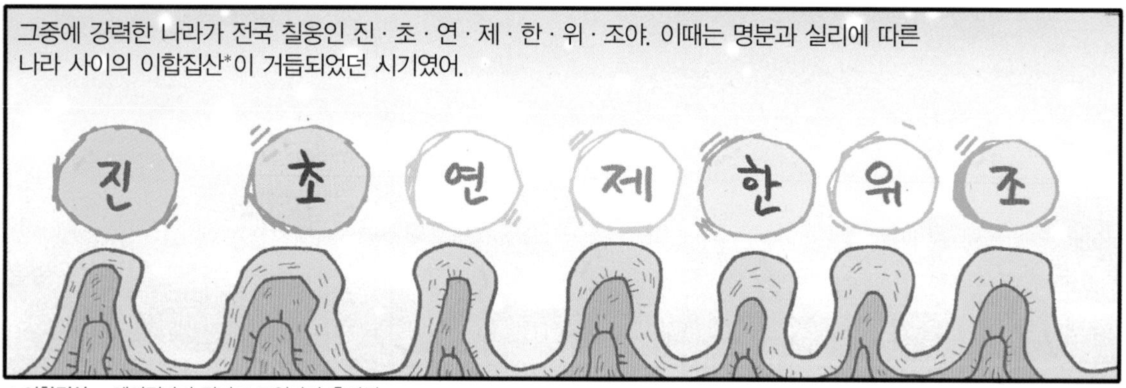
그중에 강력한 나라가 전국 칠웅인 진 · 초 · 연 · 제 · 한 · 위 · 조야. 이때는 명분과 실리에 따른
나라 사이의 이합집산*이 거듭되었던 시기였어.
진 초 연 제 한 위 조

*이합집산 – 헤어졌다가 만나고 모였다가 흩어짐.

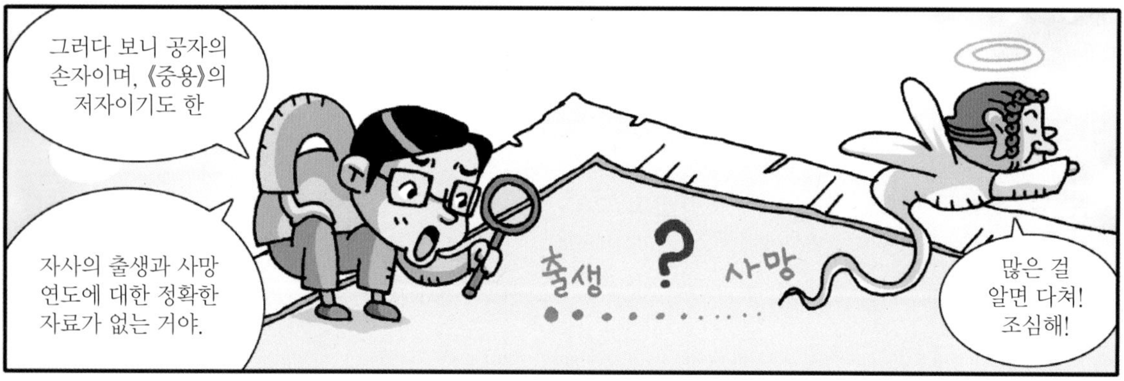
그러다 보니 공자의
손자이며, 《중용》의
저자이기도 한
자사의 출생과 사망
연도에 대한 정확한
자료가 없는 거야.
출생
?
사망
많은 걸
알면 다쳐!
조심해!

자사는 동양 5성(聖) 중의 한 사람이야. 동양 5성이란 유가에서 뛰어난 사람을 성인으로 일컫는 말이야. 공자, 안회, 증삼*, 자사, 맹자, 이 다섯 명의 성인을 말해. 공자를 지성(至聖), 안회(顔回)를 복성(復聖), 증자(曾子)는 종성(宗聖), 자사는 술성(述聖), 그리고 맹자는 아성(亞聖)이라고 불렀어.

그러면 각각의 뜻을 알아볼까?

*증삼 – 후세 사람이 높여 증자라 일컬었다.

먼저 공자는 지극한 성인의 경지에 이르렀다 해서 지극할 지(至)를 써서 지성(至聖)이라 부르지.

성인의 극치란 뜻이야. 이런 이유로 공자에 대한 평가는 누구도 감히 간단하게 말할 수 없어.
최
고

공자의 수제자인 안연**은 《논어》 〈자한〉 편에서 다음과 같은 말을 해.
자한편

**안연 – 안회의 성과 자를 함께 이르는 이름.

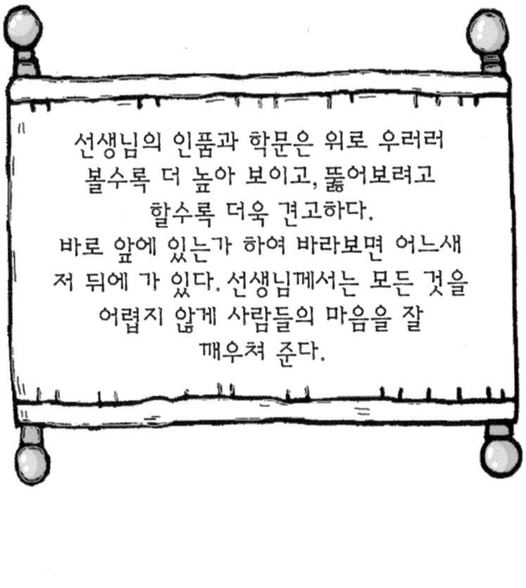
선생님의 인품과 학문은 위로 우러러 볼수록 더 높아 보이고, 뚫어보려고 할수록 더욱 견고하다.
바로 앞에 있는가 하여 바라보면 어느새 저 뒤에 가 있다. 선생님께서는 모든 것을 어렵지 않게 사람들의 마음을 잘 깨우쳐 준다.

안회는 공자가 가장 신임했던 제자였어. 공자보다 서른 살이나 어렸는데도 안타깝게 공자보다 먼저 세상을 떠났어.
내가 좀… 하지.

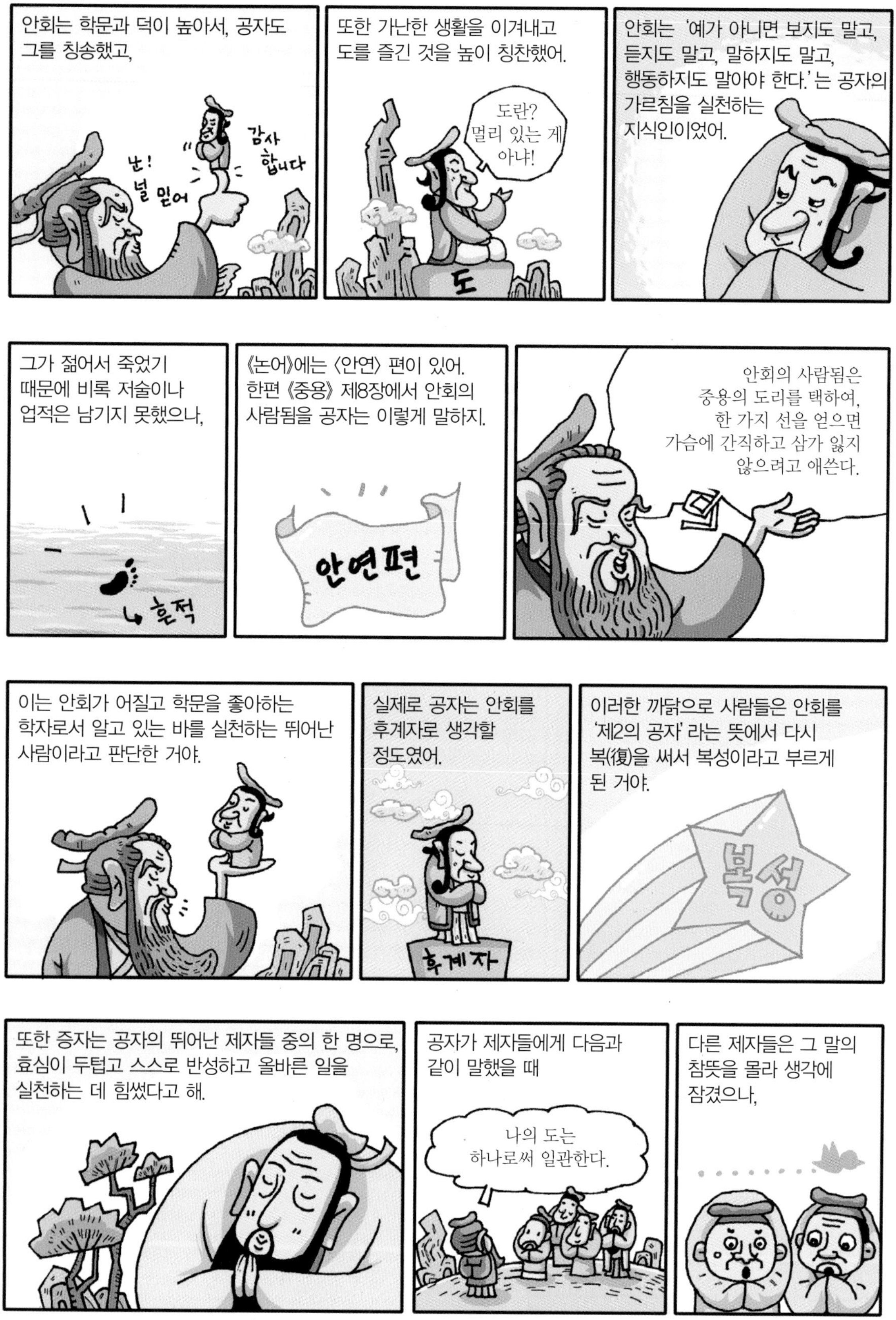
안회는 학문과 덕이 높아서, 공자도 그를 칭송했고,
난! 널 믿어
감사 합니다
또한 가난한 생활을 이겨내고 도를 즐긴 것을 높이 칭찬했어.
도란? 멀리 있는 게 아냐!
도
안회는 '예가 아니면 보지도 말고, 듣지도 말고, 말하지도 말고, 행동하지도 말아야 한다.'는 공자의 가르침을 실천하는 지식인이었어.
그가 젊어서 죽었기 때문에 비록 저술이나 업적은 남기지 못했으나,
흔적
《논어》에는 〈안연〉 편이 있어. 한편 《중용》 제8장에서 안회의 사람됨을 공자는 이렇게 말하지.
안연편
안회의 사람됨은 중용의 도리를 택하여, 한 가지 선을 얻으면 가슴에 간직하고 삼가 잃지 않으려고 애쓴다.
이는 안회가 어질고 학문을 좋아하는 학자로서 알고 있는 바를 실천하는 뛰어난 사람이라고 판단한 거야.
실제로 공자는 안회를 후계자로 생각할 정도였어.
후계자
이러한 까닭으로 사람들은 안회를 '제2의 공자'라는 뜻에서 다시 복(復)을 써서 복성이라고 부르게 된 거야.
복성
또한 증자는 공자의 뛰어난 제자들 중의 한 명으로, 효심이 두텁고 스스로 반성하고 올바른 일을 실천하는 데 힘썼다고 해.
공자가 제자들에게 다음과 같이 말했을 때
나의 도는 하나로써 일관한다.
다른 제자들은 그 말의 참뜻을 몰라 생각에 잠겼으나,

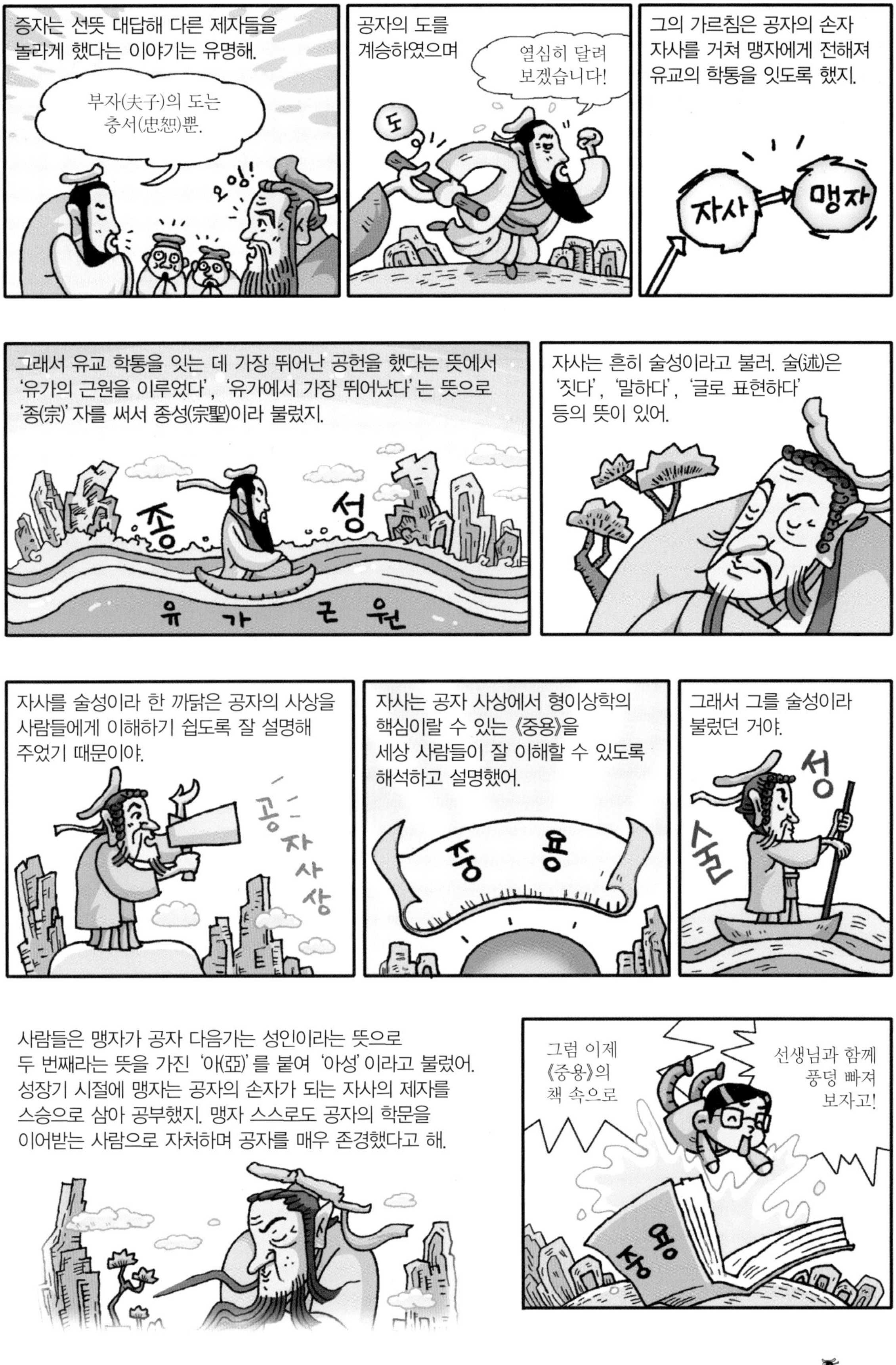
증자는 선뜻 대답해 다른 제자들을 놀라게 했다는 이야기는 유명해.
부자(夫子)의 도는 충서(忠恕)뿐.
오잉!
공자의 도를 계승하였으며
열심히 달려 보겠습니다!
도
그의 가르침은 공자의 손자 자사를 거쳐 맹자에게 전해져 유교의 학통을 잇도록 했지.
자사
맹자
그래서 유교 학통을 잇는 데 가장 뛰어난 공헌을 했다는 뜻에서 '유가의 근원을 이루었다', '유가에서 가장 뛰어났다'는 뜻으로 '종(宗)' 자를 써서 종성(宗聖)이라 불렀지.
종
성
유 가 근 원
자사는 흔히 술성이라고 불러. 술(述)은 '짓다', '말하다', '글로 표현하다' 등의 뜻이 있어.
자사를 술성이라 한 까닭은 공자의 사상을 사람들에게 이해하기 쉽도록 잘 설명해 주었기 때문이야.
공자사상
자사는 공자 사상에서 형이상학의 핵심이랄 수 있는 《중용》을 세상 사람들이 잘 이해할 수 있도록 해석하고 설명했어.
중 용
그래서 그를 술성이라 불렀던 거야.
술
성
사람들은 맹자가 공자 다음가는 성인이라는 뜻으로 두 번째라는 뜻을 가진 '아(亞)'를 붙여 '아성'이라고 불렀어. 성장기 시절에 맹자는 공자의 손자가 되는 자사의 제자를 스승으로 삼아 공부했지. 맹자 스스로도 공자의 학문을 이어받는 사람으로 자처하며 공자를 매우 존경했다고 해.
그럼 이제 《중용》의 책 속으로
선생님과 함께 풍덩 빠져 보자고!
중용

제3장 하늘과 땅 그리고 인간 - 천·성·도·교

'하늘' 하면 떠오르는 게 뭐지?
구름, 새, 비, 벼락, 눈, 우주 법칙… 엄청 많죠.
그럼 '땅' 하면 떠오르는 건?
흙, 산, 바다, 강, 동물, 식물 등이 있죠.
그렇다면 '인간' 하면 떠오르는 건?
그야 가정, 학교, 사회, 국가, 세계…, 전쟁과 평화, 선과 악,
우등생과 열등생, 잘 사는 나라와 못 사는 나라,
있는 자와 없는 자, 똑똑한 사람과 똑똑하지 못한 사람…, 등등이죠.

우리는 하늘 아래 살고 있으며, 땅 위에 발을 딛고 살고 있어.
하늘과 땅의 조화로 인간과 무수히 많은 생명체들과 비생명체들이 지구상에 존재하고 있지.
시끌…
저 지구는 항상… 시끄러워!
그리고 사람들은 어떻게 살아야 할지에 대해 고민했지.
어찌 살아야…
남규와 재영이가 말했듯이 사람은 관계 속에 있어.
관계
그래서 하늘과 땅 그리고 인간이라고 말하는 거야.
하늘
인간
땅
이 관계 속에서는 사람은 해야 할 일과 하지 말아야 할 일이 있지.
그래서 법과 윤리, 도덕 등의 규범을 정하지.
법
윤리
도덕
규범
이로써 사람들은 법을 지키며 함께 살 수 있게 되었지.
규 범

만약 사람들이 이 규범과 법을 지키지 않으면 함께 살 수가 없겠지?
규 범
쾅
유학은 사람이 살아가면서 해야 할 일과 하지 말아야 할 일을 강제하는 규범을 강조한 학문이라 할 수 있어.
규 범
유학에서는 양심을 강조해.
양 심
이건 다른 종교와 학문에서도 마찬가지야. 하지만 유학은 특히 강조해.
양 심
유학
왜냐하면 유학은 양심에 기초해서 사람들의 관계를 밝혀 나가는 학문이기 때문이야.
유학
양 심
세상 모두를 속일 수 있어도 자신의 양심은 속일 수 없잖아.
양 심
더군다나 사람이라면 누구나 다 양심을 갖고 있잖아.
양심은 수양과 교육을 통해서 함양할 수 있는 거야.
양심함양
수양 교육
이는 수양의 문제와 지식의 문제로 나누어 설명할 수 있어.
수 양
지 식
뚝
모든 사람의 내면에 있는 양심을 탐구하는 게
아~
'지식의 문제' 이고,
그런다고 내면이 보여?
훈련과 교육을 통해서 양심을 회복하는 건 '수양의 문제'라 할 수 있어.
난! 수양이 부족해!

물론 이 둘은 서로 분리할 수 없지.
수양+지식
이 두 가지는 상호 보완적이며 동시에 추구해야만 하는 것들이야.
노가 없으면…
배가 못 가듯….
수양
지식
공자는 정신 수양의 결과를 '인(仁)' 이라고 하는 하나의 개념에 집약시켜 설명해.
仁
인은 '사랑' 이라고 생각하면 돼.
인
사랑
하지만 기독교의 무차별적인 사랑과는 달리, 이 인은 차별적인 사랑이야.
인
그게 무슨 말씀이에요? 어떻게 차별적인 사랑을 사랑이라고 해요?
원수를 사랑할 수는 없어. 신이 아닌 사람이라면 말이야.
그래서 공자는 오직 착한 사람만이 사람을 좋아하고 미워할 수 있다고 했어.
착한 사람이 복을 받지!
나쁜 짓을 한 사람은 그에 알맞은 벌을 받아야 한다는 게 공자의 사랑인 인의 뜻이야.
벌
그래서 차별적인 사랑이라고 인을 설명한 거야.
그렇다면 인을 어떻게 구현할 수 있을까? 그건 내적으로는 충(忠)으로, 외적으로는 서(恕)로 나타나.
서
충
서
'충(忠)' 이란 가운데 중(中)과 마음 심(心)이 합쳐진 글자로, 마음의 중심이 흔들리지 않는다는 뜻이야.
忠

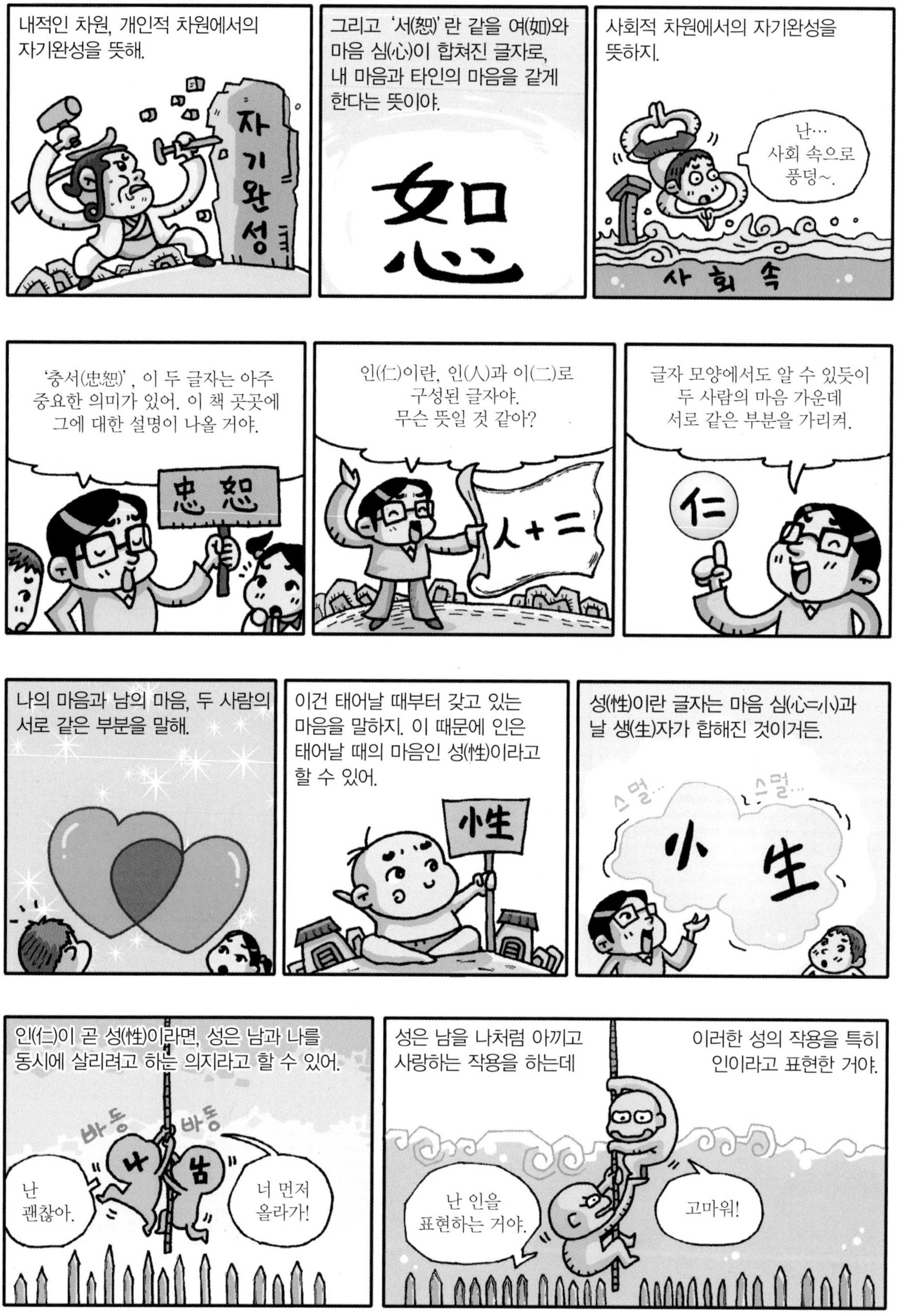

내적인 차원, 개인적 차원에서의 자기완성을 뜻해.
자기완성
그리고 '서(恕)'란 같을 여(如)와 마음 심(心)이 합쳐진 글자로, 내 마음과 타인의 마음을 같게 한다는 뜻이야.
恕
사회적 차원에서의 자기완성을 뜻하지.
난… 사회 속으로 풍덩~.
사회 속
'충서(忠恕)', 이 두 글자는 아주 중요한 의미가 있어. 이 책 곳곳에 그에 대한 설명이 나올 거야.
忠恕
인(仁)이란, 인(人)과 이(二)로 구성된 글자야. 무슨 뜻일 것 같아?
人+二
글자 모양에서도 알 수 있듯이 두 사람의 마음 가운데 서로 같은 부분을 가리켜.
仁
나의 마음과 남의 마음, 두 사람의 서로 같은 부분을 말해.
이건 태어날 때부터 갖고 있는 마음을 말하지. 이 때문에 인은 태어날 때의 마음인 성(性)이라고 할 수 있어.
忄生
성(性)이란 글자는 마음 심(心=忄)과 날 생(生)자가 합해진 것이거든.
스멀… 스멀…
忄 生
인(仁)이 곧 성(性)이라면, 성은 남과 나를 동시에 살리려고 하는 의지라고 할 수 있어.
바동 바동
나 남
난 괜찮아.
너 먼저 올라가!
성은 남을 나처럼 아끼고 사랑하는 작용을 하는데
이러한 성의 작용을 특히 인이라고 표현한 거야.
난 인을 표현하는 거야.
고마워!

이 인으로써 모든 사람을 대하는 게 유가의 핵심 주장이야.
인
그래서 임금이 되었을 때는 인의 마음으로, 모든 백성들을 자신처럼 아끼고 사랑함으로써 한마음이 되어 통치해야 한다는 거야.
인
그렇지만 임금은 권력을 갖고 있잖아. 그 권력으로 백성들을 탄압하기 쉬운 면도 있어.
권력
이걸 경계한 공자는 임금의 도리로 특히 인을 강조했던 거야.
仁
그리고 인과 더불어 하늘의 명령이라는 천명(天命)과 천도(天道)라는 개념을 제시해.
천명. 천도
이 말을 나타낸 것이 '임금은 하늘이 낸다.'는 말이지.
사람으로서 살아가야 할 이치, 그리고 타인을 대하는 이치와 다스리는 방법의 구체적 결실이 《중용》이란 책으로 나타난 거야.
중용
이 때문에 중용은 공자가 늙어가면서 깨닫게 된 정신세계가 이론적 틀로 나타난 것이라 할 수 있어.
따라서 중용사상은 공자의 정신세계 속에 이미 뿌리가 있었다고 할 수 있고.
중용사상
내…머릿속에 뿌리가…
공자는 유학이라는 학파를 건설할 때, 유학은 자기 개인 역량에 의해 만들어진 것도 아니고
유학

자기 시대의 의식이 반영되어 구성된 것도 아니라는 점을 분명히 했어.
난 양념을… 더했을 뿐…
왜 제1장에서 말했잖아. 술이부작(述而不作)을.
나는 옛사람의 설을 저술했을 뿐 새로 창작한 것은 아니다.
물론 이 말은 공자가 스스로를 저술가가 아닌 '편집자' 라고 겸손하게 말한 거야.
겸손
그는 그의 사상의 뿌리를
멀리는 요임금 · 순임금에게로, 가까이는 문왕 · 무왕에게로 귀속*시켜.
유학
순
요
문왕
무왕

*귀속(歸屬) – 어떤 개인이 특정 단체에 속하거나 일원이 됨.

이것은 공자가 이념적으로 중국 문화의 정통을 계승했다는 사실을 말해.
중국문화 정통계승
이런 이유 때문에 《중용》 곳곳에서 요와 순, 무왕과 문왕의 이야기가 많이 나와.
결국 공자의 사상은 공자 이전의 중국 정신 전체가 한꺼번에 반영되어 나타난 거야.
좀… 더…
정신
공자사상
공자 혼자만의 생각이나 사상이 아니란 말이지.
공자사상
그 사상이 종합적으로 나타난 게 《중용》이야.
중용
《중용》은 비록 공자 자신에 의해 명확하게 제기되고 있지는 않지만
아하! 중용이란 말을 한 적은 있다…!

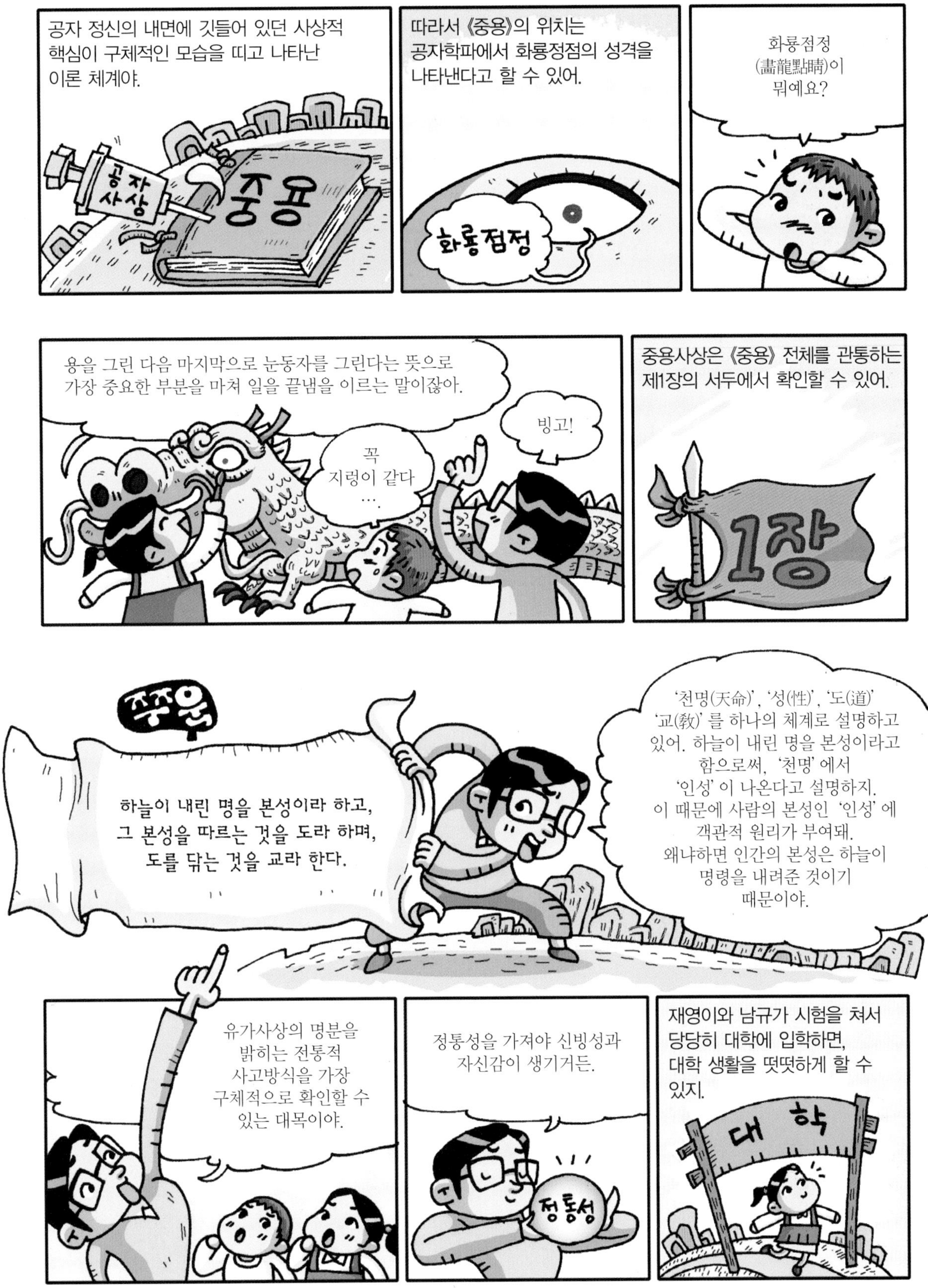

공자 정신의 내면에 깃들어 있던 사상적 핵심이 구체적인 모습을 띠고 나타난 이론 체계야.
공자 사상
중용
따라서 《중용》의 위치는 공자학파에서 화룡점점의 성격을 나타낸다고 할 수 있어.
화룡점정
화룡점정(畵龍點睛)이 뭐예요?
용을 그린 다음 마지막으로 눈동자를 그린다는 뜻으로 가장 중요한 부분을 마쳐 일을 끝냄을 이르는 말이잖아.
빙고!
꼭 지렁이 같다 ….
중용사상은 《중용》 전체를 관통하는 제1장의 서두에서 확인할 수 있어.
1장
주중용
하늘이 내린 명을 본성이라 하고, 그 본성을 따르는 것을 도라 하며, 도를 닦는 것을 교라 한다.
'천명(天命)', '성(性)', '도(道)' '교(敎)'를 하나의 체계로 설명하고 있어. 하늘이 내린 명을 본성이라고 함으로써, '천명'에서 '인성'이 나온다고 설명하지. 이 때문에 사람의 본성인 '인성'에 객관적 원리가 부여돼. 왜냐하면 인간의 본성은 하늘이 명령을 내려준 것이기 때문이야.
유가사상의 명분을 밝히는 전통적 사고방식을 가장 구체적으로 확인할 수 있는 대목이야.
정통성을 가져야 신빙성과 자신감이 생기거든.
정통성
재영이와 남규가 시험을 쳐서 당당히 대학에 입학하면, 대학 생활을 떳떳하게 할 수 있지.
대 학

하지만 기부금 입학이나,
부정 입학을 하면 친구들과 이야기
하기도 두렵고 자신이 없잖아.
대학
창피해서
못 가겠어!
정통성이란 올바른 방법으로
대를 잇거나 일을 추진하는 걸 말해.
정통성
마찬가지로 하늘의 명령으로
이루어진 게 사람의 본성이라고
했기에, 그 본성은 모두 다 같다는
의미지.
본성
하늘의 명령으로 부여받은 인성의
끊임없는 수양과 학습을 통해서
천명을 깨닫는 게 공자사상의
핵심이야.
수양·학습
공자사상
이 때문에 천명을
깨닫는 학습과 수양은
유가사상의
기초가 되었지.
유가사상
학습·수양
평생을 통한 끝없는 수양과
학습을 통한 인성의 계발과 보존!
인성계발….
이러한 노력으로 '욕심'
그 자체의 거침없는 발현이 언제나
도리에 합당한 결과로 나타날 수
있도록 한 게 유가사상이야.
그래서 공자는 《논어》
〈위정(爲政)〉 편에서
다음과 같이 말해!
나이 일흔에 마음이
하고자 하는 대로 하여도
법도를 넘어서거나
어긋나지 않았다.
(七十而從心所欲 不踰矩)
여러분이 알고 있는 마음은
욕심 덩어리야.
욕심 덩어리… 마음
청소도 남들이 해 주었으면 좋겠고,
쉬고
싶다!
누가
모든 걸
해 줬으면
좋겠어!
그런
로봇 없나?
잠도 더 자고 더 놀고도
싶은 이기적 욕구의 주체지.
이기적인
마음
나도
그러는데
…

그러나 공자에게, '心'은 도덕적 욕구의 주체로서 확립된 마음이라 할 수 있어. 이 때문에 하늘의 이치를 자신의 심성 속에 받아들일 수 있는 것이고, 자신의 마음과 하늘의 이치가 완전히 같아지도록 할 수 있었던 거야. 따라서 공자에게 하고자 하는 욕심은 하늘의 이치에서 벗어나지 않는 거야. 이는 전적으로 공자의 학습과 도덕적 수양의 결과라고 할 수 있어.

心

그러나 이것이 《중용》에 오면 이러한 정신세계는 존재론적 차원에서 이미 전제되어 있게 돼.
중용

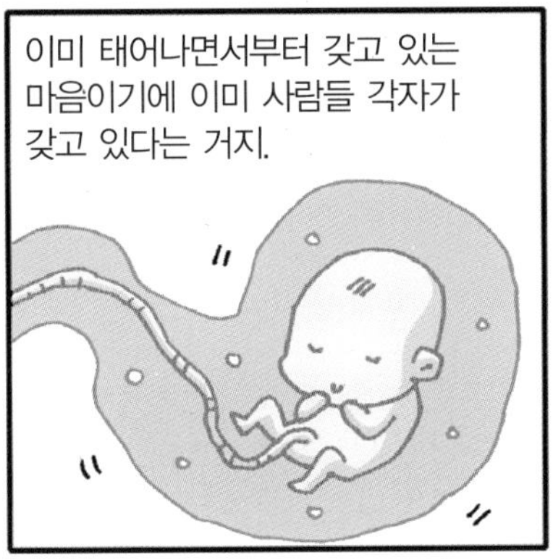
이미 태어나면서부터 갖고 있는 마음이기에 이미 사람들 각자가 갖고 있다는 거지.

하늘의 명령으로 태어나면서 그냥 갖고 있는 선량한 마음, 마음대로 행해도 남에게 피해를 안 주는 마음이 되어 버려.
心

초기의 공자에게 종심소욕 불유구(從心所欲 不踰矩)의 정신세계는
종심…?

심성의 확산과 수양에 따라 후천적으로 달성되었던 거야.

돌발 퀴즈! 종심소욕 불유구가 뭘 말하는지 아는 사람?
종심소욕 불유구?

내 마음이 하고자 하는 대로 해도, 거리끼는 것이 없다는 뜻이지요.
우~아!
나이 칠십을 이야기하는 공자의 말이잖아요.
빙고! 나이 칠십이 되어야 얻을 수 있는 경지, 부단한 학문의 연구와 수양을 통해서 얻게 된 경지를 말하지.
이런 점에서 공자는 '천리'와 '인성'을 동일 문맥 위에서 말한다고 할 수 있어.
천리
인성
즉 '인성'을 통하여 '천리'에 접근해 간다고 할 수 있는 거지.
인
성
천리
공자는 각자의 입장인 주관적인 인성으로 모두에게 같은 입장인 객관적인 천성을 확보하였던 거지.
따라서 '천명', '성', '도', '교'의 뜻은 다르지만,
내용에 있어서는 일치한다고 할 수 있어.
性
天命
敎
道
조금 전문적으로 말하면, 외재하는 객관적인 원리로서의 '천리'는 그대로 내재하는 주관적 원리로서의 '성'이 된다는 거야.
천리
천리
천리
性
이것은 동시에 외적 표현 과정을 거쳐 '도'가 되고
道
또 수양을 통하여 '교'가 되는 것이야.
敎
수
양
그런데 이 모든 개념들은 '중'의 형식을 갖추고 나타나.
천명
성
中
도
교

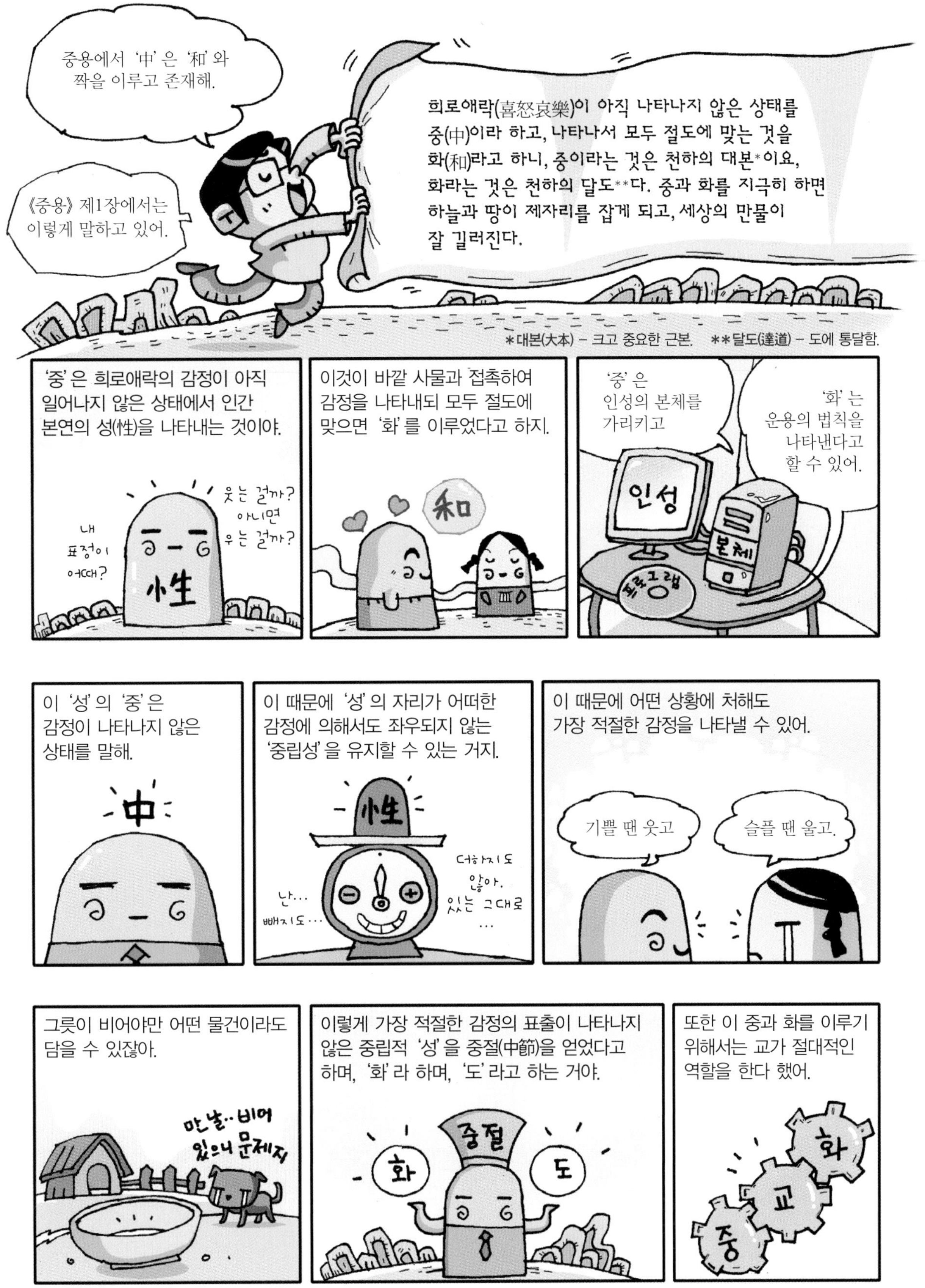

중용에서 '中'은 '和'와 짝을 이루고 존재해.
《중용》 제1장에서는 이렇게 말하고 있어.
희로애락(喜怒哀樂)이 아직 나타나지 않은 상태를 중(中)이라 하고, 나타나서 모두 절도에 맞는 것을 화(和)라고 하니, 중이라는 것은 천하의 대본*이요, 화라는 것은 천하의 달도**다. 중과 화를 지극히 하면 하늘과 땅이 제자리를 잡게 되고, 세상의 만물이 잘 길러진다.
* 대본(大本) – 크고 중요한 근본. ** 달도(達道) – 도에 통달함.
'중'은 희로애락의 감정이 아직 일어나지 않은 상태에서 인간 본연의 성(性)을 나타내는 것이야.
내 표정이 어때?
웃는 걸까? 아니면 우는 걸까?
性
이것이 바깥 사물과 접촉하여 감정을 나타내되 모두 절도에 맞으면 '화'를 이루었다고 하지.
和
'중'은 인성의 본체를 가리키고
'화'는 운용의 법칙을 나타낸다고 할 수 있어.
인성
본체
프로그램
이 '성'의 '중'은 감정이 나타나지 않은 상태를 말해.
中
이 때문에 '성'의 자리가 어떠한 감정에 의해서도 좌우되지 않는 '중립성'을 유지할 수 있는 거지.
性
난… 빼지도…
더하지도 않아. 있는 그대로…
이 때문에 어떤 상황에 처해도 가장 적절한 감정을 나타낼 수 있어.
기쁠 땐 웃고
슬플 땐 울고.
그릇이 비어야만 어떤 물건이라도 담을 수 있잖아.
만날… 비어 있으니 문제지
이렇게 가장 적절한 감정의 표출이 나타나지 않은 중립적 '성'을 중절(中節)을 얻었다고 하며, '화'라 하며, '도'라고 하는 거야.
중절
화
도
또한 이 중과 화를 이루기 위해서는 교가 절대적인 역할을 한다 했어.
화
교
중

그래서 사람은 죽어서도
배운다고 하잖아.
죽어서도.. 뭘 배워...
제사 때 모시는 위패에 적는
'현고학생부군신위'에도 학생이라고
쓰는 이유가 그거야.
현고......
물론 여기서 학생이란 관직이
없는 경우를 말해. 관직이
있는 경우에는 그 관직을 써.
아무튼 배우지 아니하고는
분별을 할 수 없으니
이게.. 무슨 글자 이던고?
순선무악한 본연의 성품이 사물에 접촉했을 때에 중절할 수 있는 지식이
없으면 칠정(七情)에 얽매여 화를 이루지 못하고 악으로 빠질 수밖에 없어.
빠아아... 아..앙...
지식
칠정?
칠정이란 《예기(禮記)》에 나오는
인간의 일곱 가지 정을 말해. 희(喜) · 노(怒) · 애(哀) ·
락(樂) · 애(愛) · 오(惡) · 욕(欲)이지.
칠정
기쁨, 노여움, 슬픔, 즐거움,
사랑, 미움, 욕심을 말해.
행위의 '중'에 있어서
그것이 시간적 질서 속에서
말해질 때는
주절..
헉
그것은 군자의 '시중(時中)'으로
나타나고 그것이 공간적 질서 속에서
말해질 때는 그것은 순임금의
'용중(用中)'으로 나타나.
주절..
선생님! 머리가 너무 아파요.
버럭
도대체 무슨 말인지
알 수가 없어요.

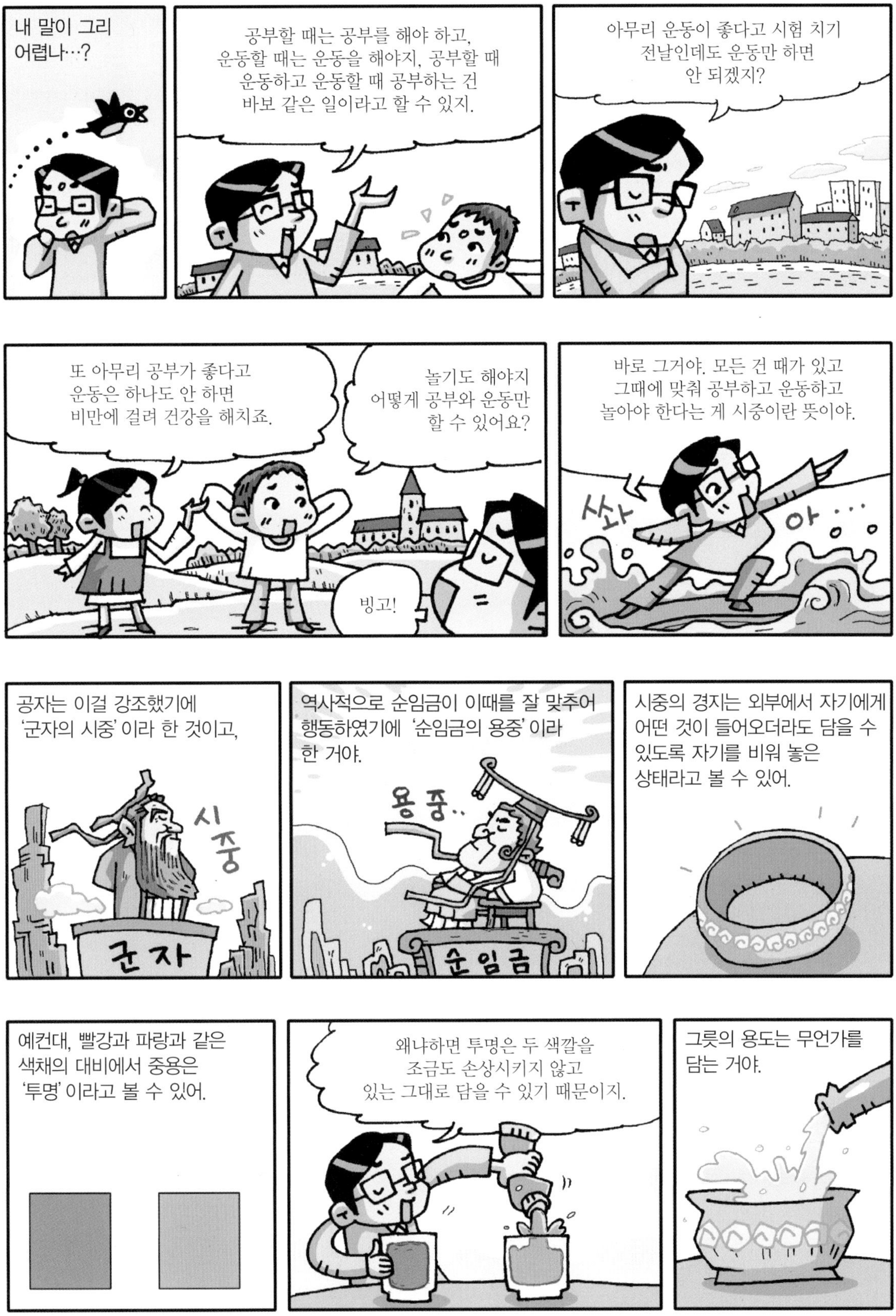
내 말이 그리 어렵나…?
공부할 때는 공부를 해야 하고, 운동할 때는 운동을 해야지, 공부할 때 운동하고 운동할 때 공부하는 건 바보 같은 일이라고 할 수 있지.
아무리 운동이 좋다고 시험 치기 전날인데도 운동만 하면 안 되겠지?
또 아무리 공부가 좋다고 운동은 하나도 안 하면 비만에 걸려 건강을 해치죠.
놀기도 해야지 어떻게 공부와 운동만 할 수 있어요?
빙고!
바로 그거야. 모든 건 때가 있고 그때에 맞춰 공부하고 운동하고 놀아야 한다는 게 시중이란 뜻이야.
샤와 아…
공자는 이걸 강조했기에 '군자의 시중'이라 한 것이고,
시중
군자
역사적으로 순임금이 이때를 잘 맞추어 행동하였기에 '순임금의 용중'이라 한 거야.
용중…
순임금
시중의 경지는 외부에서 자기에게 어떤 것이 들어오더라도 담을 수 있도록 자기를 비워 놓은 상태라고 볼 수 있어.
예컨대, 빨강과 파랑과 같은 색채의 대비에서 중용은 '투명'이라고 볼 수 있어.
왜냐하면 투명은 두 색깔을 조금도 손상시키지 않고 있는 그대로 담을 수 있기 때문이지.
그릇의 용도는 무언가를 담는 거야.

빈 그릇이어야만 무언가를 담을 수 있어. 시중의 경지는 바로 이러한 상태를 말해.
시중은 《중용》에서 군자와 소인의 차이를 가지고 설명해.
군자
소인
《중용》 제2장에선 이를 다음과 같이 말하지.
군자는 중용을 따르고 소인은 중용을 거스른다. 군자가 중용을 따르는 것은 때에 맞춰 행하기 때문이요, 소인이 중용을 거스르는 것은 소인이면서 거리낌이 없기 때문이다.

*빈천(貧賤) – 가난하고 천함.
**자득(自得) – 스스로 만족하거나 깨달아 얻음.
***정곡(正鵠) – 과녁의 한가운데가 되는 점. 핵심.

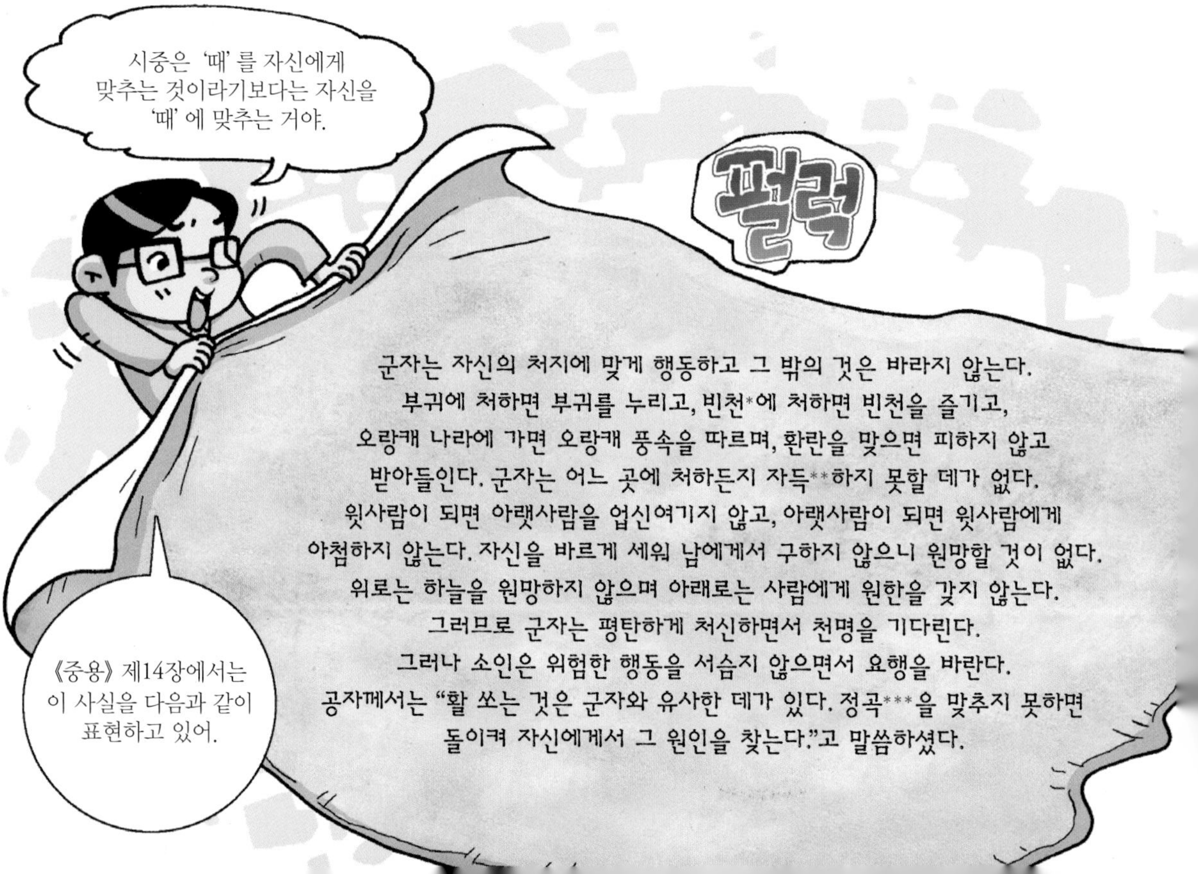
시중은 '때'를 자신에게 맞추는 것이라기보다는 자신을 '때'에 맞추는 거야.
펄럭
군자는 자신의 처지에 맞게 행동하고 그 밖의 것은 바라지 않는다. 부귀에 처하면 부귀를 누리고, 빈천*에 처하면 빈천을 즐기고, 오랑캐 나라에 가면 오랑캐 풍속을 따르며, 환란을 맞으면 피하지 않고 받아들인다. 군자는 어느 곳에 처하든지 자득**하지 못할 데가 없다. 윗사람이 되면 아랫사람을 업신여기지 않고, 아랫사람이 되면 윗사람에게 아첨하지 않는다. 자신을 바르게 세워 남에게서 구하지 않으니 원망할 것이 없다. 위로는 하늘을 원망하지 않으며 아래로는 사람에게 원한을 갖지 않는다. 그러므로 군자는 평탄하게 처신하면서 천명을 기다린다. 그러나 소인은 위험한 행동을 서슴지 않으면서 요행을 바란다. 공자께서는 "활 쏘는 것은 군자와 유사한 데가 있다. 정곡***을 맞추지 못하면 돌이켜 자신에게서 그 원인을 찾는다."고 말씀하셨다.
《중용》 제14장에서는 이 사실을 다음과 같이 표현하고 있어.

그런데 여기서 이와 같은 '시중'의 처신이 주관이 없다든지 자신감이 없기 때문에 일어나는 것이 아니야.
만일 그렇다면 시중이라는 것이 오히려 소신을 갖고 기탄없이 행동하는 소인의 처신만도 못한 것이 돼 버리거든.
군자는 소인들의 옳고 그름에 대한 판단이 결국 사람들의 이해관계를 좇아 나타난 허상임을 깨닫게 되므로
군자는 특정한 이해관계에 매이지 않고 사물을 볼 수 있는 것이야.
그렇게 자기를 비운 상태에서 사물을 바라보면 사물의 특성이 있는 그대로 드러나지.
그리하여 군자는 자기를 사물에 맡길 수 있어.
내가 곧 너이고..
네가 곧... 나다...
《중용》 제6장에서는 용중에 대해서 말해.
순임금은 위대한 지혜를 가지셨다. 그는 묻기를 좋아했고 하찮은 말도 살폈으며, 다른 사람의 허물은 덮어주고 착한 일은 드러냈다. 매사에 양극단을 파악하여 그 가운데(中)를 취하여 백성에게 베풀었으니 이것이 순임금이 된 까닭이다.
재영이와 남규는 궁금증을 어떻게 해소하지?
선생님께 질문하거나, 인터넷 지식 검색으로 해결하죠.
책을 찾아 보면 되죠.
그럼 선생님이 재영이와 남규에게 질문하는 것에 대해서 어떻게 생각해?

선생님도 모르는 게 있잖아요. 그럼 당연히 물어야지요. 모르는 걸 부끄러워하지 말라고 하셨잖아요.
부끄러운 건 모르면서도 안다고 생각하고 행동하는 것이라고 선생님이 말씀하셨잖아요.
그래. 아무리 선생님이라도 묻는 걸 부끄러워해선 안 되지. 선생님은 조금 먼저 태어난 사람일 뿐이야.
그리고 공부하고 가르치는 게 재미있어서 교사가 된 것이지.
선생님이란 말은 앞 선(先) 자와 날 생(生),
先生
님은 높임을 뜻하는 접미사야.
불치하문(不恥下問)이란 말이 있어. 아랫사람에게 묻는 것을 결코 부끄럽게 여기지 않는다는 말이지.
不恥下問
아무리 지위가 낮거나 못난 사람이라 할지라도 그 사람이 알고 있는 지식과 지혜가 있는 법이야.
훈장님이 틀리셨어요!
때문에 자신이 모르는 것을 묻는 것은 신분이나 지위가 높고 낮음을 가리지 않고 부끄러울 것이 없다는 것이 불치하문이야.
그럼 네가 설명해 보거라!
저건… 그러니까.
그러니까 배울 때에는 모르는 걸 부끄러워하지 말라는 것이야.
배움의 과정을 중시한 말에는 '공자천주' 라는 말이 있어. 공자가 구슬을 꿴다는 뜻으로,
孔子穿珠
자기보다 못한 사람에게 모르는 것을 묻는 것이 부끄러운 일이 아니라는 말이야.

이야기를 조금 더 하면, 공자가 진(陳)나라를 지나갈 때 이런 일이 있었대.
진
공자는 전에 어떤 사람에게 진기한 구슬을 얻었는데, 이 구슬의 구멍이 아홉 굽이나 되었다는 거야.
이렇게 구불구불한데, 재영이와 남규는 이 구슬에 실을 꿸 수 있겠어?
공자는 바느질을 잘하는 사람은 여자라는 사실을 생각해냈어. 그리고 가까이 있던 뽕밭에서 뽕잎을 따고 있던 아낙네에게 그 방법을 물어보았지.
그 아낙네는 힌트를 주었어.
찬찬히 꿀[蜜]을 두고 생각해 보세요.
이제 재영이와 남규가 알 것 같은데?
개미를 한 마리 붙잡아 그 허리에 실을 묶어서
구슬의 한쪽 구멍에 개미를 밀어 넣고, 반대편 구멍에는 꿀을 발라 놓으면 되잖아요.
개미가 꿀 냄새를 맡고 이쪽 구멍에서 저쪽 구멍으로 나올 테니까요.
빙고! 이렇게 해서 구슬에 실을 꿸 수 있었다는 거야.
이 말은 무슨 의미일까? 배우는 일에서는 나이의 많고 적음이나 신분의 높고 낮음이 관계하지 않는다는 이야기지.
순임금이 이렇게 생활했대. 자신보다 못한 사람일지라도 무시하지 않고 배울 건 배우는 자세로 말야.
고마우이..
순임금의 용중이란 이처럼 양극단이 아닌, 언제나 가운데 중(中)을 택하여 행동했다는 뜻이야.
中

제4장 어떻게 살아야 할 것인가?
도리.이치
성
남규와 재영이는 왜 살지요?
태어났으니까 살지요.
제 꿈인 한의사가 되려고 하죠.
그럼 어떻게 살 건데?
잘 살아야죠.
한의사가 되어 제가 가진 의술로 힘없고 약한 사람들을 도우며 살 거예요.
그럼 남규는 어떻게 사는 게 잘 사는 거니?
자기가 하고 싶은 일을 하며 살면 잘 사는 거 아니에요?
그렇구나. 그럼 유대인들을 미워해서 학살한 히틀러도 잘 살았다고 할 수 있을까?
그건 아니지요. 자기뿐만 아니라 남도 잘되어야 잘 사는 거잖아요.
왜 남도 잘 살아야 하지?

그거야 우리 모두가 서로 관계를 맺고 살기 때문이잖아요.
맞아요. 선생님이 있으니까 학생이 있고, 하늘이 있으니까 땅도 의미를 갖는 거지요. 또한 남과 여, 임금과 신하, 낮과 밤 등.
모든 것들은 관계 속에서 의미를 갖네요. …그래서 남들도 잘되어야 할 것 같아요.
그래, 내가 잘 살기 위해서는 남도 잘 살아야 해. 혼자만 잘 살면 아무 소용이 없을 거야.
혼자만 잘 살고 많은 사람들이 못 산다면, 그들은 잘 사는 사람을 시샘하고 질투할 거야.
그래서 각종 범죄들이 발생하기도 하는 거고.
밤손님…
그래서 《중용》 제1장에서는 어떻게 살아야 하는지에 대해서 이야기를 해.
어떻게 살아야 할까?
하늘이 내린 명을 본성이라 하고, 그 본성을 따르는 것을 도라 하며, 도를 닦는 것을 교라 한다. 도라는 것은 잠시라도 떠날 수 없는 것이니, 만약 떠날 수 있다면 도가 아니다. 그러므로 군자는 남이 보지 않을 때에도 삼가고 조심하며, 남이 듣지 않을 때에도 두려워한다. 숨어 있는 것보다 더 드러나는 것이 없으며 은미한 것보다 더 나타나는 것이 없으니, 그러므로 군자는 혼자 있을 때 각별히 삼가는 것이다.
희로애락의 감정이 아직 드러나지 않은 것을 중이라 하고, 그것들이 모두 드러나 절도에 맞는 것을 화라고 한다. 중은 천하의 가장 큰 근본이며, 화는 천하의 공통된 도이다. 중과 화를 지극히 하면 천지가 제자리를 찾고, 만물이 잘 길러진다.
어렵다…..
재영아, 남규야! 이게 무슨 말일까?

성, 도, 교… 무슨 말인지
정말 모르겠어요.
그래요. 어둠 속에 감춘 것은
더욱 드러나게 마련이며…,
무슨 말이에요?
그래, 참으로 어렵고
이해하기 쉽지 않은 말이지.
성(性)은 날 생(生)과
마음 심(心)이 결합한
글자야.
生+心
땅에서 풀이 막 싹을
틔워서 솟아나는 모양을
본뜬 글자가 생(生)자야.
生
그리고 여기에 마음을
뜻하는 심(心)이
더해졌어.
心
心
心
그래서 이 글자는
사람이 태어날 때의
'본래 마음', '살려는 마음',
'살려는 의지'를 뜻하지.
살려는 의지
짠
生
心
재영이와 남규는 지금
모습으로 태어났을까?
응앙
아니지요. 엄마 뱃속에
있다가 갓난아기로
태어난 거죠.
그렇지. 지금 여러분의 육체는 본래의
모습이 아니지. 부모에게서 받은 작은 세포가
끊임없는 생명활동을 해서 자라온 거야.
그래서 백일잔치와
돌잔치를 벌이고,
초등학교를 입학하고 중학교, 고등학교,
대학교를 졸업하고….
쑥
쑥
세포분열
이 때문에
육체는
매 시간마다
변하지.

그래서 지금의 내 모습은 본래의 나라고 할 수 없는 거야.
나라고 할 수 있는 건, 오직 변함없이 살려고 하는 의지뿐이야.
의지
이 때문에 살려는 의지만이 변하지 않는 거야.
휘이잉
의지
물론 살려는 의지는 다른 사람도 모두 갖고 있겠지?
재영이도 살려는 의지가 있고, 남규도 그렇고. 이 세상 모든 생명체들은 모두 살려는 의지가 있어.
그것도 더 잘 살려고 노력하는 의지로.
열심히 사는 거야!
그래서 나와 너, 우리 모두는 다 같다고 할 수 있어.
우리는 하나다
나아가 이 세상의 모든 생명체들은 살려고 하는 의지를 갖고 있기 때문에 모두 다 같다 할 수 있어.
너랑 나랑 똑같아?
오늘도.. 열심히..
달린다..
나만의 살려는 의지가 주관적이라면, 우리 모두의 살려는 의지는 객관적이라고 할 수 있지.
주관적
객관적
우리
객관적이라는 건 바로 하늘의 명령인 천명이 곧 우리의 본성과 같다는 거야.
천 명
도(道)는 머리 수(首)와 천천히 갈 착(辶)의 결합으로 '길'을 나타내.
길은 사람이 가야 할 길과 짐승이 다니는 길이 있어. 여기서는 머리 수(首)와 결합해서 사람이 가는 길을 말해.
사람의 길
짐승의 길

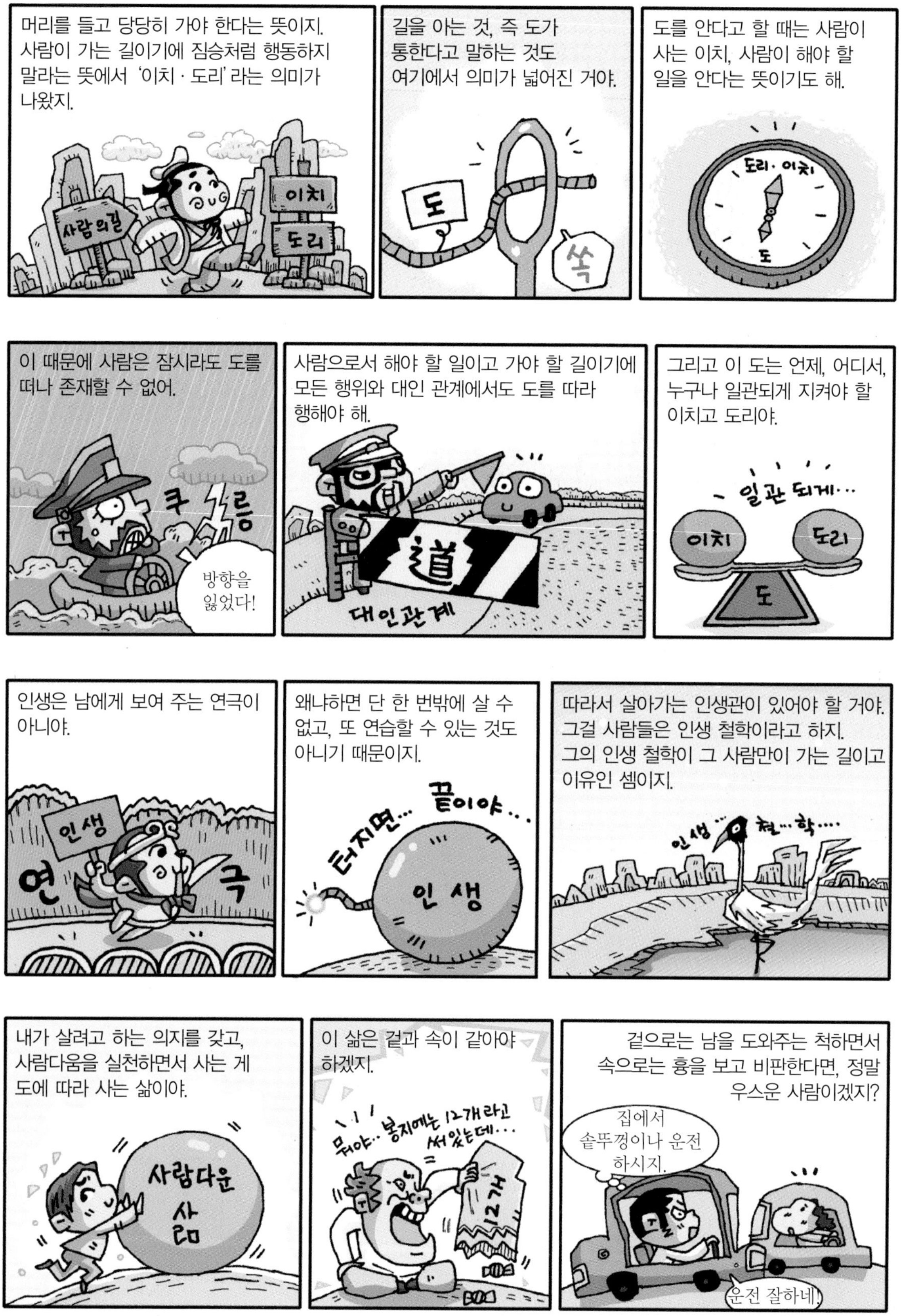

머리를 들고 당당히 가야 한다는 뜻이지. 사람이 가는 길이기에 짐승처럼 행동하지 말라는 뜻에서 '이치 · 도리'라는 의미가 나왔지.
사람의길
이치
도리
길을 아는 것, 즉 도가 통한다고 말하는 것도 여기에서 의미가 넓어진 거야.
도
쏙
도를 안다고 할 때는 사람이 사는 이치, 사람이 해야 할 일을 안다는 뜻이기도 해.
도리 · 이치
도
이 때문에 사람은 잠시라도 도를 떠나 존재할 수 없어.
쿠
릉
방향을 잃었다!
사람으로서 해야 할 일이고 가야 할 길이기에 모든 행위와 대인 관계에서도 도를 따라 행해야 해.
道
대인관계
그리고 이 도는 언제, 어디서, 누구나 일관되게 지켜야 할 이치고 도리야.
일관 되게…
이치
도리
도
인생은 남에게 보여 주는 연극이 아니야.
인생
연
극
왜냐하면 단 한 번밖에 살 수 없고, 또 연습할 수 있는 것도 아니기 때문이지.
터지면… 끝이야…
인 생
따라서 살아가는 인생관이 있어야 할 거야. 그걸 사람들은 인생 철학이라고 하지. 그의 인생 철학이 그 사람만이 가는 길이고 이유인 셈이지.
인생… 철…학…
내가 살려고 하는 의지를 갖고, 사람다움을 실천하면서 사는 게 도에 따라 사는 삶이야.
사람다운 삶
이 삶은 겉과 속이 같아야 하겠지.
뭐야… 봉지에는 12개라고 써있는데…
12개
겉으로는 남을 도와주는 척하면서 속으로는 흉을 보고 비판한다면, 정말 우스운 사람이겠지?
집에서 솥뚜껑이나 운전 하시지.
운전 잘하네!

그런데도 사람들은 겉과 속이 다른 행동을 하기도 해.
먼저 가슈~
고맙습니다…
더군다나 남이 보지 않고 듣지 않을 때는 아무도 모를 거란 생각에 나쁜 생각과 행동을 하기도 하지.
흥! 가다 펑크나 나라!
하지만 이때가 자신을 시험할 절호의 기회이기도 해.
재영이와 남규도 선생님이나 부모님이 안 본다고 해서 나쁜 짓을 할 때가 있잖아.
나쁜 생각의 싹은 대부분 남이 보지 않고 듣지 않는다고 생각하여 몰래 행할 때 자라는 경우가 많아.
누가 보는 것도… 아닌데…
휘익
이 때문에 군자는 남이 보지 않는 곳에서도 자신을 근신하는 거야.
누가 보든 안 보든 쓰레기는… 쓰레기 통에
휴지통
아무도 안 보고 아무도 모를 거라고 생각하지만, 자신은 알고 있고, 하늘과 땅도 알거든. 그래서 천명이 사람의 본성이라는 거야.
천 명
본 성
재영이와 남규는 왜 공부를 하지?
그거야 대학에 가기 위해서죠.
그럼 대학은 왜 갈까?
대학을 나와야 좋은 직장에 갈 수 있잖아요?
왜 좋은 직장에 가야 하지?
그거야 잘 살기 위해서죠.
잘 산다는 건 또 무엇을 이야기할까?
….
그.. 그건?

재영이와 남규가 대학에 진학하는 건 많은 친구들의 불합격이 전제되겠지?
그야… 당연
또한 친구들의 대학 입학은 재영과 남규의 불합격을 전제하기도 하고.
그건… 안되는데!
따라서 재영이와 남규의 공부는 근본적으로 친구들과의 경쟁에서 이겨야 하는 데 목적이 있게 돼.
경 쟁
이런 이유로 공부는 그 자체가 괴로운 것이며, 공부에 시달리는 육체는 더욱 고달프지.
공부는…
전투
힘들어
이와 같은 경쟁은 대학을 졸업해도 끊임없이 되풀이될 거야. 직장에 들어가기 위한 입사시험이 그렇고,
이제… 뭐… 해먹고 살아가나….
S기업
H기업
입사해서는 진급하기 위해서 서로 경쟁해야 할 거고. 그렇다면 정말 우리의 삶은 이렇게 고통으로만 지속되는 걸까?
하루라도 빨리 저 자리에….
과장
만약 선생님이 소라면 소답게 살면 될 것이고,
음~ 머…
개라면 개답게 살면 참으로 행복한 삶이겠지.
예로부터 개팔자가 상팔자…
그렇다면 사람답게 사는 건 어떤 모습일까?
사람은 육체와 정신(마음)이라는 이중구조로 되어 있지?
정신
육체
이 가운데 더 근본적인 건 마음이야.
마음
왜냐하면 육체는 부모에게서 물려받은 작은 세포가 외부의 물질을 섭취하면서 끊임없이 변하는데,
변화
마음은 자신이 누구인지를 알기 때문이야.
마음
이 마음의 근원을 이루고 있는 걸 유가에서는 '성(性)' 이라고 해.
性

성이라는 글자는 마음 심(心)과 삶을 나타내는 생(生)자가 합쳐진 말이라고 했지? '살려는 마음', '살려는 의지'로 풀이할 수 있어.
心 + 生
이건 앞에서도 설명한 거야. 한번 살펴봐!
이 살려는 의지 때문에 우리 모두는 지금까지 살아왔고 성장해 왔어.
건강하군!
이 살려는 의지는 한순간도 멈추지 않고 심장을 뛰게 하고, 호흡이 이어지게 하며,
배고플 때는 먹도록 하고,
피곤할 때는 쉬도록 했지.
지금까지 여러분은 육체가 여러분의 모습이었다고 생각했을 거야.
내 몸이 내 것이 아니라고?
그래서 얼굴짱, 몸짱이 되려고 성형수술을 하고 운동도 열심히 했을 테지.
몸
짱
하지만 여러분의 몸은 여러분이 아니야.
내 몸이 내 몸이 아니면?
엉?
부모에게서 물려받은 작은 세포가 자꾸 다른 물체를 소화 · 흡수하고 배설하면서 커 온 것일 뿐이지.
쑥…
쑥
세포
분
열
만약 다른 물체에서 빌려온 것들을 돌려주고 나면 남는 건 아무것도 없게 돼. 결국 나의 참 존재는 나의 육체가 아니라,
정 신
육체가 이렇게 커오게 된 '추진력', 즉 '살려는 의지'임을 알 수 있을 거야.
정신
그런데 이 살려는 의지는 인간 모두에게, 심지어 동식물에게도 똑같이 있어.
내 치킨 돌려줘!
나도 먹고 살아야지..
나의 육체에 작용하는 이 '살려는 의지'는 다른 사람의 육체에 작용하는 '살려는 의지'나 동식물에 작용하는 것과도 일치하지.
많이 먹어… 살려는 의지는 다 똑같은 건데..

이 '살려는 의지'를 참다운 나의 모습으로 파악했다면,
의지
나는 곧 너이며, 나는 곧 만물이기도 한 거야. 이런 이유로 남과 나를 구별하는 유한자인 나는, 나를 초월해서 이 세상 모든 것, 자연이 될 수도 있어. 나는 시간과 공간 속에서 살아가면서 시간과 공간을 초월한 존재이기도 한 거지.
시공초월…
이 '살려는 의지'는 남과 나를 구별하지 않기에, 남을 사랑하는 마음으로 나타나.
남과 나
그래서 남과 나를 구별해서 발생하는 질투, 시기, 미움, 착취, 독재, 투쟁, 배신, 전쟁 등이 없는
배신
시기
전쟁
질투
미움
영원과 평화, 사랑과 조화로 충만한 아름다운 존재로 거듭나게 해 주지.
사랑
평화
이렇게 '살려는 의지'를 참다운 나로 이해하고 파악하면, 나의 육체가 필요로 하는 것을 얻기 위해 동분서주하고 있는 현재의 나는 본래의 나를 잃고 있는 것이라 할 수 있어.
왜! 안 가?
백날… 밟아 봐!
바퀴없이 움직이나!
본질
나를 잃어버린 삶은 나의 삶이 아니야. 그렇기에 불행한 삶이 되지.
바퀴가 없으면…
자전거가 못 가 듯
참다운 삶을 살기 위해서는 잃어버린 나를 되찾아야 해.
바로 이거야!
공자가 말하는 학문의 길이란 잃어버린 본래의 나를 찾아가는 길이야. 그렇기 때문에 학문의 길은 인생에서 가장 즐거운 길인 거야.
학문의 길
잃어버린 나를 찾아!
하늘이란 무엇일까? 하늘은 과연 존재할까?
하늘…
하늘은 선생님의 머리 위에 있잖아요.

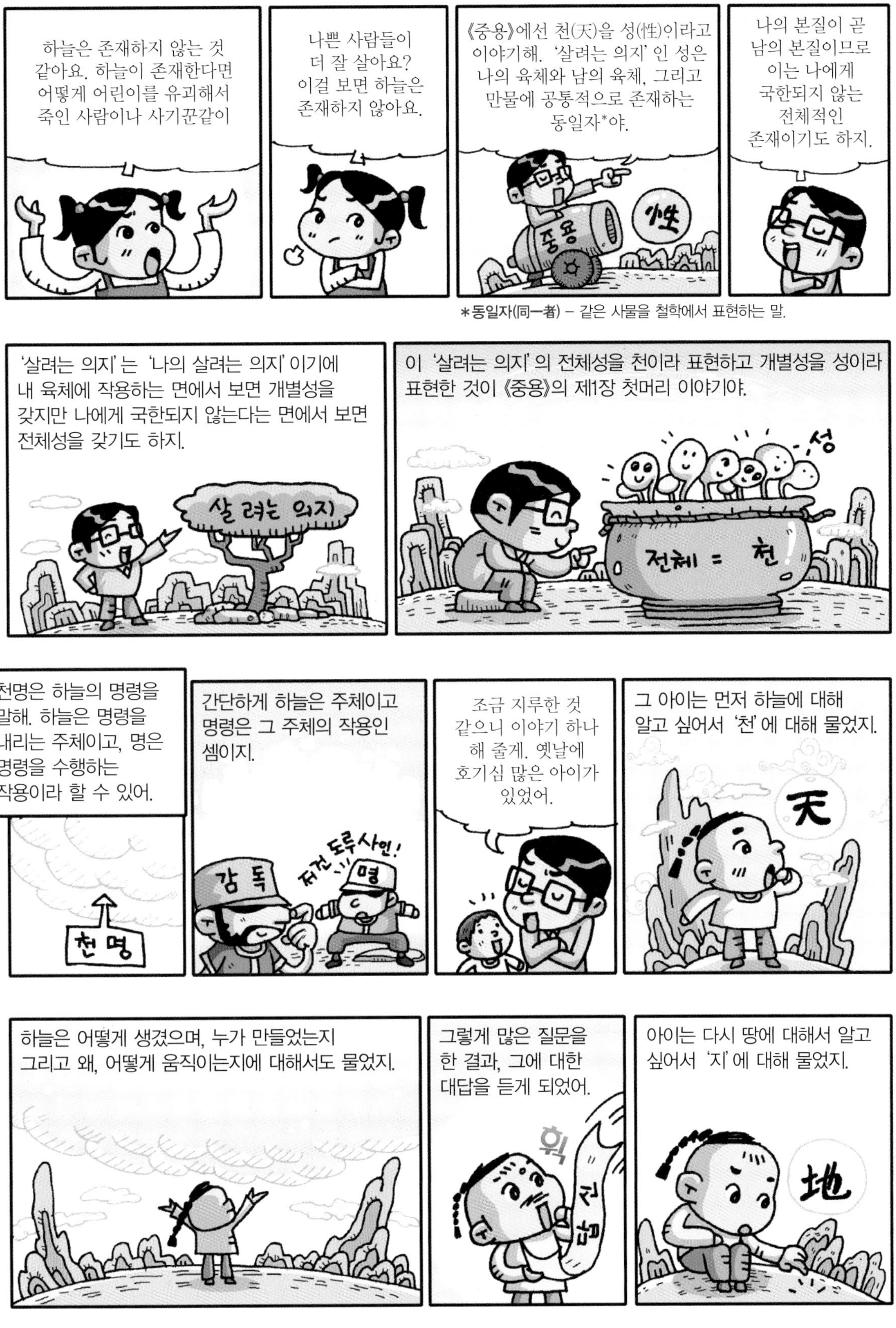
하늘은 존재하지 않는 것 같아요. 하늘이 존재한다면 어떻게 어린이를 유괴해서 죽인 사람이나 사기꾼같이
나쁜 사람들이 더 잘 살아요? 이걸 보면 하늘은 존재하지 않아요.
《중용》에선 천(天)을 성(性)이라고 이야기해. '살려는 의지' 인 성은 나의 육체와 남의 육체, 그리고 만물에 공통적으로 존재하는 동일자*야.
중용
性
나의 본질이 곧 남의 본질이므로 이는 나에게 국한되지 않는 전체적인 존재이기도 하지.
*동일자(同一者) – 같은 사물을 철학에서 표현하는 말.
'살려는 의지' 는 '나의 살려는 의지' 이기에 내 육체에 작용하는 면에서 보면 개별성을 갖지만 나에게 국한되지 않는다는 면에서 보면 전체성을 갖기도 하지.
살려는 의지
이 '살려는 의지' 의 전체성을 천이라 표현하고 개별성을 성이라 표현한 것이 《중용》의 제1장 첫머리 이야기야.
성
전체 = 천
천명은 하늘의 명령을 말해. 하늘은 명령을 내리는 주체이고, 명은 명령을 수행하는 작용이라 할 수 있어.
천명
간단하게 하늘은 주체이고 명령은 그 주체의 작용인 셈이지.
감독
저건 도루사인!
명
조금 지루한 것 같으니 이야기 하나 해 줄게. 옛날에 호기심 많은 아이가 있었어.
그 아이는 먼저 하늘에 대해 알고 싶어서 '천' 에 대해 물었지.
天
하늘은 어떻게 생겼으며, 누가 만들었는지 그리고 왜, 어떻게 움직이는지에 대해서도 물었지.
그렇게 많은 질문을 한 결과, 그에 대한 대답을 듣게 되었어.
확
아이는 다시 땅에 대해서 알고 싶어서 '지' 에 대해 물었지.
地

땅은 무엇으로 이루어져 있으며, 땅 위의 생명체들은 어떻게 살아가고, 왜 죽는지에 대해서 무수히 많은 질문을 했는데,
역시 아이는 땅에 대한 대답을 듣게 되었어.
답 신
돌발 퀴즈! 이 아이는 하늘과 땅, 즉 천지(天地) 다음에 무엇에 대해 질문했을까?
그야 사람에 대해 물었겠죠. 보통 '천지인'이라고 말하잖아요.
오호, 굉장한걸. 이 선생님이 오히려 여러분에게 배우는 것 같아. 맞아. 아이는 사람에 대해서 질문했어.
사람은 왜 사는지, 또한 어떻게 살아야 하는지에 대해서 말이야. 이렇게 아이는 천지인 모두에 대해서 알게 되자, 더 이상 공부할 게 없었대.
하늘과 땅 그리고 사람에 대해서 다 알게 되었는데, 더 이상 공부할 게 있겠어?
천
인
지
*궁구(窮究) – 속속들이 파고들어 깊게 연구함.
이렇게 개개 사물의 이치가 모든 사물 전체의 이치와 꿰어져 하나로 통일되어 있음을 알게 되면, 사물의 이치를 하나하나 다 궁구*하지 않아도, 모든 사물의 외적 존재형태와 내적 존재이유, 살아가는 이치와 원리 등을 알 수 있는 거야.
하늘
사람
땅
바닷물을 다 마셔봐야 바닷물이 짜다는 걸 알 수 있는 건 아니잖니? 이렇게 사물을 미루어 알 수 있는 것이 인간의 지혜야.
으~ 짜!
바보! 꼭 먹어 봐야 알겠어!
마음의 근원을 이루고 있는 것이 성(性)이고, 이 성이 발동하여 구체화되어 나타난 마음이 정(情)이야.
펑
정
성
펑

성은 나와 남의 존재의 본질로 나와 남의 삶을 동시에 유지시켜 가려는 '의지'라고도 할 수 있어.
아~ 갈증나!
물 먹고 싶다!
이 의지가 그대로 발동하여 정이 되면 이 정은 남을 나처럼 아끼고 사랑하는 마음이 되겠지?
너… 먼저 먹어!
고마워!
이러한 정을 선한 정이라고 해. 그런데 성이 발동하여 정이 될 때 어떤 영향에 따라 굴절*되거나 왜곡**되면

*굴절(屈折) – 생각이나 말 따위가 어떤 것에 영향을 받아 본래의 모습과 달라짐.

**왜곡(歪曲) – 사실과 다르게 해석하거나 그릇되게 함.

남을 나의 경쟁 상대로 생각하여 투쟁하는 마음이 생겨나지.
빵
물이 없을지 몰라! 빨리 가서 혼자 다 먹어야 해!
이를 악한 정이라고 하지.
배고픈 재영이와 남규가 빵을 하나 구했다고 하자. 어떻게 해야 할까?
둘이 똑같이 나누어 먹지요.
맞아. 너희들 말처럼 서로 나누어 먹으면 되지. 그것도 공평하게 말이야. 이게 바로 성(性)에서 그대로 나온 마음이야.
하지만 사실은 그게 아니잖아. 더 많이 먹고 싶어 서로 싸울 거야.
혼자 다 먹어야 돼!
저건 내 거야!
성에서 정으로 나오는 순간, 성에서 발동하는 의지가 방향을 바꾸어 자기만 먹고 싶은 마음이 생겨.
악
그 결과 정은 남의 것을 빼앗아 먹으려는 파괴하는 마음이 되지.
이리 줘!
무슨 소리!
흔히 말하는 악한 마음이 되는 거야. 여기서 악(惡)은 아(亞)와 심(心)이 합쳐진 말로,
亞+心
아(亞)는 두 번째를 의미해. 그래서 악은 두 번째 마음을 뜻한단다
亞

두 번째 마음이 왜 악한 것을 나타내게 되었을까?
惡
나누어 먹고자 하는 마음이 첫 번째 마음이면, 빼앗아 먹고자 하는 마음은 두 번째로 생긴 마음이기 때문이죠.
그래서 두 번째 먹은 마음을 악이라 하는 것 같아요.
왜 첫 마음은 항상 깨끗하고 순수하고 착하잖아요.
그래요. 첫 마음은 언제나 좋아요. 그런데 시간이 지나면서 이기심이 발동해 나빠지는 것 같아요.
새 학년이 되어서 먹었던 첫 마음은 정말 공부 열심히 하는 것이었는데….
하하하, 맞아. 선은 조화를 이루지만 악은 파괴로 나아가지. 그래서 악한 마음이라 한 거야.
그렇다면 첫 마음에는 어떤 것들이 있을까?
새 학교에 입학했을 때요.
그리고 세례성사를 받던 날이랑 교과서를 받고 계획표를 짤 때요.
아빠랑 엄마랑 처음 만나 서로 반했을 때의 마음도 그랬을 거예요.
바로 그런 마음이 첫 마음이야. 첫 마음은 뜻을 정성스럽게 하고 마음의 각오를 새롭게 하지. 이것은 태어날 때의 본성, 살려는 의지인 성(性)이
정(情)으로 변해 나타나는 과정에서 어떠한 영향도 받지 않은 상태의 마음이야. 그 때문에 조화를 이루는 선으로 나타나지.
뿅
성
정

그러나 주위를 둘러봐! 사람들은 금방 그 첫 마음을 잃어버리잖아.
시간표
작심 삼일…
그리고 오랫동안 계산적인 삶을 살아오기도 했고.
열심히 하면 저걸… 준단 말이지!
선 물
이런 사람들이 계산을 하지 않는다는 것은 매우 어려운 일이야.
이 때문에 막연히 계산적인 삶을 살지 말라고 하는 건 의미가 없다고 할 수 있지.
선물 때문에 공부하는 건 안 좋은 습관이야!
선 물
차라리 성의 필요성과 고귀함을 인식한 뒤에 그 성을 회복하는 것이 더 효과적이야.
이건 뭐예요?
성
네 마음의 본질이야!
범죄를 없애는 방법에는 두 가지가 있어.
날… 없애?
하나는 이 세상에서 일어나는 모든 범죄를 소탕하는 것이고,
다른 하나는 범죄를 저지르지 않도록 교육하는 거야.
범죄의 나쁜점
아, 하~
너희들은 어떤 방법이 더 효과적인 것 같아?
그거야 죄를 지은 사람을 엄격한 법으로 처벌하는 게 빠르죠.
아니야. 범죄를 저지르지 않고 사는 삶이 얼마나 행복하고 좋은지를 깨닫도록 하는 게 더 빠를 것 같아.
법을 엄격하게 집행하면, 그 법을 피하는 또 다른 흉악한 범죄를 저지르게 되잖아.

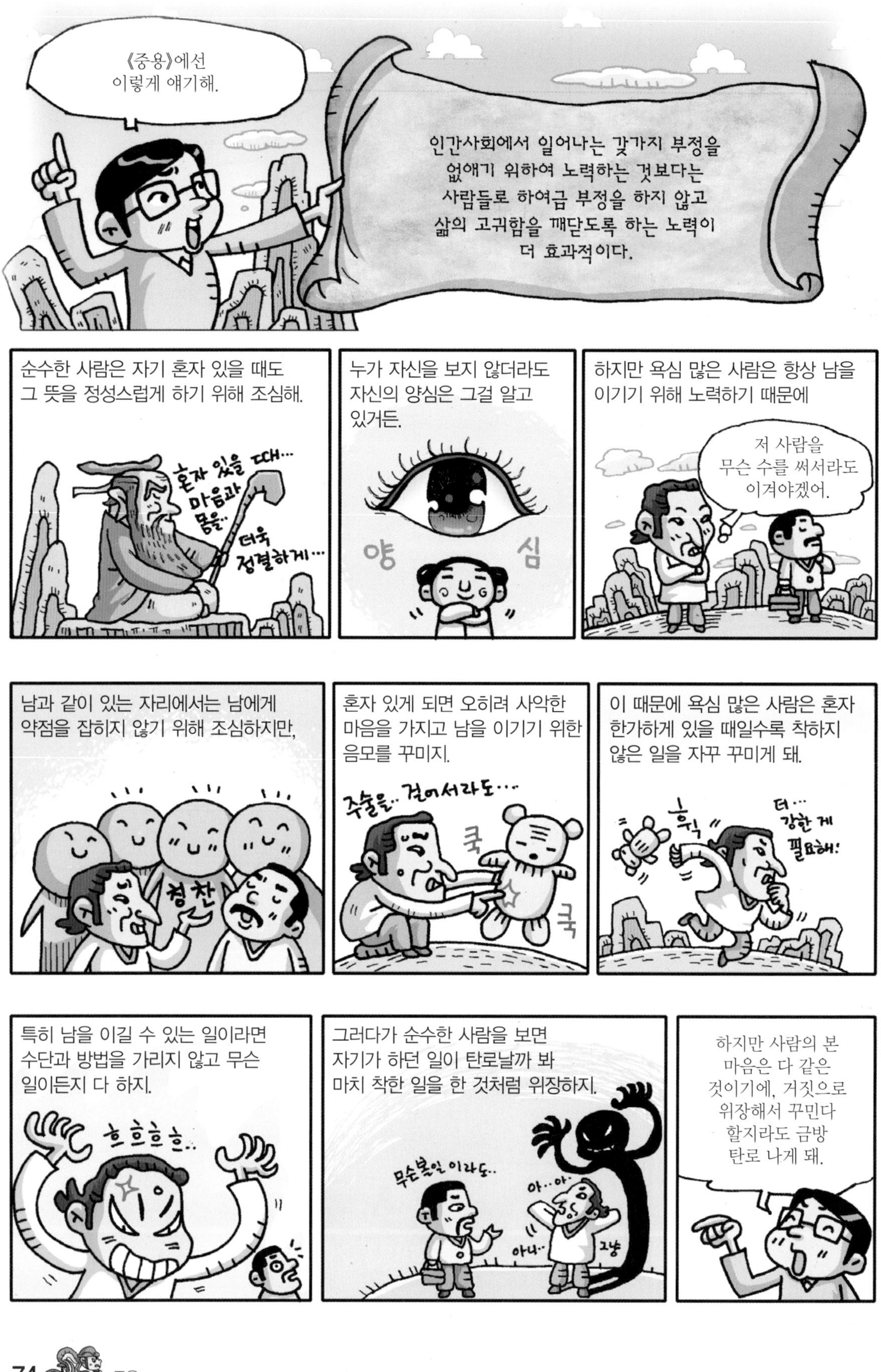
《중용》에선
이렇게 얘기해.
인간사회에서 일어나는 갖가지 부정을
없애기 위하여 노력하는 것보다는
사람들로 하여금 부정을 하지 않고
삶의 고귀함을 깨닫도록 하는 노력이
더 효과적이다.
순수한 사람은 자기 혼자 있을 때도
그 뜻을 정성스럽게 하기 위해 조심해.
혼자 있을 때···
마음과
몸을···
더욱
정결하게···
누가 자신을 보지 않더라도
자신의 양심은 그걸 알고
있거든.
양
심
하지만 욕심 많은 사람은 항상 남을
이기기 위해 노력하기 때문에
저 사람을
무슨 수를 써서라도
이겨야겠어.
남과 같이 있는 자리에서는 남에게
약점을 잡히지 않기 위해 조심하지만,
칭찬
혼자 있게 되면 오히려 사악한
마음을 가지고 남을 이기기 위한
음모를 꾸미지.
주술을.. 걸어서라도···
쿡
쿡
이 때문에 욕심 많은 사람은 혼자
한가하게 있을 때일수록 착하지
않은 일을 자꾸 꾸미게 돼.
휙
더···
강한 게
필요해!
특히 남을 이길 수 있는 일이라면
수단과 방법을 가리지 않고 무슨
일이든지 다 하지.
흐흐흐흐..
그러다가 순수한 사람을 보면
자기가 하던 일이 탄로날까 봐
마치 착한 일을 한 것처럼 위장하지.
무슨 볼일이라도..
아··아·
아니··
그냥
하지만 사람의 본
마음은 다 같은
것이기에, 거짓으로
위장해서 꾸민다
할지라도 금방
탄로 나게 돼.

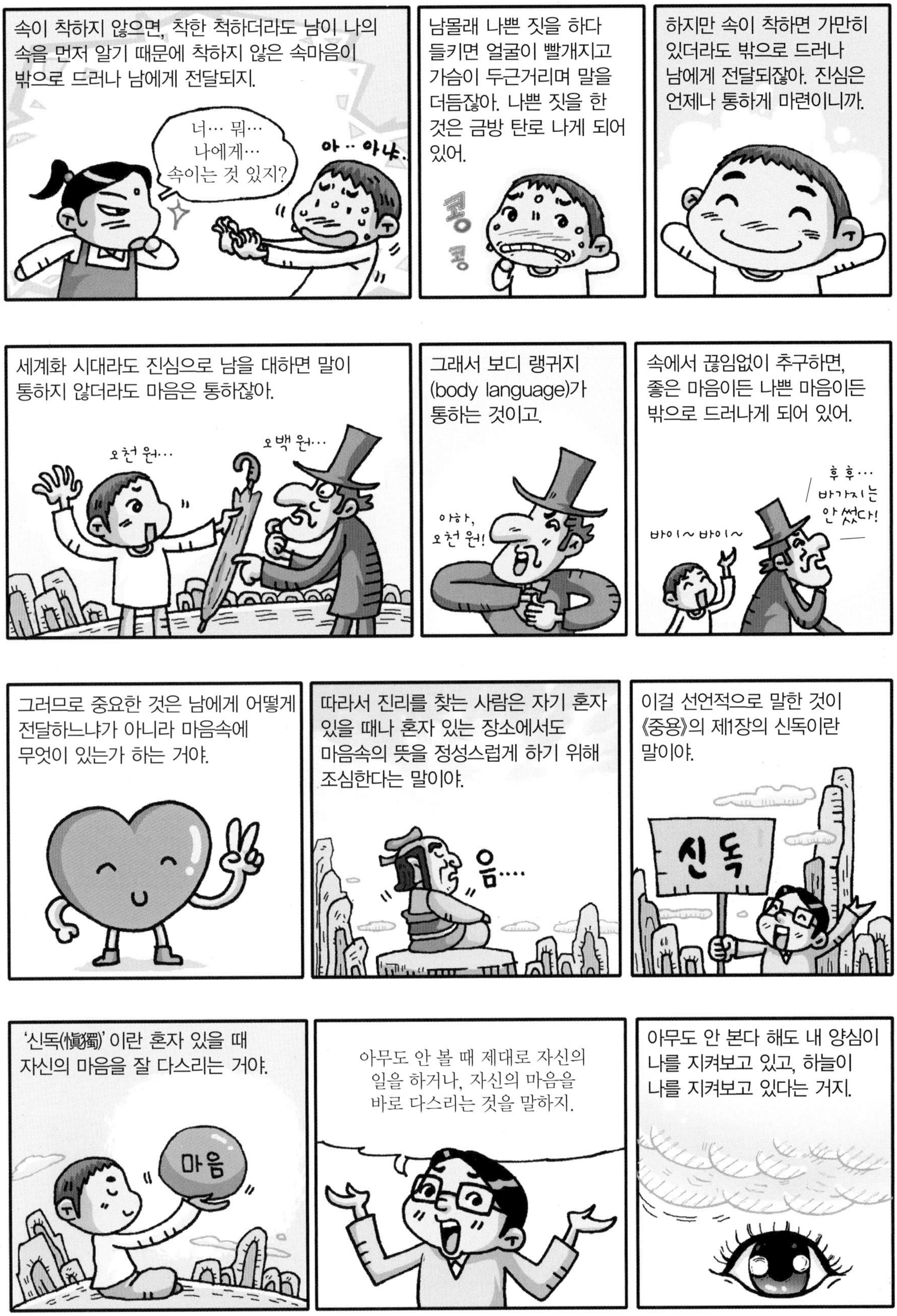
속이 착하지 않으면, 착한 척하더라도 남이 나의 속을 먼저 알기 때문에 착하지 않은 속마음이 밖으로 드러나 남에게 전달되지.
너… 뭐… 나에게… 속이는 것 있지?
아… 아냐..
남몰래 나쁜 짓을 하다 들키면 얼굴이 빨개지고 가슴이 두근거리며 말을 더듬잖아. 나쁜 짓을 한 것은 금방 탄로 나게 되어 있어.
쿵
쿵
하지만 속이 착하면 가만히 있더라도 밖으로 드러나 남에게 전달되잖아. 진심은 언제나 통하게 마련이니까.
세계화 시대라도 진심으로 남을 대하면 말이 통하지 않더라도 마음은 통하잖아.
오천 원…
오백 원…
그래서 보디 랭귀지(body language)가 통하는 것이고.
아하, 오천 원!
속에서 끊임없이 추구하면, 좋은 마음이든 나쁜 마음이든 밖으로 드러나게 되어 있어.
바이~바이~
후후… 바가지는 안 썼다!
그러므로 중요한 것은 남에게 어떻게 전달하느냐가 아니라 마음속에 무엇이 있는가 하는 거야.
따라서 진리를 찾는 사람은 자기 혼자 있을 때나 혼자 있는 장소에서도 마음속의 뜻을 정성스럽게 하기 위해 조심한다는 말이야.
음….
이걸 선언적으로 말한 것이 《중용》의 제1장의 신독이란 말이야.
신독
'신독(愼獨)'이란 혼자 있을 때 자신의 마음을 잘 다스리는 거야.
마음
아무도 안 볼 때 제대로 자신의 일을 하거나, 자신의 마음을 바로 다스리는 것을 말하지.
아무도 안 본다 해도 내 양심이 나를 지켜보고 있고, 하늘이 나를 지켜보고 있다는 거지.

제5장 중용의 도리에 따라 살아라!

중용의……
도리…
듣기 싫은 말 중에 '개, 돼지만도 못한 사람이다.'는 것이 있어.
우리가 뭘 어쨌기에?
이 말은 언제 쓸까?
음… 그건…!!
상대가 돼지처럼 욕심 많은 사람일 때 하죠.
부모형제도 몰라보는 사람에게 쓰는 말인 것 같아요. 왜냐하면,
개나 돼지는 먹는 음식이 있으면 부모형제라도 양보하지 않고 싸우잖아요.
그래, 옛날 사람들은 남을 비하하면서 '개나 돼지보다 못한 사람.'이라고 말했어.
우걱~
개, 돼지도… 너보다는 낫겠다!
우걱~

왜냐하면 개나 돼지는
12지신 중에서 가장 나중에
등장하는 짐승이기 때문이야.
子
丑
寅
卯
辰
巳
午
未
申
酉
戌
亥
12지신

결국 서열이 낮고
형편없다는 것을 비유할 때
쓰는 말이야.
뭐! 우리가
형편없다고!

너희들도 들어 보았을 거야.
열두 동물 이야기!
12지신

그 이야기는 저도 알아요. 아득한 옛날에 하느님이 뭇짐승들을 소집하여
'정월 초하룻날 아침 나한테 세배하러 와라. 빨리 오면 1등상을 주고 12등까지는 입상하기로 한다.' 라고 했죠.
이에 달리기 경주에 자신이 없는 소는 남보다 일찍 출발했대요.
눈치 빠른 쥐가 이것을 보고 잽싸게 소 등에 올라탔대요. 소는 동이 틀 무렵 하느님 궁전 앞에 도착했는데

문이 열리는 순간, 쥐가 재빨리 한발 앞으로 뛰어내려
소보다 먼저 문 안에 들어와서 소를 제치고 1등이 되었대요.
이어 천 리를 쉬지 않고 달려온 호랑이는 3등이 되었고
낮잠을 너무 오래 잤어!

달리기에 자신 있는 토끼도 도중에 낮잠을 자는 바람에 4등이 되었대요.
그 뒤를 이어 용, 뱀, 말, 양, 원숭이, 닭, 개, 돼지 차례로 골인했다는 이야기죠.

이 이야기가 '자축인묘진사오미신유술해'의 쥐[子]·소[丑]·범[寅]·토끼[卯]·용[辰]·뱀[巳]·말[午]·양[未]·원숭이[申]·닭[酉]·개[戌]·돼지[亥]의 12지 이야기 맞죠?

그래, 남규가 잘 아는구나!
여기서 개와 돼지는 11등과 12등이야. 따라서 비하하고자 하는 대상에 따라 약간의 차이는 있지만
욕하거나 흉볼 때 쓰는 말로 사용해. 돼먹지 못하거나 질이 낮은 경우
'개 같다', '개보다 낫다', '개보다 못하다' 등의 표현이 그것이야.
소리도.. 안나네.. 뭐 이런 개 같은!

그리고 먹을 것만 밝히는 사람을 돼지에 빗대어 돼지만도 못한 사람이라고 하지.
돼지새끼도 아니고…
헉
하지만 놀라지 마! 돼지나 개, 아니 먹이사슬에서 낮은 위치에 있는 약한 동물들은 아무리 음식이 맛있을지라도 적당히 먹어. 아주 적당히!
왜냐하면 언제나 포식자들의 공격에 대비하기 위해서지. 너무 많이 먹으면 도망치기 힘들잖아.
그래서 돼지처럼 식성을 밝히는 동물도 자기 위의 70~80%밖에 먹지 않는대. 놀랐지?
이제 내 진실을 알겠지!
사자와 호랑이만이 한번 사냥을 하면 배불리 먹고 늘어지게 낮잠을 자거나 쉬지. 그들을 괴롭힐 동물은 없거든.
쿨… 쿨…
부럽다…
그럼 사람은 언제부터 이렇게 맛있는 음식이라면 배가 터지도록 먹었을까?
꺼
억
그거야 도구를 사용하고 집단 생활을 하면서부터겠지요.
오호, 놀라운데. 조금 더 설명해 줄래?
지금 사람들은 자동차를 발명해서 그 어떤 동물보다도 빠르게 달리잖아요.
그리고 비행기와 배, 잠수함을 이용해서
그 어떤 새나 물고기보다 빠르게 날고 헤엄칠 수 있잖아요.
맞아요. 이제 인간은 지구 밖 우주까지도 진출했어요.
이제 인간은 먹이사슬의 가장 높은 곳에 있어요. 호랑이나 사자는 인간에게 게임이 안 되잖아요.
인간
동물
그래서 동물원에서 인간들에게 사육되기도 하고요.
딩동댕! 바로 그거야! 사람은 도구를 사용하여 사자나 호랑이보다도 높은 위치에 있게 되었지.
딩동

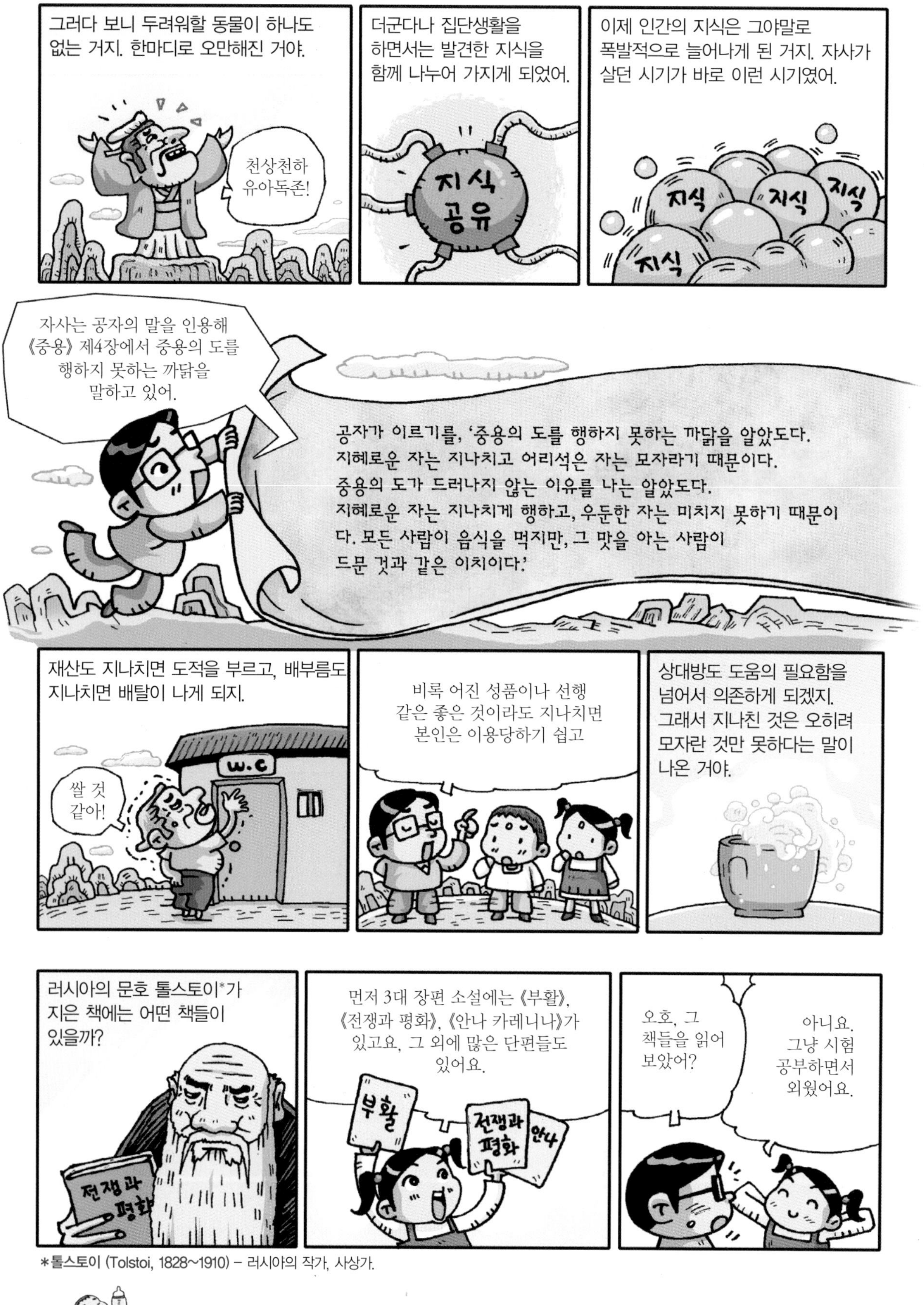
그러다 보니 두려워할 동물이 하나도 없는 거지. 한마디로 오만해진 거야.
천상천하 유아독존!
더군다나 집단생활을 하면서는 발견한 지식을 함께 나누어 가지게 되었어.
지식 공유
이제 인간의 지식은 그야말로 폭발적으로 늘어나게 된 거지. 자사가 살던 시기가 바로 이런 시기였어.
지식
지식
지식
지식
자사는 공자의 말을 인용해 《중용》 제4장에서 중용의 도를 행하지 못하는 까닭을 말하고 있어.
공자가 이르기를, '중용의 도를 행하지 못하는 까닭을 알았도다. 지혜로운 자는 지나치고 어리석은 자는 모자라기 때문이다. 중용의 도가 드러나지 않는 이유를 나는 알았도다. 지혜로운 자는 지나치게 행하고, 우둔한 자는 미치지 못하기 때문이다. 모든 사람이 음식을 먹지만, 그 맛을 아는 사람이 드문 것과 같은 이치이다.'
재산도 지나치면 도적을 부르고, 배부름도 지나치면 배탈이 나게 되지.
W.C
쌀 것 같아!
비록 어진 성품이나 선행 같은 좋은 것이라도 지나치면 본인은 이용당하기 쉽고
상대방도 도움의 필요함을 넘어서 의존하게 되겠지. 그래서 지나친 것은 오히려 모자란 것만 못하다는 말이 나온 거야.
러시아의 문호 톨스토이*가 지은 책에는 어떤 책들이 있을까?
전쟁과 평화
먼저 3대 장편 소설에는 《부활》, 《전쟁과 평화》, 《안나 카레니나》가 있고요, 그 외에 많은 단편들도 있어요.
부활
전쟁과 평화
안나
오호, 그 책들을 읽어 보았어?
아니요. 그냥 시험 공부하면서 외웠어요.

*톨스토이 (Tolstoi, 1828~1910) – 러시아의 작가, 사상가.

하지만 《사람은 무엇으로 사는가?》라는 톨스토이의 모음집은 읽어 보았어요.
사람은 무엇으로 사는가?
뭐가 제일 감명 깊고 재미있었어?
음, 〈세 가지 질문〉과 〈세 가지 진리〉요.
나도 아는데..
선생님께 설명해 줄래?
제가요?
사람에게 가장 중요한 것이 무언가에 대한 이야기였어요.
이 세상에서 가장 중요한 사람은 누구인가?
이 세상에서 가장 중요한 시간은 어느 때인가?
이 세상에서 가장 중요한 일은 무엇인가? 였어요.
제 법
야하, 대단하구나. 그럼 그에 대한 대답을 남규가 해 볼래?
앵?
지금 만나고 있는 사람과 지금 이 순간이지요, 마지막 대답은 선을 행하는 것이었던 것 같아요.
남규와 재영이 둘 다 톨스토이의 이야기에 공감하니?
그럼요. 지금 만나고 있는 선생님과 재영이가 제일 중요하지요. 또한 이 순간만은 우리 마음대로 할 수 있잖아요.
그게 무슨 말이지?
과거는 지나간 시간이라 존재하지 않고, 미래는 오지 않은 시간이잖아요.
그러니 지금 이 순간만이 존재하는 거죠.

그렇다면 왜 선을 행해야만 할까?
그건 선생님이 앞에서 설명하셨잖아요.
중용
살고자 하는 의지는 모두 다 같기에 남도 잘되도록 노력하는 게 잘 사는 길이라고.
의지
남이 잘 살아야 내가 잘 사는 걸 시기하거나 질투하지 않는다고요.
그러니 남이 잘 살도록 노력하는 건 선을 행하는 거잖아요.
남
이 세상에서 제일 중요한 사람은 지금 만나고 있는 사람이며,
제일 중요한 일은 지금 하고 있는 일이지.
그리고 제일 중요한 시간은 바로 이 순간이고.
현재
지금 재영이와 남규는 선생님과 함께 《중용》이란 책에 대해서 공부하고 있어.
중용
제3장에선 어떻게 살아야 할 것인가를 물었으며, 그 대답으로 중용에 따라 살 것을 이야기했지?
제3장
어떻게
살것인가?
중용에 따라….
그렇다면 중용의 도리는 뭘까?
도리
역시 형이상학적 물음이라 대답하기 어렵지?
이 세상 모든 사람이 다 똑똑하다면 어떨까?
모두
1등

이 세상 모든 사람이 다
착하다면 또한 어떨까?
자네 먼저..
아닐세..
하루 온종일
저러고 있네!
그리고 모든 사람이 도적이고
강도라면 어떨까? 너무
재미없고 살 수도 없을 거야.
나보다 먼저
온….
꽃들이 아름다운 건 각자의 빛깔과 향기와
모양이 다르기 때문이야.
만일 모든 꽃들이 다
장미라면,
또는 튤립이나
백합이라면,
꽃을 아름답다고 이야기
할 수 없을 거야. 꽃들이
아름다운 건 각각의 꽃이
그들만의 향기와 빛깔을
가지기 때문이거든.
킁- 킁-
이와 마찬가지로
사람들도 타고난
자질과 지혜가 다르기
때문에,
내 그릇이
이것밖에
안 되나!
지혜로운 사람과 우둔한 사람,
현명한 사람과 그렇지 못한 사람으로
구분하는 거지.
지혜
하지만 지혜로운 자와
현명한 자의 잘못은 너무
지나친 데 있고,
지혜
어리석은 자의 잘못은 모자람에 있어.
뭐야!
머릿속이
텅 비었네!
이 때문에 어떤 사람은 중용의
도리는 행할 것이 못 된다고 여기고,
또 어떤 사람들은 행할 수가
없는 것이라고 여기지.
중용은
할 게 못 돼….
못 하는
거겠지!
할 필요도
없어!
할 수도
없는 거지!
어떤 사람들은
알 수 없는
것이라고도 해.
중용
그러므로 중용의 도리는
행할 수도 알 수도 없다고
이야기하지.

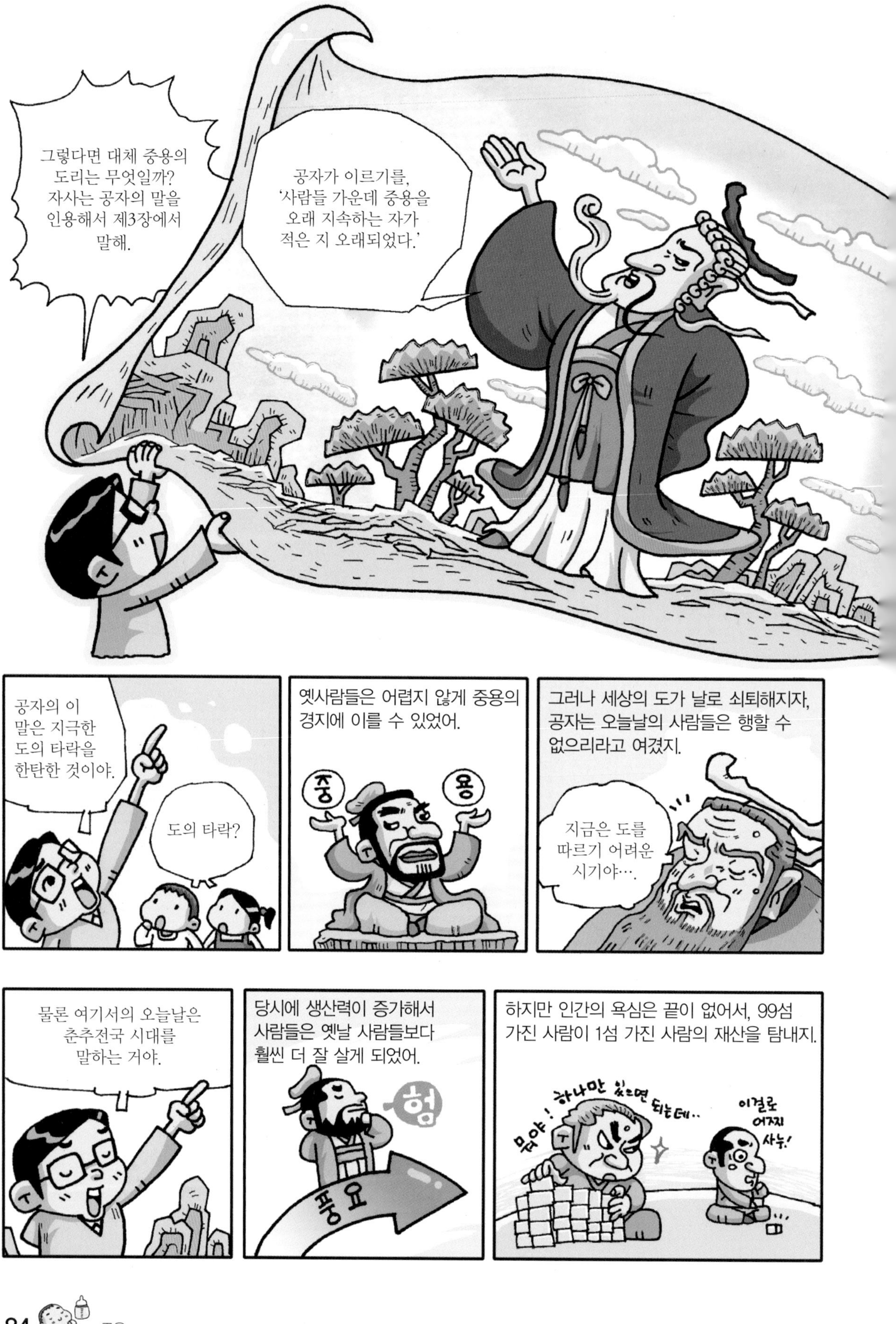

그렇다면 대체 중용의 도리는 무엇일까? 자사는 공자의 말을 인용해서 제3장에서 말해.
공자가 이르기를, '사람들 가운데 중용을 오래 지속하는 자가 적은 지 오래되었다.'
공자의 이 말은 지극한 도의 타락을 한탄한 것이야.
도의 타락?
옛사람들은 어렵지 않게 중용의 경지에 이를 수 있었어.
중
용
그러나 세상의 도가 날로 쇠퇴해지자, 공자는 오늘날의 사람들은 행할 수 없으리라고 여겼지.
지금은 도를 따르기 어려운 시기야….
물론 여기서의 오늘날은 춘추전국 시대를 말하는 거야.
당시에 생산력이 증가해서 사람들은 옛날 사람들보다 훨씬 더 잘 살게 되었어.
험
풍요
하지만 인간의 욕심은 끝이 없어서, 99섬 가진 사람이 1섬 가진 사람의 재산을 탐내지.
뭐야! 하나만 있으면 되는데..
이걸로 어찌 사누!

그러다 보니 더 많이 가지려고, 더 많이 누리려고 했던 거야. 백 년도 채 못 살면서 말이야.
내놔
퍽
하지만 예전의 사람들은 있는 것에 대해 감사할 줄 알았어.
무 하나라도 나눠 먹으면…
그래서 중용에 따른 삶을 살 수 있었던 거지.
중
용
공자도 '사람들 가운데 중용을 오래 지속하는 자가 적은 지 오래되었다.' 고 말하잖아.
이 말은 과거에는 사람들이 행하고 있었다는 말이야. 오히려 적은 것에 만족할 줄 알았던 거지.
바람 막아줄 집만 있으면 돼!
이건 지금도 유효해. 사람들은 과거보다 훨씬 더 잘 살게 되었고
냉장고와 세탁기 그리고 자동차가 있는데도 만족하지 못하고
더 큰 아파트와 더 좋은 자동차, 더 많은 돈을 가지려고 끊임없이 경쟁하지.
더 긁어 모아야 돼!
이미 자신이 갖고 있는 돈만 해도 충분한데 말이야.
그런데도 더 많이 가지려고 약한 사람들의 집을 빼앗고,
다다익선…
내 집!
가난한 사람들을 매몰차게 내치기도 하는 사람들이 있어.
재개발 지역
나가!
그렇다면 중용의 도는 어떻게 행할 수 있을까?
중용의 도
자사는 《중용》 제5장에서 공자의 말을 인용해 말해.

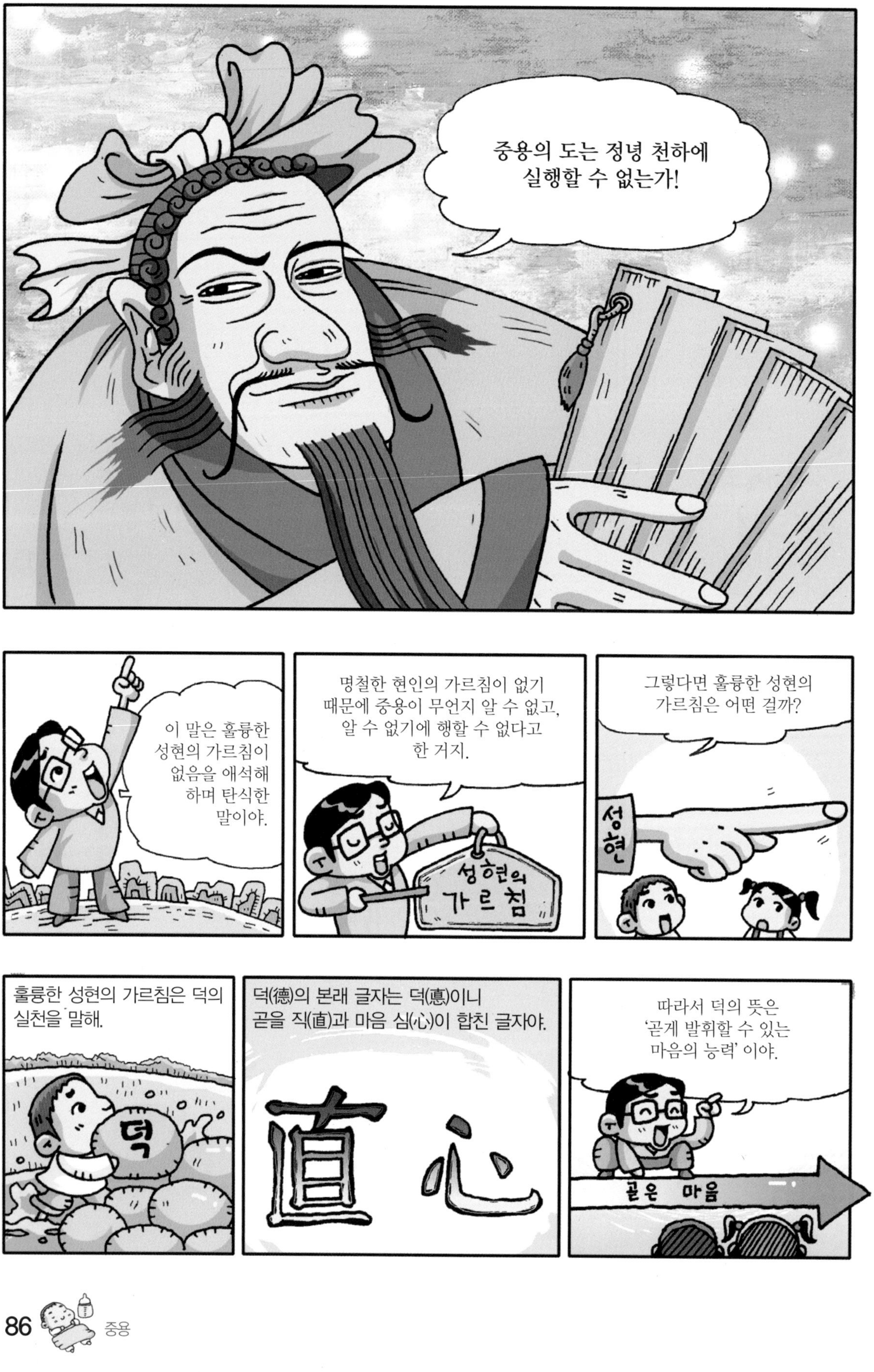
중용의 도는 정녕 천하에 실행할 수 없는가!
이 말은 훌륭한 성현의 가르침이 없음을 애석해 하며 탄식한 말이야.
명철한 현인의 가르침이 없기 때문에 중용이 무언지 알 수 없고, 알 수 없기에 행할 수 없다고 한 거지.
성현의 가르침
그렇다면 훌륭한 성현의 가르침은 어떤 걸까?
성현
훌륭한 성현의 가르침은 덕의 실천을 말해.
덕
덕(德)의 본래 글자는 덕(悳)이니 곧을 직(直)과 마음 심(心)이 합친 글자야.
直 心
따라서 덕의 뜻은 '곧게 발휘할 수 있는 마음의 능력' 이야.
곧은 마음

'곧게 발휘할 수 있는 마음의 능력'이란 마음의 근원을 이루고 있는 '살려는 의지'가 어떠한 영향에 의해 변질되지 않고 곧바로 발휘할 수 있는 마음의 능력이야.
외부
살려는 의지
흔들리지 않는 마음
영향
빵이 하나 있다고 할 때, '살려는 의지'는 나와 남의 육체가 동시에 살아가도록 하려는 마음으로 발휘되어 나누어 먹으려고 하지. 덕이 있는 첫 마음이야.
하지만 남을 주면 그만큼 못 먹는다는 생각에
반을 줘버리면…?
빨리줘!
나누어 먹으려는 마음은 굴절하여 혼자 먹으려는 마음으로 변질되지.
내가 다 먹을래!
엥!
덕이 없게 된 두 번째 마음, 변질된 마음이라 할 수 있어.
퍽
변질
덕을 가진 사람은 남과 나를 구별하여 남이 나에게 이익을 주는 사람인지 아닌지 따지지 않아.
너와 내가 똑같거늘….
또한 찾아오는 사람을 계산적인 마음으로 대하지 않고 형제처럼 따뜻하게 반기지.
어서 오시오~
그러므로 많은 사람이 편안함을 느끼고 형제처럼 좋아하며 따르게 돼.
덕
'살려는 의지'는 육체가 피곤하면 쉬도록 명령하고
배가 고프면 먹도록 유도하며, 알맞게 먹었을 때는 그만 먹도록 명령하고,
심장은 알맞게 뛰도록 유도하며, 알맞게 호흡하도록 유도해.
산책이나 가 볼까?

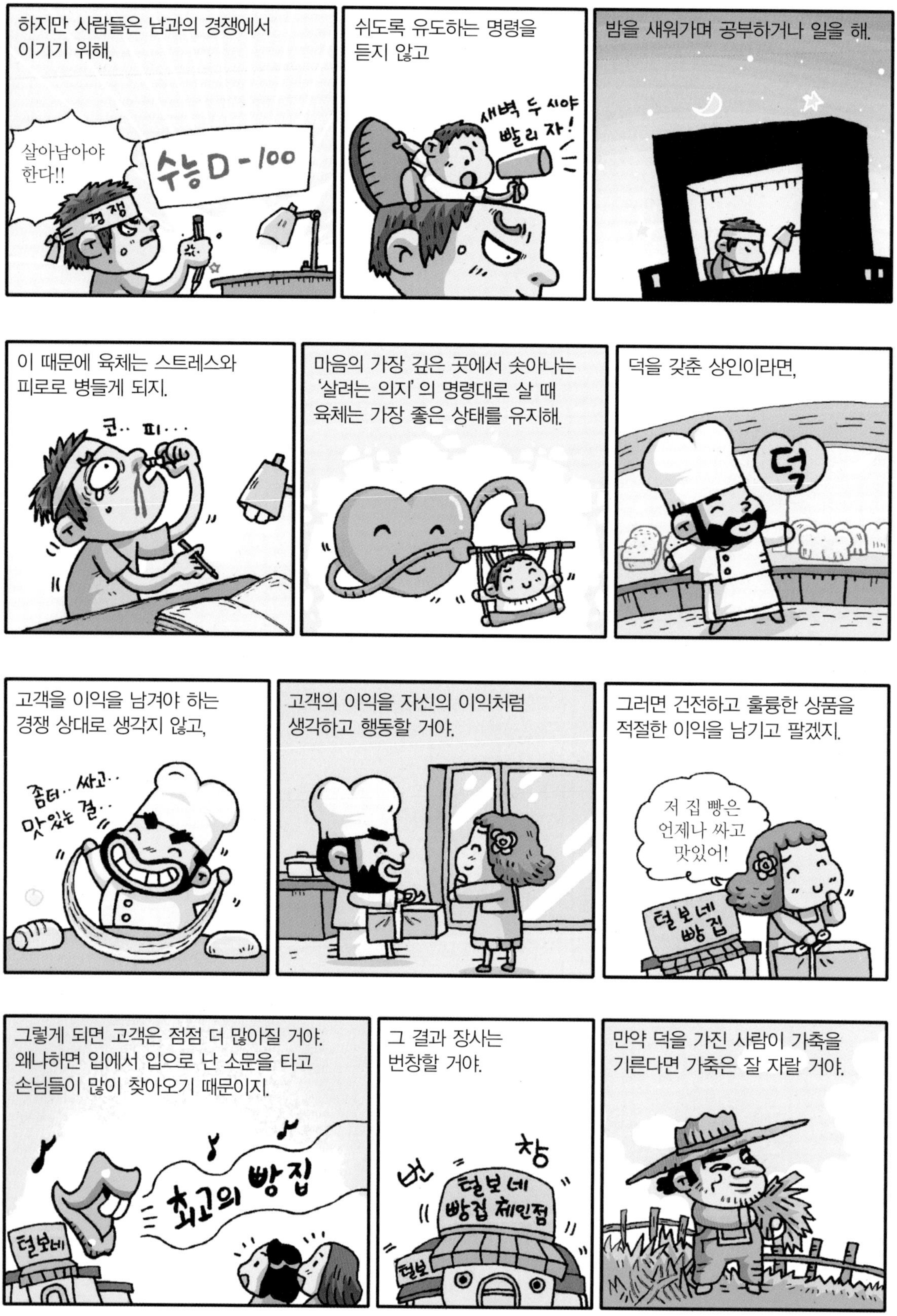
하지만 사람들은 남과의 경쟁에서
이기기 위해,
살아남아야 한다!!
수능 D-100
경쟁
쉬도록 유도하는 명령을
듣지 않고
새벽 두 시야 빨리 자!
밤을 새워가며 공부하거나 일을 해.
이 때문에 육체는 스트레스와
피로로 병들게 되지.
코.. 피...
마음의 가장 깊은 곳에서 솟아나는
'살려는 의지'의 명령대로 살 때
육체는 가장 좋은 상태를 유지해.
덕을 갖춘 상인이라면,
덕
고객을 이익을 남겨야 하는
경쟁 상대로 생각지 않고,
좀더.. 싸고.. 맛있는 걸..
고객의 이익을 자신의 이익처럼
생각하고 행동할 거야.
그러면 건전하고 훌륭한 상품을
적절한 이익을 남기고 팔겠지.
저 집 빵은 언제나 싸고 맛있어!
털보네 빵집
그렇게 되면 고객은 점점 더 많아질 거야.
왜냐하면 입에서 입으로 난 소문을 타고
손님들이 많이 찾아오기 때문이지.
최고의 빵집
털보네
그 결과 장사는
번창할 거야.
번 창
털보네 빵집 체인점
털보
만약 덕을 가진 사람이 가축을
기른다면 가축은 잘 자랄 거야.

왜냐하면 그가 덕을 가지고 정성을 다해 가축이 잘 되도록 기르기 때문이지.
만횽이 먹어… 내 새끼
이러한 덕은 태어날 때 누구나 가지고 있어.
덕
어린아이는 알맞게 먹고 알맞게 잘 줄 알며 남과의 경쟁에서 이기려 하지 않고 욕심내지도 않아.
그러나 성장하면서 남과 자기를 구별하는 감각기관이 발달하게 되지.
이 감각기관을 남과의 경쟁에서 이기기 위한 수단으로 사용하면서 인간은 본래 갖고 있던 덕을 점점 잃어가는 거야.
무조건 이겨야 산다!
경쟁
결국 중용의 도리는 본성에 따라 사는 거라 할 수 있어.
본성
살려는 의지, 나와 남 모두가 잘 살아갈 수 있도록 해 주는 본성에 따라 사는 게 바로 중용의 도리인 거야.
우린 모두 한배를 탔어!
중용의 도리
이것은 바로 덕을 밝히고 넓히는 생활이라 할 수 있어.
덕

제6장
중용의 도는 가까운 데 있다
중용
중용에 따른 삶은 과연 어떻게 사는 것일까?
중용의 삶
중용에 따르는 삶은 과연 공자 같은 성인만이 할 수 있는 것일까? 중용의 길은 우리 삶과 먼 것일까?
그렇다면 그런 길을 제시한 공자나 자사와 같은 성인들은 성인답지 않은 일을 한 것이라고 할 수 있어.
중용
왜냐하면 우리의 삶과 너무 멀리 떨어지거나 높은 곳에 있다면,
중용 찾아 삼만 리…
찾을 수도 실천할 수도 없기 때문이지. 과연 중용은 우리와 멀리 떨어져 있는 것일까?
중용
여기에 대한 대답은 아니올시다야.
NO
착
중용은 사실 우리네 삶과 너무나 가까이 있어. 사람들이 모르고 있을 뿐이지.
중용

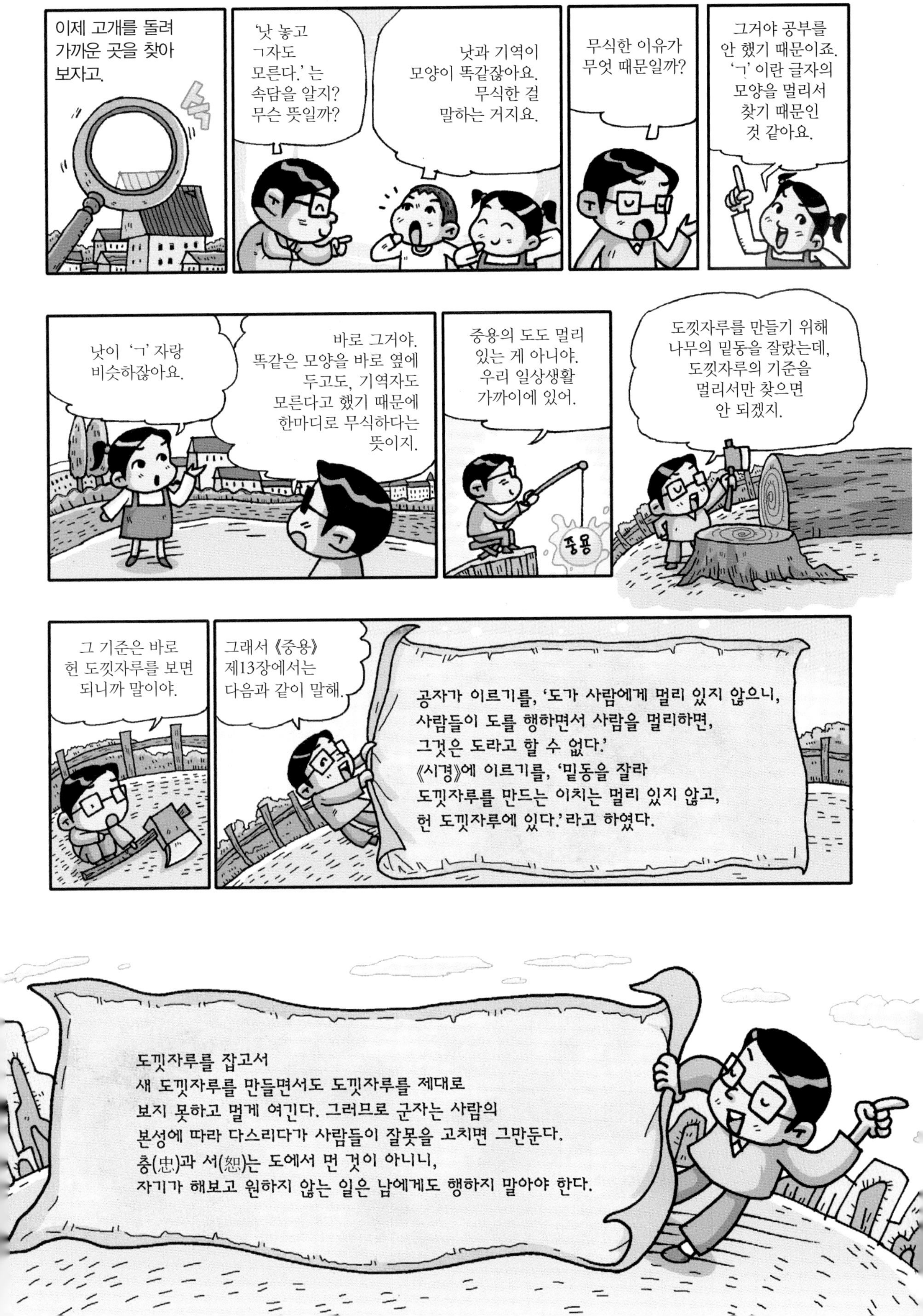
이제 고개를 돌려 가까운 곳을 찾아 보자고.
'낫 놓고 ㄱ자도 모른다.' 는 속담을 알지? 무슨 뜻일까?
낫과 기역이 모양이 똑같잖아요. 무식한 걸 말하는 거지요.
무식한 이유가 무엇 때문일까?
그거야 공부를 안 했기 때문이죠. 'ㄱ' 이란 글자의 모양을 멀리서 찾기 때문인 것 같아요.
낫이 'ㄱ' 자랑 비슷하잖아요.
바로 그거야. 똑같은 모양을 바로 옆에 두고도, 기역자도 모른다고 했기 때문에 한마디로 무식하다는 뜻이지.
중용의 도도 멀리 있는 게 아니야. 우리 일상생활 가까이에 있어.
중용
도낏자루를 만들기 위해 나무의 밑동을 잘랐는데, 도낏자루의 기준을 멀리서만 찾으면 안 되겠지.
그 기준은 바로 헌 도낏자루를 보면 되니까 말이야.
그래서 《중용》 제13장에서는 다음과 같이 말해.
공자가 이르기를, '도가 사람에게 멀리 있지 않으니, 사람들이 도를 행하면서 사람을 멀리하면, 그것은 도라고 할 수 없다.'
《시경》에 이르기를, '밑동을 잘라 도낏자루를 만드는 이치는 멀리 있지 않고, 헌 도낏자루에 있다.' 라고 하였다.
도낏자루를 잡고서 새 도낏자루를 만들면서도 도낏자루를 제대로 보지 못하고 멀게 여긴다. 그러므로 군자는 사람의 본성에 따라 다스리다가 사람들이 잘못을 고치면 그만둔다. 충(忠)과 서(恕)는 도에서 먼 것이 아니니, 자기가 해보고 원하지 않는 일은 남에게도 행하지 말아야 한다.

이제 우리 주변에서 중용의 도가 펼쳐진 걸 살펴볼까?
달력!
촤르르..
먼저 달력을 한번 보자. 달력의 요일을 보니까,
7
일 월 화 수 목 금 토
1 2 3 4 5
6 7 8 9 10 11 12
13 14 15 16 ...
중용의 삶을 알려주는 힌트가 있네.
바로 음양오행설인데, 달력에 나타나 있어.
7
일 월 화 수 목 금 토
1 2 3 4 5
6 7 8 9 10 11 12
13 14 15 16 17 18 19
20 21 22 ....
중용을 설명하다가 갑자기 왜 음양오행이냐고? 바로 음양오행의 진리가 중용의 진리를 그대로 나타내기 때문이야. 그것도 아주 재미있게.
음 양 오 행
중용
음양오행설(陰陽五行說)은 우주나 이 세상의 모든 현상과 만물의 생성, 소멸을 음양과 오행이란 사물과 기운의 변화로 설명한 거야.
음양오행설의 시작은 중국 전국 시대에 있었던 음양과 오행의 사상이 합쳐져 생겨난 말이야.
오행
음양
음양오행설은 한국, 일본, 중국의 생활에 큰 영향을 끼쳤어.
음양오행
음과 양이 양적으로 어떻게 배합되느냐에 따라서 오행의 물질이 생겨나고
음
양
배합
오행
음양 두 기운의 자람과 스러짐에 따라 계절이 바뀌고 자연 환경이 바뀌는 이치를 설명하는 것이 음양오행설이야.
음
양
이 세상 모든 사물들은 씨줄과 날줄처럼, 경도와 위도처럼, 운동과 정지처럼 반대되는 성질들을 갖고 있어.
N극
S극
그리고 그 반대되는 성질들은 서로를 무조건 싫어해서 배척하지 않고 때로는 힘을 합치면서 새로운 다른 모습을 나타내기도 해.
여자
남자

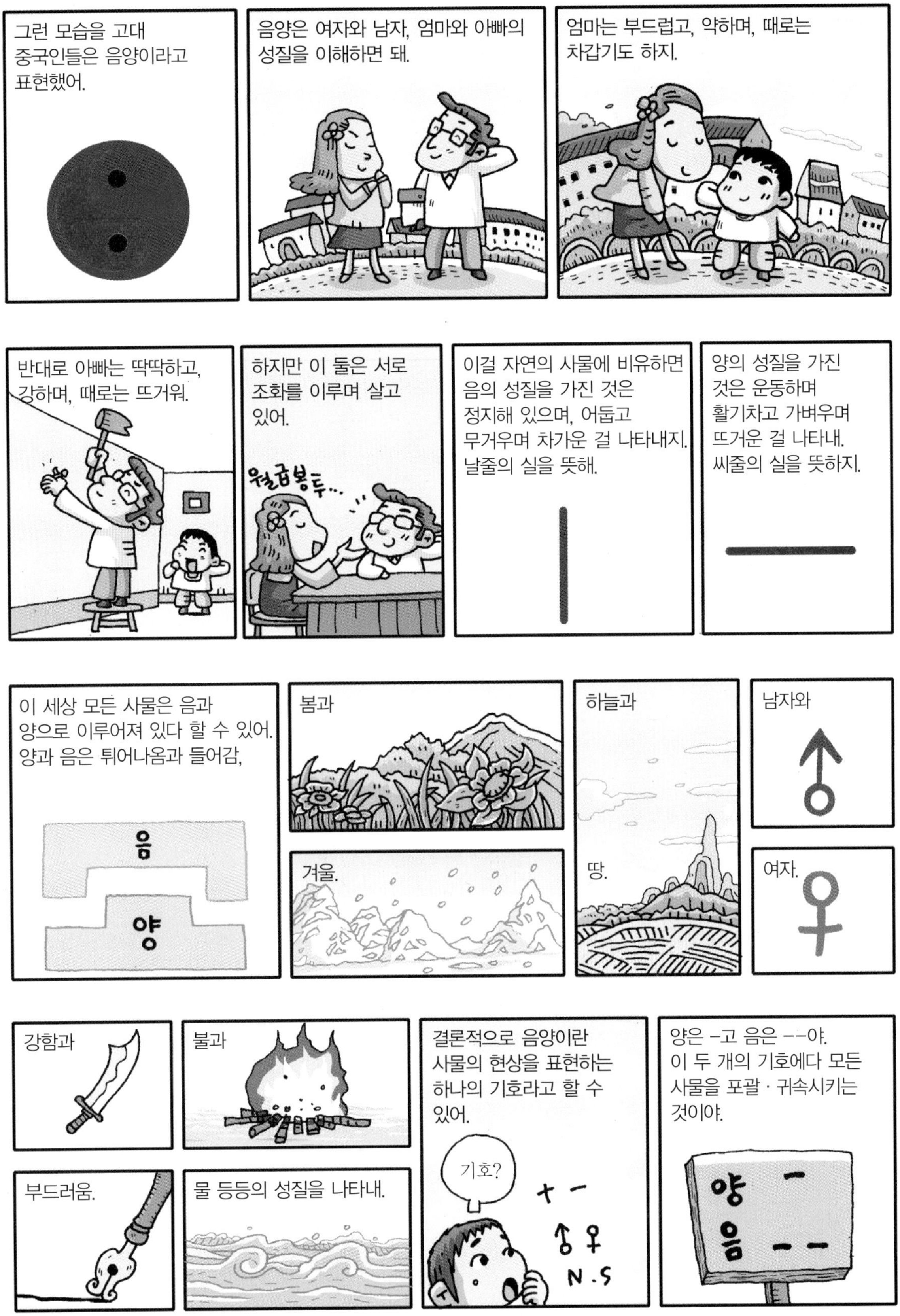
그런 모습을 고대
중국인들은 음양이라고
표현했어.
음양은 여자와 남자, 엄마와 아빠의
성질을 이해하면 돼.
엄마는 부드럽고, 약하며, 때로는
차갑기도 하지.
반대로 아빠는 딱딱하고,
강하며, 때로는 뜨거워.
하지만 이 둘은 서로
조화를 이루며 살고
있어.
월급봉투...
이걸 자연의 사물에 비유하면
음의 성질을 가진 것은
정지해 있으며, 어둡고
무거우며 차가운 걸 나타내지.
날줄의 실을 뜻해.
양의 성질을 가진
것은 운동하며
활기차고 가벼우며
뜨거운 걸 나타내.
씨줄의 실을 뜻하지.
이 세상 모든 사물은 음과
양으로 이루어져 있다 할 수 있어.
양과 음은 튀어나옴과 들어감,
음
양
봄과
겨울.
하늘과
땅.
남자와
여자.
강함과
부드러움.
불과
물 등등의 성질을 나타내.
결론적으로 음양이란
사물의 현상을 표현하는
하나의 기호라고 할 수
있어.
기호?
N.S
양은 ㅡ고 음은 --야.
이 두 개의 기호에다 모든
사물을 포괄 · 귀속시키는
것이야.
양
음

이는 하나인 본질을 양면으로 관찰하여 상대적인 특징을 지니고 있는 것을 표현하는 이원론*적 기호라고도 할 수 있어.
건전지
−
+
다음은 이 세상에 존재하는 사물들을 다섯 가지 기운으로 크게 나누어 설명한 오행설이야.
이 오행설은 우주만물을 형성하는 기본적이고 으뜸되는 기운을 목, 화, 토, 금, 수로 나타내는 거야.
목
화
수
금
토

*이원론(二元論) – 이 세상의 모든 운동 변화를 양과 음, +와 −, 정신과 물질의 둘로 설명하는 이론.

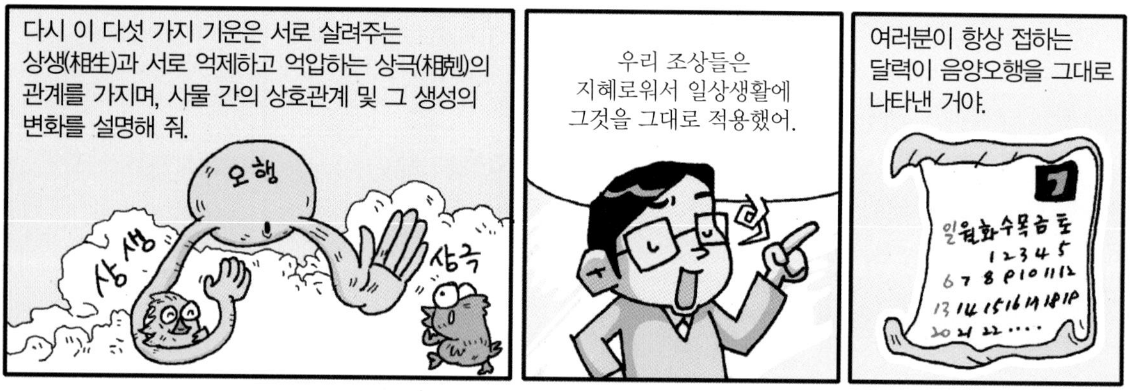

다시 이 다섯 가지 기운은 서로 살려주는 상생(相生)과 서로 억제하고 억압하는 상극(相剋)의 관계를 가지며, 사물 간의 상호관계 및 그 생성의 변화를 설명해 줘.
오행
상생
상극
우리 조상들은 지혜로워서 일상생활에 그것을 그대로 적용했어.
여러분이 항상 접하는 달력이 음양오행을 그대로 나타낸 거야.
7
일월화수목금토

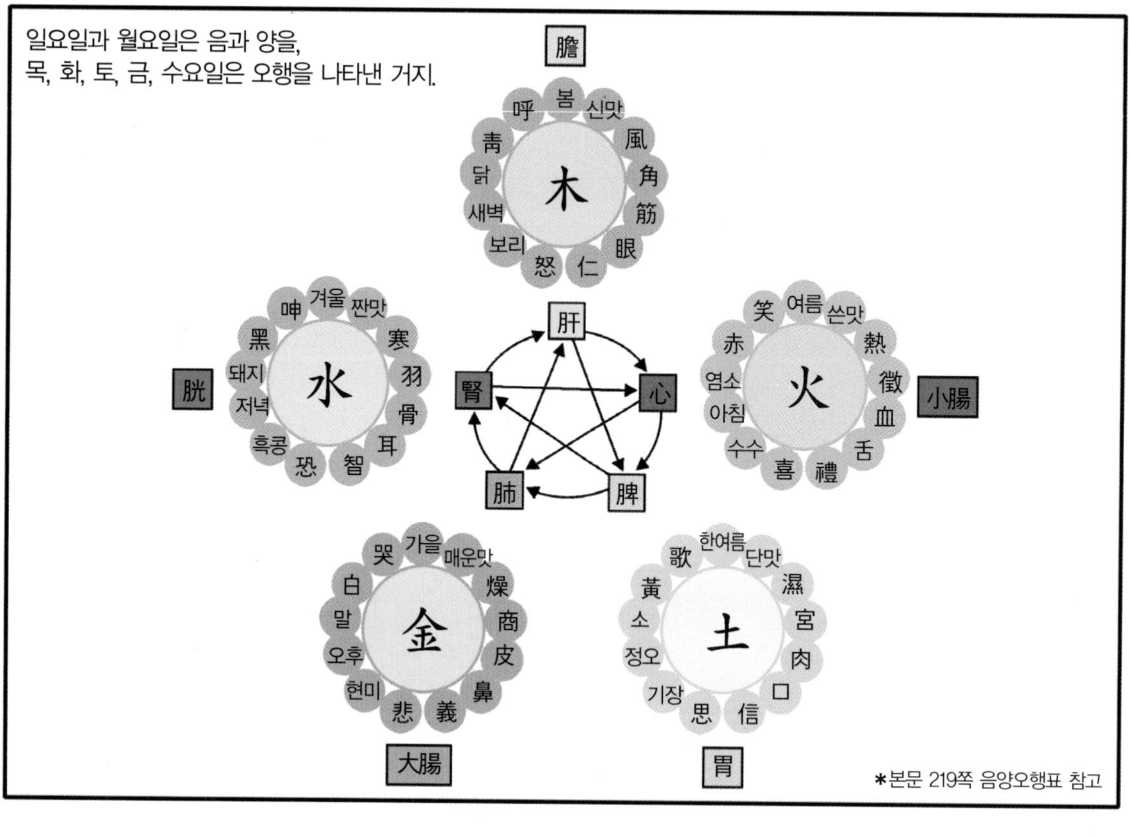

일요일과 월요일은 음과 양을, 목, 화, 토, 금, 수요일은 오행을 나타낸 거지.
膽
木
呼
봄
신맛
風
角
筋
眼
仁
怒
보리
새벽
닭
青
小腸
火
笑
여름
쓴맛
熱
徵
血
舌
禮
喜
수수
아침
염소
赤
胱
水
呻
겨울
짠맛
寒
羽
骨
耳
智
恐
흑콩
저녁
돼지
黑
肝
心
脾
肺
腎
金
哭
가을
매운맛
燥
商
皮
鼻
義
悲
현미
오후
말
白
大腸
土
歌
한여름
단맛
濕
宮
肉
口
信
思
기장
정오
소
黃
胃

*본문 219쪽 음양오행표 참고

일요일은 태양을 의미하기에 양에 해당하고
월요일은 달에 해당하기에 음에 해당해.
나머지 목요일은 나무를,
화요일은 불을,
토요일은 흙을,
금요일은 쇠를,
수요일은 물을 나타내.
그리고 이들 오행은 각각 서로 이기기도 하고 지기도 하지. 이기는 것을 이길 극(克)을 써서 '극한다' 라고 하고,
서로 도와주고 힘을 주는 것을 날 생(生)자를 써서 '생한다' 라고 해.
그렇다면 이제 오행의 상생관계인 오행상생(五行相生)을 살펴볼까?
서로 돕고 사는 게 상생이야!
오행상생…
나무가 타면 불이 생겨. 이것을 목생화(木生火)라 해.
목생화。
그리고 불이 다 탄 다음에는 재가 남지. 재들이 모이고 모이면 흙이 되지. 그것을 화생토(火生土)라 해.
화 생 토
다시 흙 속에서 쇠가 나와. 이것이 토생금(土生金)이야.
토 생 금
쇠
다시 쇠에서 물이 나오지. 여러분 주변을 잘 살펴봐!
쇠에서 물이 나온다고…?
쇠를 가만히 놔 두면 녹이 슬지. 그리고 쇳물이 나와. 이것을 금생수(金生水)라 해.
금 생 수
끝으로 물은 나무를 기르지. 나무는 물이 없으면 살 수 없잖아. 이것이 수생목(水生木)이야.
수생목

하지만 이들 오행은 서로가 서로를 이기기도 한다고 했잖아. 이것을 오행상극(五行相剋)이라고 해.
상극…
같은 극끼리 밀어 낸다.
나무는 흙을 뚫고 나오지? 이렇게 나무는 흙을 이긴다 하여 목극토(木剋土)라 해.
목 극 토
바위를 뚫고 올라온 것도 봤어!
다시 흙은 물을 가두어 두잖아. 새만금 간척 사업을 봐! 이걸 토극수(土剋水)라 해.
토극수
다시 물은 불을 끄지. 이걸 수극화(水剋火)라 해.
수극화
다시 불은 쇠를 녹여. 제철소의 불기둥이 쇠를 녹이는 걸 생각해 봐! 이걸 화극금(火剋金)이라 하지.
화극금
끝으로 쇠는 다시 나무를 자를 수 있어. 이게 금극목(金剋木)이야.
금극목
하지만 이건 일반적인 상황이고 자연적인 상태일 때야. 아주 큰 불은 물로도 못 끄지.
정말로 큰 물은 흙으로 못 가두지. 바다를 흙으로 가둘 수는 없잖아. 그리고 엄청나게 큰 나무는 오히려 도끼가 튕겨져 나가고 못 쓰게 되기도 해.
이렇듯 자연 속에서는 절대적인 강자도, 절대적인 약자도 없는 것이야.
그렇기 때문에 강하다고 자만하지 말고, 약하다고 좌절하지 말라고 음양오행설은 말하지.
음양오행
자만과 굴종의 중용은 긍지라고 할 수 있잖아.
그래서 음양오행설, 아니 달력은 우리에게 말하지. '중용'에 따라 살라고. 너무 잘난 척하거나 너무 의기소침하게 살지도 말라고.
중용에 따라 살라!

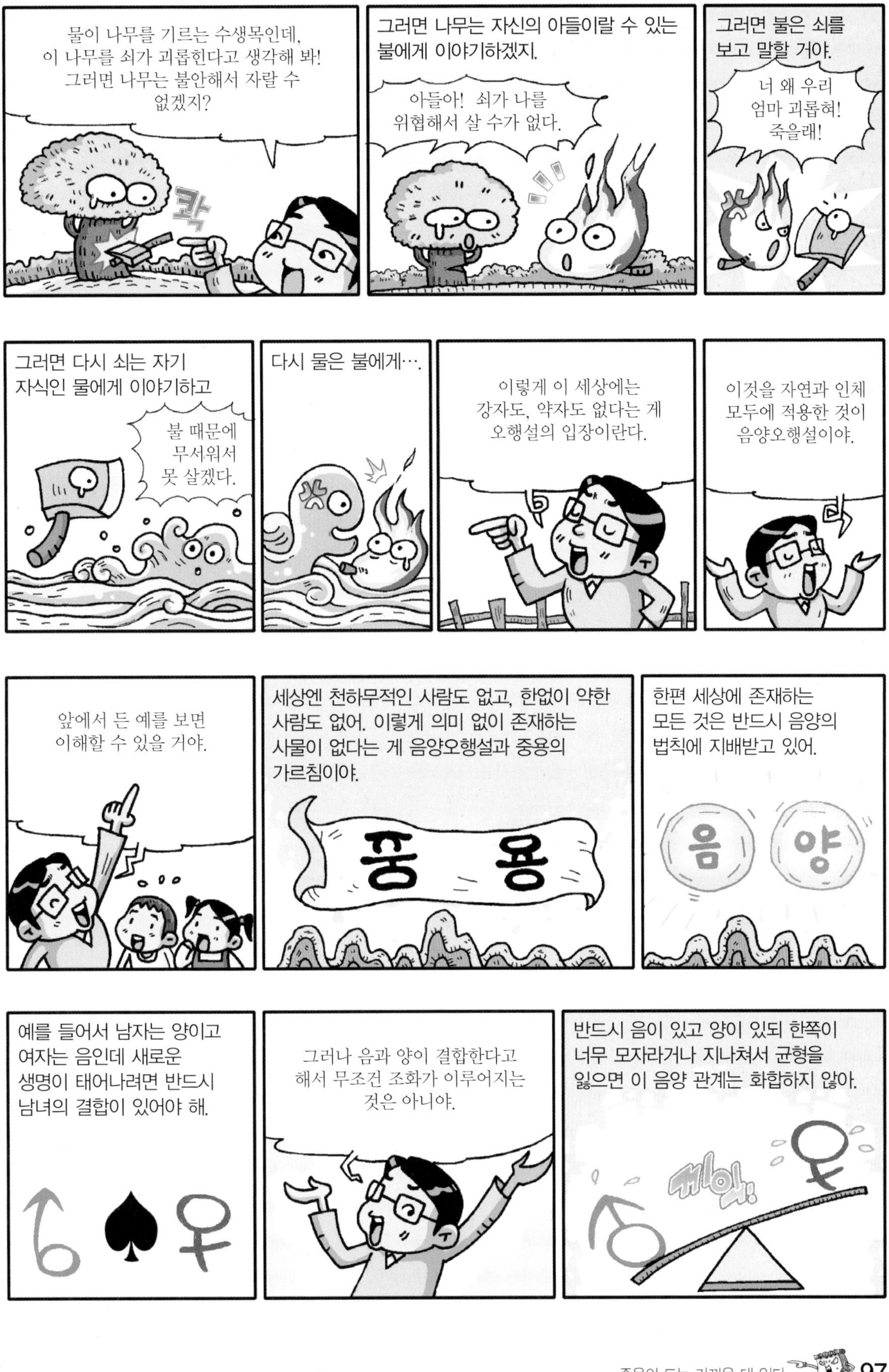
물이 나무를 기르는 수생목인데, 이 나무를 쇠가 괴롭힌다고 생각해 봐! 그러면 나무는 불안해서 자랄 수 없겠지?
콱
그러면 나무는 자신의 아들이랄 수 있는 불에게 이야기하겠지.
아들아! 쇠가 나를 위협해서 살 수가 없다.
그러면 불은 쇠를 보고 말할 거야.
너 왜 우리 엄마 괴롭혀! 죽을래!
그러면 다시 쇠는 자기 자식인 물에게 이야기하고
불 때문에 무서워서 못 살겠다.
다시 물은 불에게….
이렇게 이 세상에는 강자도, 약자도 없다는 게 오행설의 입장이란다.
이것을 자연과 인체 모두에 적용한 것이 음양오행설이야.
앞에서 든 예를 보면 이해할 수 있을 거야.
세상엔 천하무적인 사람도 없고, 한없이 약한 사람도 없어. 이렇게 의미 없이 존재하는 사물이 없다는 게 음양오행설과 중용의 가르침이야.
중 용
한편 세상에 존재하는 모든 것은 반드시 음양의 법칙에 지배받고 있어.
음
양
예를 들어서 남자는 양이고 여자는 음인데 새로운 생명이 태어나려면 반드시 남녀의 결합이 있어야 해.
♂ ♠ ♀
그러나 음과 양이 결합한다고 해서 무조건 조화가 이루어지는 것은 아니야.
반드시 음이 있고 양이 있되 한쪽이 너무 모자라거나 지나쳐서 균형을 잃으면 이 음양 관계는 화합하지 않아.
찌익!
♀
♂

둘 중 하나가 한쪽으로 지나치게 기울면 한쪽은 자연 쇠약해져서 결국 음양이 중용을 잃게 돼.
나가! 돈벌어와!
마누라 기가 너무 세!
만물에 성쇠*의 순환이 있는 것은 바로 이 음양의 성쇠에 의해서이며, 성쇠가 반복하는 것은 천지자연의 법도라고 할 수 있어.
오르막이 있으면…
내리막도 있는법…
천지자연의 법도
양은 움직임을 뜻하고 음은 정지를 뜻해.
음
양

*성쇠(盛衰) – 성하고 쇠퇴함, 발전할 때와 무너질 때, 성공할 때와 실패할 때 등.

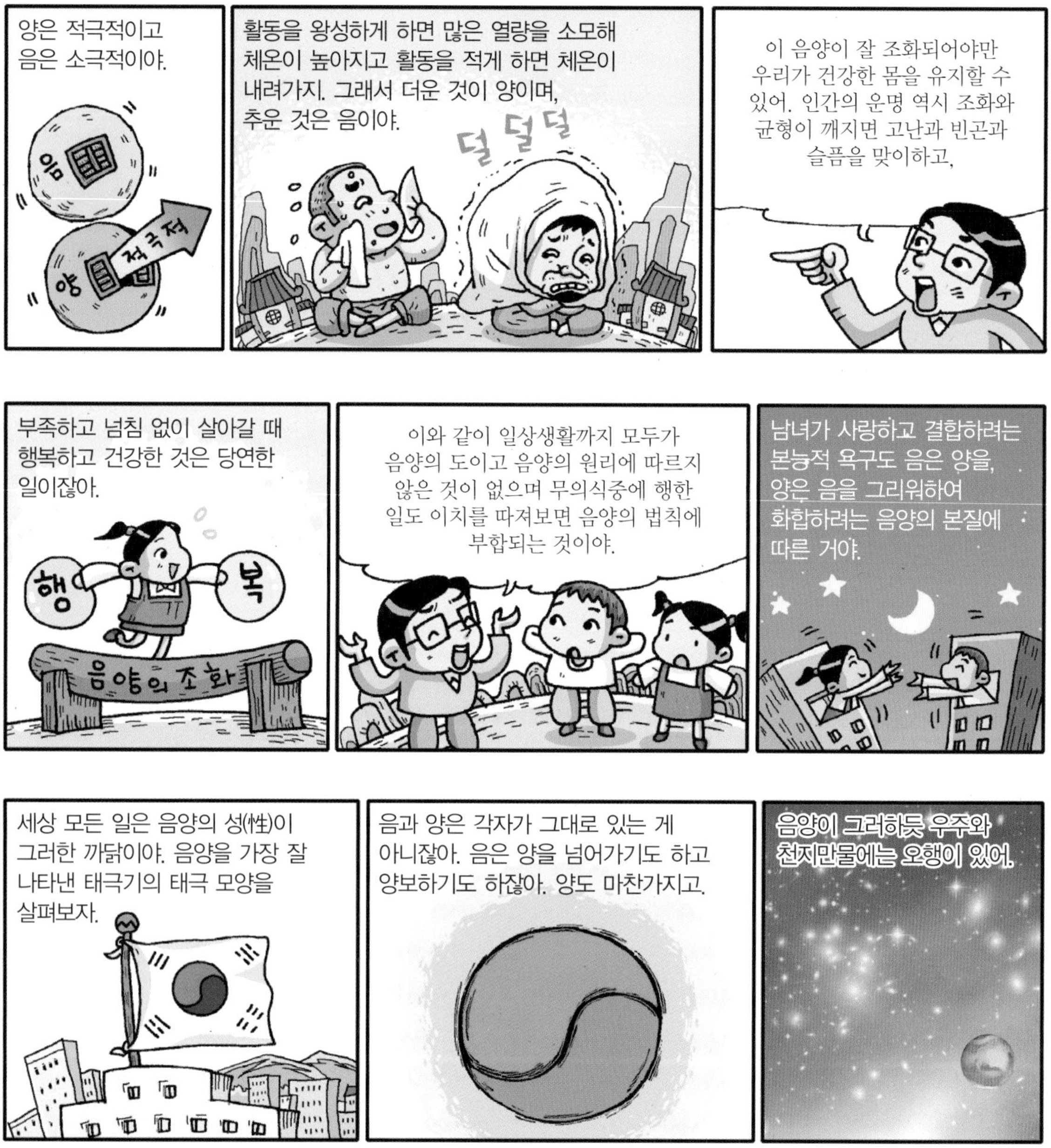
양은 적극적이고 음은 소극적이야.
음
양
적극적
활동을 왕성하게 하면 많은 열량을 소모해 체온이 높아지고 활동을 적게 하면 체온이 내려가지. 그래서 더운 것이 양이며, 추운 것은 음이야.
덜덜덜
이 음양이 잘 조화되어야만 우리가 건강한 몸을 유지할 수 있어. 인간의 운명 역시 조화와 균형이 깨지면 고난과 빈곤과 슬픔을 맞이하고,
부족하고 넘침 없이 살아갈 때 행복하고 건강한 것은 당연한 일이잖아.
행
복
음양의 조화
이와 같이 일상생활까지 모두가 음양의 도이고 음양의 원리에 따르지 않은 것이 없으며 무의식중에 행한 일도 이치를 따져보면 음양의 법칙에 부합되는 것이야.
남녀가 사랑하고 결합하려는 본능적 욕구도 음은 양을, 양은 음을 그리워하여 화합하려는 음양의 본질에 따른 거야.
세상 모든 일은 음양의 성(性)이 그러한 까닭이야. 음양을 가장 잘 나타낸 태극기의 태극 모양을 살펴보자.
음과 양은 각자가 그대로 있는 게 아니잖아. 음은 양을 넘어가기도 하고 양보하기도 하잖아. 양도 마찬가지고.
음양이 그러하듯 우주와 천지만물에는 오행이 있어.

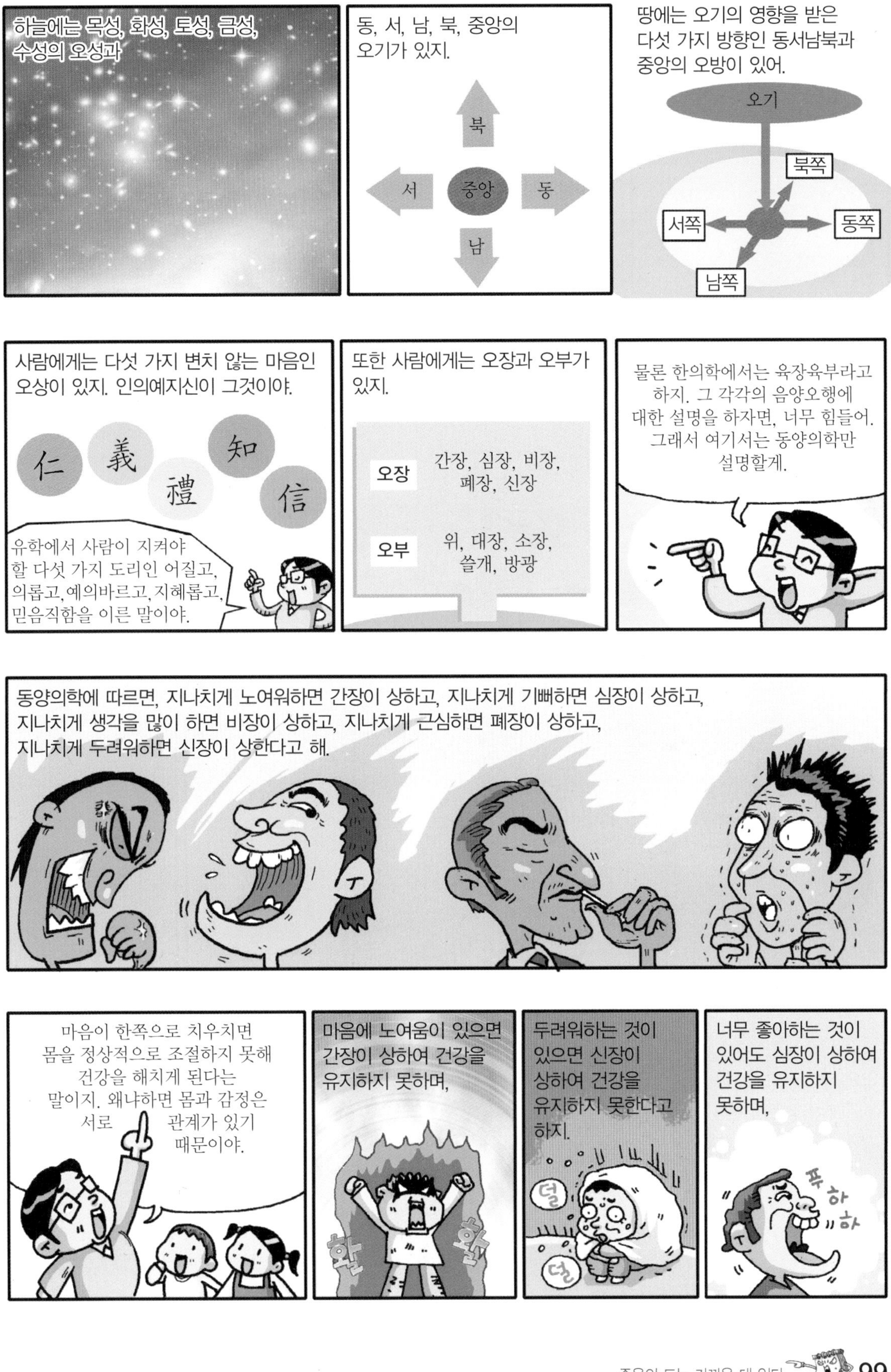

하늘에는 목성, 화성, 토성, 금성, 수성의 오성과
동, 서, 남, 북, 중앙의 오기가 있지.
북
서
중앙
동
남
땅에는 오기의 영향을 받은 다섯 가지 방향인 동서남북과 중앙의 오방이 있어.
오기
북쪽
서쪽
동쪽
남쪽
사람에게는 다섯 가지 변치 않는 마음인 오상이 있지. 인의예지신이 그것이야.
仁
義
禮
知
信
유학에서 사람이 지켜야 할 다섯 가지 도리인 어질고, 의롭고, 예의바르고, 지혜롭고, 믿음직함을 이른 말이야.
또한 사람에게는 오장과 오부가 있지.
오장
간장, 심장, 비장, 폐장, 신장
오부
위, 대장, 소장, 쓸개, 방광
물론 한의학에서는 육장육부라고 하지. 그 각각의 음양오행에 대한 설명을 하자면, 너무 힘들어. 그래서 여기서는 동양의학만 설명할게.
동양의학에 따르면, 지나치게 노여워하면 간장이 상하고, 지나치게 기뻐하면 심장이 상하고, 지나치게 생각을 많이 하면 비장이 상하고, 지나치게 근심하면 폐장이 상하고, 지나치게 두려워하면 신장이 상한다고 해.
마음이 한쪽으로 치우치면 몸을 정상적으로 조절하지 못해 건강을 해치게 된다는 말이지. 왜냐하면 몸과 감정은 서로 관계가 있기 때문이야.
마음에 노여움이 있으면 간장이 상하여 건강을 유지하지 못하며,
확
확
두려워하는 것이 있으면 신장이 상하여 건강을 유지하지 못한다고 하지.
덜
덜
너무 좋아하는 것이 있어도 심장이 상하여 건강을 유지하지 못하며,
푸하하

근심이 너무 많아도 폐장이 상하여 건강을 유지하지 못해.
푸우
애들 학비 걱정에.
사람이 기뻐하거나 노여워하는 감정을 어떻게 안 가질 수 있어요?
물론, 모든 사람에게는 감정이 있지. 그러나 감정에는 두 가지 종류가 있어. 기뻐하는 감정을 예로 들어 보자.
시들어가던 식물에 물을 줘서 싱싱하게 되살아나는 것을 보고 기뻐하는 감정이 있고,
방긋
다른 사람은 상을 못 받는데 나 혼자만 상을 받게 되었을 때처럼 내가 남을 앞서는 것에 대해 기뻐하는 것이 있을 거야.
상
부럽다…
이 두 감정 가운데 전자는 덕에 따라 성(性)이 그대로 발휘된 것이지만, 후자는 성이 왜곡되어 발휘된 것이라 할 수 있어.
왜곡
몸을 상하게 하는 감정이란 후자의 감정을 말해. 몸을 원래의 모습대로 건강하고 아름답게 가꾸기 위해서는
먼저 마음을 바로잡아 마음이 순수한 감정으로 충만하도록 하는 것이 필요해.
감 정
순수한 마음
마음은 육체를 조종하는 작용을 하므로 마음이 보려는 의욕을 갖고 있지 않으면
육체
육체적인 감각 기관인 눈이 어떤 물체를 보더라도 그 물체가 보이지 않고,
질끈
마음이 들으려 하지 않으면 귀가 어떤 소리를 듣더라도 그 소리가 들리지 않으며,
마음 없이
사물을…
제대로 판단할 수 없다!
마음이 먹으려는 의욕이 없으면 입이 어떤 음식을 먹어도 맛을 모르는 거야.
맛을… 모르겠어.
왜 밥을 맛있게 먹다가도 기분 나쁜 소리나 잔인한 장면을 보면 입맛이 싹 가시잖아.
엄마 잔소리에 가끔 식욕이 없어져!
옆집 철수는 1등…

육체적인 감각기관은 마음의 작용이 있어야만 작용할 수 있어.
육체
이것이 몸을 닦는 것은 그 마음을 바로잡는 데 있다고 하는 까닭과 이유야.
사람들은 자식의 일을 하나부터 열까지 사랑스럽게 보기 때문에 잘못된 점을 찾지 못해.
침 뱉는 모습도 예쁘다!
여러분의 부모님도 여러분의 장단점을 잘 알지 못해. 왜냐하면 부모님은 여러분을 사랑하기 때문이지.
잡초의 싹은 자라는 것이 보이지 않지만, 농부들은 부지런히 잡초를 뽑아내지.
실제로 잡초의 싹은 매우 빠르게 자라서 순식간에 곡식을 해쳐.
이 때문에 농부들은 정말 쉴 틈도 없이 잡초의 싹이 자라기 전에 잘 구별하여 제거하지.
나쁜습관…
못된 버릇도, 순식간에 습관이 되어 몸과 마음을 망치지. 이 때문에 몸을 닦지 않아 정이 한쪽으로 치우치면 그 집을 안락하게 만들 수 없어.
가정에서 내 한 몸 귀찮다고 게으름 피운다면, 다른 가족들도 짜증을 내고 서로에게 책임을 미루잖아.
누구야! 화장실 물 안 내린 사람이!
그래서 나쁜 버릇과 습관은 처음에 바로잡아야 해.
박멸
나쁜습관
'세 살 버릇 여든 간다.' '될성부른 나무는 떡잎부터 알아본다.' 는 우리나라 속담은 이를 두고 한 말이기도 해.
드러버~.
그것도 세 살 적 버릇?
후비적
따라서 내가 하기 싫은 것을 남에게 베풀지 말라는 '기소불욕물시어인' 은 현실생활에서도 그대로 적용돼.
己所不欲 勿施於人
내가 청소하기 싫으면 남도 청소하기 싫은 거야.
나! 안 해!
내가 다리가 아파 자리에 앉고 싶으면, 남도 다리 아파 자리에 앉아 편히 가고 싶은 거야.
내가 앉을거야!
나도 다리 아파!

이 때문에 내가 하기 싫어하는 일은 남도 하기 싫어하니 차라리 내가 하고 말지, 하는 거야!
상대방의 처지에서 생각하는 역지사지는 중용에 이르는 지름길이야. 중용은 그렇게 멀리 있지 않아.
역지사지
그렇다면 역지사지가 어떻게 해서 중용에 이르는 지름길이지?
역지사지
역지사지는 글자 그대로 타인의 처지 또는 역할에서 보는 것이야.
남규랑 몸이 바뀌었어!
으아아!
易地思之
타인의 처지나 위치에서 그 역할을 해 보면, 이제까지 미처 보지 못했던 것을 보게 되고 깨닫게 되지.
나 힘든 것 이제 알겠어?
여보! 집안일이 쉬운 게 아니구나!
역지사지를 통해서 다른 이의 처지도 이해할 수 있거든.
가끔 도와 줘야겠어!
역지사지
《중용》에서 이르길, '군자의 도에는 네 가지가 있는데, 난 아직 이루지 못했다.
?
자식이 부모에게 효도하기를 힘쓰지만 나는 아직 이를 행하지 못했다.
신하가 군왕에게 충성하기를 힘쓰지만, 나는 아직 이루지 못했다.
전하
아우로서 형을 공경하려고 하지만, 아직 행하지 못했다. 친구에게 먼저 신의로써 대해야 하지만, 나는 아직 이루지 못했다.
양보해, 양보!
중용의 덕을 힘써 실천하고, 중용의 도에 합당한 말을 해야 한다.

모자람이 있을 때는 힘써 행하고; 만일 말이 앞서면 말을 조심해야 한다.
말은 행동을 염려하고, 행동은 말을 염려해야 한다.
군자가 되려면 어찌 성실하게 행하지 않을 수 있겠는가?'
군자
말
행동
언행일치에서 언은 말이고, 말은 생각에서 나오지.
생각
言
언 행 일 치
생각은 사람의 마음에서 나오기 때문에, 말이란 사람의 마음이 담긴 것이라 할 수 있어.
마
음
행은 행동함을 말하는데, 이 행동도 생각과 마음의 결과로 이루어지는 거야.
생각
마음
행동
이런 까닭에 언행일치란, 말과 행동을 억지로 맞추려는 게 아니라 마음 바탕의 것이 자연스럽게 나타난 표현이라 할 수 있어.
언 행 일 치
마
음
이 때문에 마음 바탕을 착하게 하지 않는 언행일치란 억지로 행하는 거짓된 모습이고,
내가 왜 걸레를
빤다고 말을 했을까!
이런 행동은 진실하지 못하기에 타인의 비웃음을 사게 되지.
돌발 퀴즈! 말과 글 중에서 어떤 것이 더 무서울까?
그거야 말이지요. 한번 뱉은 말은 다시 취소할 수 없잖아요.
그래서 '엎질러진 물'이라는 속담도 있잖아요.

여기에 비해 글은 썼다가 지울 수도 있고 수정할 수도 있잖아요.
박
박
하지만 말은 귀로 듣기만 하기 때문에 상대가 부정하면 그만이잖아.
여기에 비해 글은 기록으로 남기 때문에 부정한다고 해도 이미 늦어. 말은 지금 당장 상처를 주지만 글은 두고두고 남잖아.
그래서 글이 더 무서운 것 같아. 필화* 사건은 글의 무서움을 알려주는 거잖아.
맞아. 말과 글은 어느 것이 더 무섭다고 할 수 없을 만큼 큰 위력을 가졌어.
말
글
그래서 말을 할 때도 가려서 해야 하고, 글을 쓸 때도 보는 이가 당장은 없더라도 조심해야 하는 거야.
말
글

*필화(筆禍) – 발표한 글이 법률적으로나 사회적으로 문제를 일으켜 제재를 받는 일.

왜냐하면 말과 글에는 책임이 따르는 것이고, 말과 글에는 그 사람의 마음이 나타나기 때문이야.
낙서금지
책임
중용의 도리에 따라 사는 건 참으로 쉬운 것이기도 해.
중용의 도
언행일치의 삶을 살고
言行一致
자기가 하기 싫은 일을 다른 사람에게 요구하지 않는 것.
그리하여 자신의 입장과 타인의 입장을 바꾸어 생각하고 그 일을 실천으로 옮겨 행동하는 것.
易地思之

그 마음속에는 마음의 중심을 지키는 충을 유지하고,
사회적으로 표출할 때는 내 마음과 다른 사람의 마음이 같다는 것을 이해하고
실천하는 게 중용에 따라 사는 삶이야.

어때? 머릿속으로 아는 것을 실천할 수 있겠니?
알기는 쉬워도 행동하고 실천하기 참으로 어려운 게 중용의 도리야.

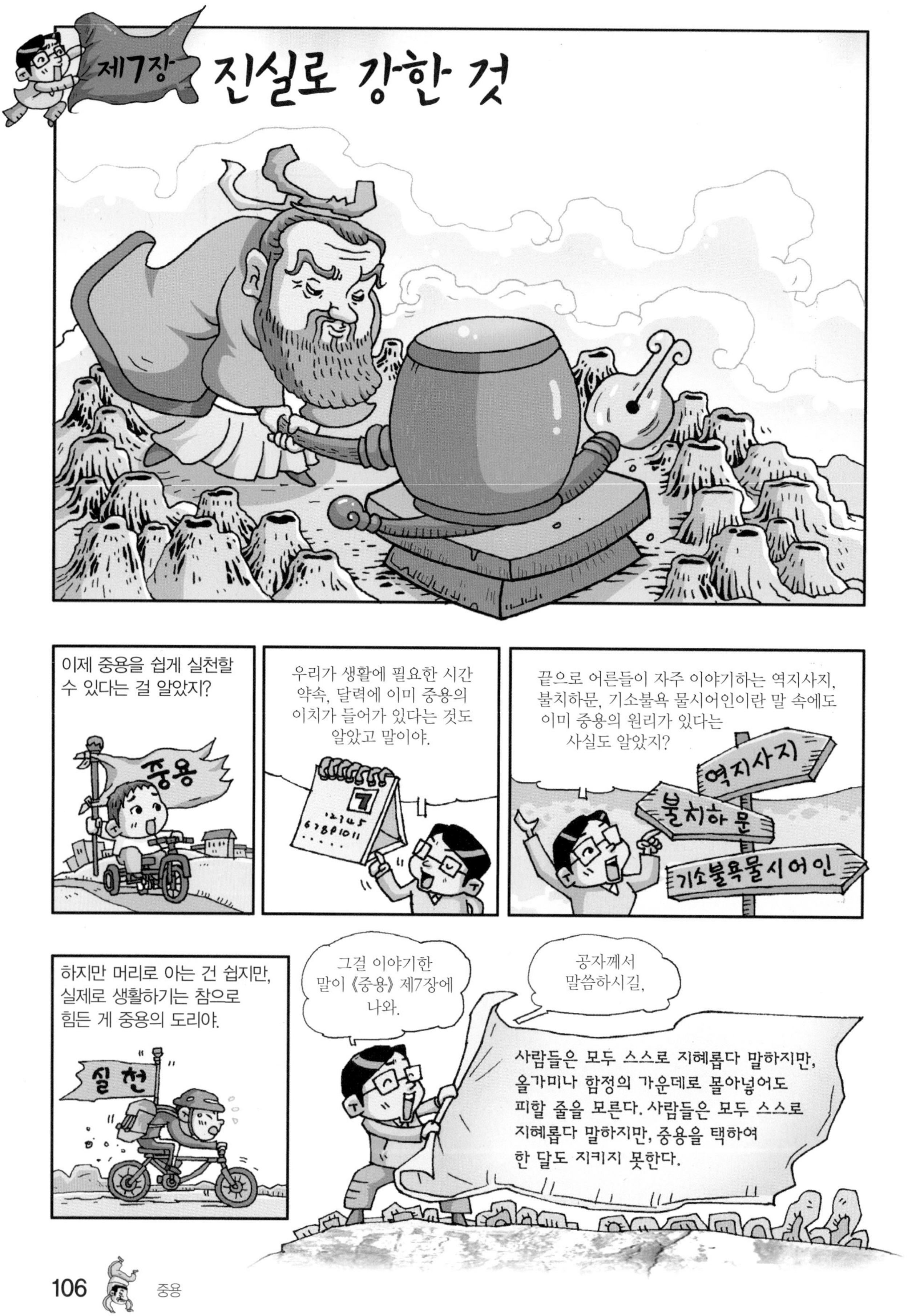

제7장
진실로 강한 것
이제 중용을 쉽게 실천할 수 있다는 걸 알았지?
중용
우리가 생활에 필요한 시간 약속, 달력에 이미 중용의 이치가 들어가 있다는 것도 알았고 말이야.
7
끝으로 어른들이 자주 이야기하는 역지사지, 불치하문, 기소불욕 물시어인이란 말 속에도 이미 중용의 원리가 있다는 사실도 알았지?
역지사지
불치하문
기소불욕물시어인
하지만 머리로 아는 건 쉽지만, 실제로 생활하기는 참으로 힘든 게 중용의 도리야.
실천
그걸 이야기한 말이 《중용》 제7장에 나와.
공자께서 말씀하시길,
사람들은 모두 스스로 지혜롭다 말하지만, 올가미나 함정의 가운데로 몰아넣어도 피할 줄을 모른다. 사람들은 모두 스스로 지혜롭다 말하지만, 중용을 택하여 한 달도 지키지 못한다.

사람들은 일반적으로 어떤 일이 옳고 좋은 일이라면 그 일을 실천해.
쓰레기는 쓰레기통에 ….
특히 그 일로 나에게도 이익이고 다른 사람과 사회 전체의 이익에도 도움이 된다고 생각하면, 당연히 그 일을 하지.
일석 이조
쓰레기도 버리고..
돈도 벌고
그런데도 사람들은 나쁜 일을 저지르잖아.
밤손님
조금 더 설명해 주세요.
선생님이 강도짓을 했다고 하자. 그럼 나는 일단 행복하겠지?
필요한 돈과 물건을 상대방에게서 빼었으니까.
하지만 모든 사람들이 자기가 필요한 물건을 정당한 대가를 치르지 않고 힘으로 뺏는다면, 사회는 어떨까?
당연히 사회는 유지될 수 없죠. 겁나서 어떻게 살아요?
바로 그거야. 강도도 조금만 더 생각한다면, 자기도 그런 사회에서 살지 못한다는 걸 알겠지.
그리고 자기가 나쁘다는 것도 알 거고. 그런데도 왜 나쁜 짓을 할까?
그건 아마도 버릇 때문인 것 같아요.
못 배워서 그런 것도 같고요.
그렇다면 많이 배우면 그런 나쁜 행동을 안 할까?
아니지요. 정말 큰 죄는 배운 사람들이 저지르죠.
나라를 팔아먹은 사람도 그 시대의 지식인이고 관리였잖아요.

바로 그거야. 아는 것도 중요하지만 더 중요한 건 그 아는 걸 실천하겠다는 의지야.
탁
이 때문에 중용의 도리가 참으로 쉬워도 사람들이 행하지 못하는 거야.
중용
아는 건 중요한 일이야. 하지만 더욱 중요한 일은 알고 있는 옳은 바를 바르게 실천하는 것이지.
머리보다 실천을….
그런 면에서 아는 것과 실천하는 것은 다르다고 할 수 있어.
지식
실천
실천하는 건 의지가 있어야 하고 습관이 되어야 하는 거야.
오늘 아빠랑 새벽 운동 가기로 했는데….
때르르릉~
누구나 한두 번쯤은 정의로움을 실천할 수 있어. 하지만 언제나 옳음을 실천하는 자는 드물어.
좀 오버 하시네요~
영웅 흉내?
공자의 제자 중에는 공자보다 아홉 살 어린 무뢰한이었던 자로(B.C.543~B.C.480)라는 사람이 있어.
무뢰한이란 성품이 막되어* 예의와 염치를 모르는 사람,
주모!! 술 더 가져와!
일정한 소속이나 직업 없이 불량한 짓을 하며 돌아다니는 사람을 말해.
오늘은 또 어디 가서 한끼 때우나?

＊막되다 – 말이나 행실이 버릇없고 난폭하다.

무뢰한인 자로를 공자는 인과 의를 기준으로 했을 때라야 비로소 용기의 가치가 있음을 강조하여 새로운 사람으로 다시 태어나게 해.
누구세요?
풍덩
넌 좀 맞아야 정신 차려!
인 과 의
자로의 성명은 중유(仲由)이며, 산둥성 출신이야. 자로는 그의 자(字)야.
이런 자로가 공자에게 강함에 대해서 물었지. 《중용》 제10장에서는 '진정 강한 것이란 무엇인가'에 대해서 말해.
진정 강함은 무엇입니까?

남쪽 지방의 강함인가,
북쪽 지방의 강함인가?
아니면 너 자신의 강함인가?
엥!?
너그러움과 부드러움으로
가르쳐주고, 무도*함에 대해
보복하지 않는 것이 남쪽 지방의
강함이니, 군자가 여기에
해당한다.
무기를 가지고 갑옷을
입고서 죽어도 싫어하지
않는 것이 북쪽 지방의
강함이니, 강한 자가
여기에 해당한다.

*무도 – 말이나 행동이 인간으로서 지켜야 할 도리에 어긋나서 막됨.

그러므로 군자는
화합하되 흐르지 않으니,
강하고 꿋꿋하다.
중립하여 치우치지 않으니,
강하고 꿋꿋하다. 나라에 도가 있을
때에는 궁할 적의 의지를 변치 않으니,
강하고 꿋꿋하다.
나라에 도가 없을
때에는 죽음에 이르러도
지조(志操)를 변치 않으니,
강하고 꿋꿋하다.

겉으로 드러나 자신의 용맹을
나타내는 건, 자로가 공자를
만나기 전의 무뢰한과 같은
행동이야.
너 이리 와!
자신의 힘만을 믿고 남과
싸우기를 좋아하는 것은
참된 강함이 아니란
이야기지.
진정으로 강한 건 마음속으로 단호하게
참으며 정도를 지키고, 어느 쪽으로도
치우치지 않는 거야.
삐이이익

조금 힘들다고 포기하거나, 남보다 힘이 조금 세다고 타인을 억누르려는 행동은 강함이 아니란 이야기지.
억 압
힘
진정으로 강한 건 관용과 인내라고 할 수 있어. 또한 굳세어 굴하지 않음도 강함이라 할 수 있지.
이런 비 바람이
내 앞길을 막을 수는 없어!
왜냐하면 옳음을 지킨다는 건, 그 어떤 어려움과 고통이 있을지라도 비굴하게 굴복하거나 타협하지 않음을 말하기 때문이야.
내 의지를 꺾을 수는 없다!
그런 총칼이
이런 강함이야말로 진정한 강함이라고 공자는 말하는 거야.
조금 어렵지? 그렇다면, 〈나그네와 태양〉이란 이솝우화를 살펴보자.
한 나그네가 길을 가고 있었어. 누가 먼저 나그네의 옷을 벗기는지 태양과 바람이 내기를 했어.
먼저 바람이 센 입김을 불어 거센 바람을 일으켰어. 그랬더니 나그네는 오히려 바람에 옷이 벗겨지지 않도록 옷깃을 꼭 부여잡았어.
쏴애앵
으~ 춥다!
이번에는 태양 차례였어. 태양은 나그네에게 열기를 보냈어.
땀이 나고 열기가 계속되자 나그네는 더위를 식히기 위해 옷을 벗었어.
덥… 다…
부드럽고 따뜻한 열기를 낸 태양이 승리한 거지.
이 우화는 뭘 이야기하는 걸까?
부드러운 게 오히려 강하다는 것 같아요.
왜냐하면 부드러운 건 오랫동안 지속할 수 있지만, 단단한 건 언젠가는 부러지거든요.
딱

그리고 힘이 너무 많이 들어서 금방 지치잖아요.
맞아요. 떨어지는 물방울이 바위를 뚫잖아요.
강한 것은 힘에 있는 게 아니라 언제나 부드러우면서도 끊임없는 지속성인 것 같아요.
바로 그거야. 우리는 무슨 일을 하든지 인내하면서 설득하는 것이 필요해.
교실에서 아무리 힘센 아이라도 조용히 자신의 일을 하면서 공부하는 친구에겐 함부로 못하잖아.
맹자왈
공자왈
누구를 움직여서 일을 성취하려면 인내와 부드럽게 대하는 관용이 필요한 거야.
관용
진정으로 강한 것은 바로 부드러움이야.
후우-
완고한 것은 일시적으로 효과를 낼지는 모르지만 나중에는 부러지고 깨어지게 되지.
의견이 명확한 것은 좋지만, 그것을 넘어서서 고집만 부린다거나 자신의 지위를 이용하여 강압적으로 대하다 보면 언젠가는 친구들에게 외면당할 거야.
내 말이 곧 법이야!
일을 추진할 때에도 항상 온유함을 지키고 있는지를 살펴야 해.
마음이 단련되어 있는 사람은 즐거움이나 평안함을 좇아. 그리하여 건전한 독서를 하거나, 보는 것만으로도 마음이 따뜻해지는 친구를 만나게 돼.
그리하여 그들은 서로 주변의 나쁜 유혹들을 물리치도록 도와주는 좋은 울타리가 되어 주지.
넌 내가 지켜 줄게!
덩치도 크고 힘도 센 친구가 있어. 그런데 이 친구는 사소한 일에 흥분하거나, 소란을 피우고 소리를 질러.

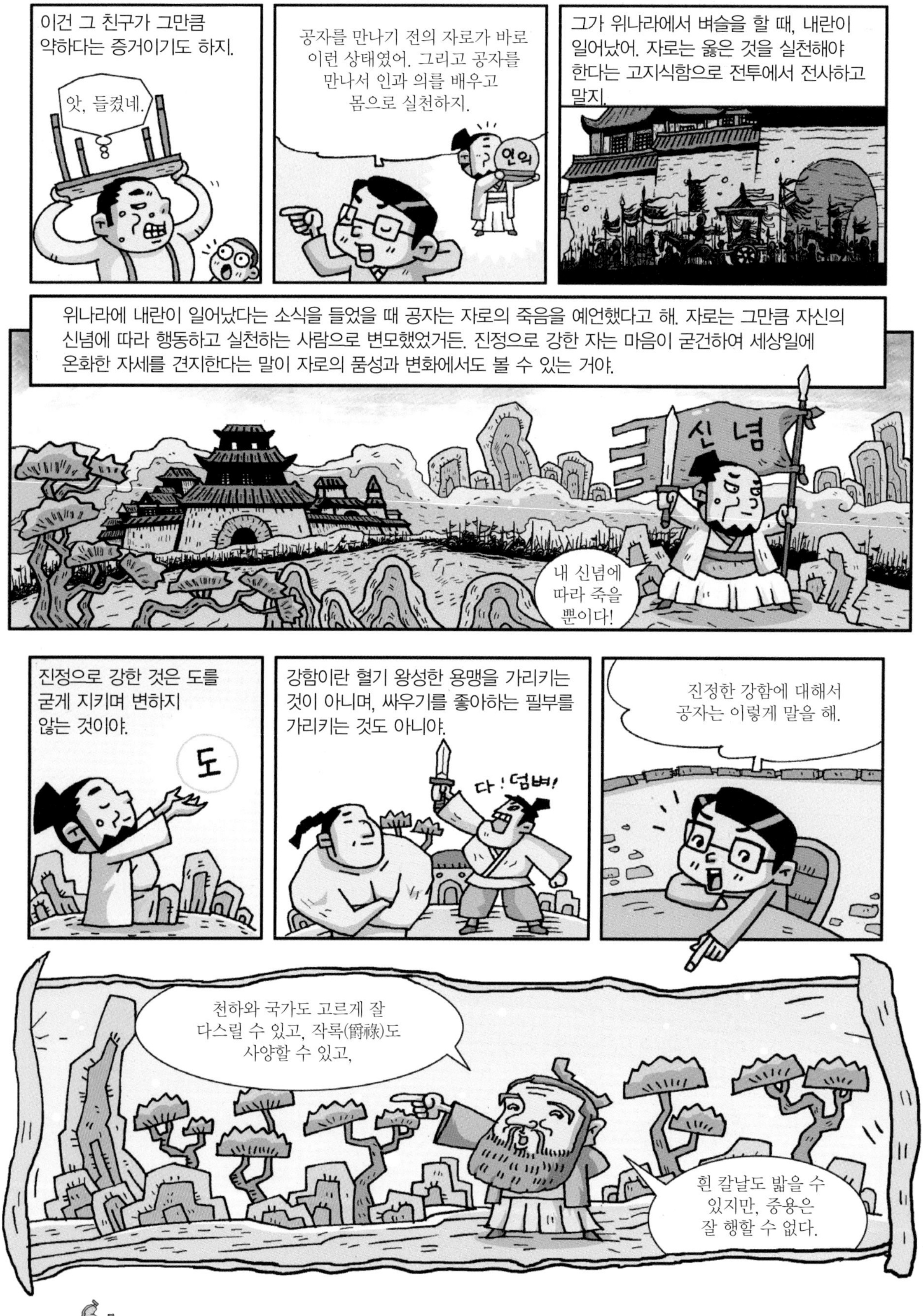

이건 그 친구가 그만큼 약하다는 증거이기도 하지.
앗, 들켰네.
공자를 만나기 전의 자로가 바로 이런 상태였어. 그리고 공자를 만나서 인과 의를 배우고 몸으로 실천하지.
인의
그가 위나라에서 벼슬을 할 때, 내란이 일어났어. 자로는 옳은 것을 실천해야 한다는 고지식함으로 전투에서 전사하고 말지.
위나라에 내란이 일어났다는 소식을 들었을 때 공자는 자로의 죽음을 예언했다고 해. 자로는 그만큼 자신의 신념에 따라 행동하고 실천하는 사람으로 변모했었거든. 진정으로 강한 자는 마음이 굳건하여 세상일에 온화한 자세를 견지한다는 말이 자로의 품성과 변화에서도 볼 수 있는 거야.
신념
내 신념에 따라 죽을 뿐이다!
진정으로 강한 것은 도를 굳게 지키며 변하지 않는 것이야.
도
강함이란 혈기 왕성한 용맹을 가리키는 것이 아니며, 싸우기를 좋아하는 필부를 가리키는 것도 아니야.
다! 덤벼!
진정한 강함에 대해서 공자는 이렇게 말을 해.
천하와 국가도 고르게 잘 다스릴 수 있고, 작록(爵祿)도 사양할 수 있고,
흰 칼날도 밟을 수 있지만, 중용은 잘 행할 수 없다.

작록이란 벼슬에 따른 월급이라 생각하면 돼.
월 급
백성들의 삶을 풍요롭게 하기 위해 봉사정신으로 노력하는 벼슬아치들은 자신의 월급마저도 백성들을 위해 사용하기에, 사양할 수 있다는 이야기야.
저걸 우리에게 준다고?
또한 누구나 한두 번은 용기를 내어서 불의에 저항할 수 있어.
물러나라!
결사항쟁
하지만 불의의 폭력 앞에 굴복하고 억압당하는 걸 보면 겁을 먹지.
도망
교실에서 선생님이 여러분을 오해해서 화를 낼 때, 여러분은 두려워서 가만히 있잖아.
어떤 용감한 아이가 다음과 같이 이야기했다고 하자.
선생님! 그건 오해입니다. 선생님이 잘못 아셨습니다.
?
보통 선생님들은 학생의 이야기를 듣고는 진정할 거야.
미안
하지만 선생님도 사람이잖니? 너무도 화가 난 선생님이 오히려 더욱 화를 낸다면 어떻겠어?
노발 대 발
그야 그 선생님의 자질 문제 아니에요? 어떻게 학생들의 이야기를 들어 보지도 않아요?
그야 무서워서 가만히 있겠지요. 비록 선생님이 잘못 아셨고 잘못 했다 할지라도요.
바로 그걸 공자는 말한 거야.
아무리 자신이 칼날 위를 맨발로 걸을 수 있다고 호들갑을 떨어도,
날 봐!
또한 자신이 청렴결백하여 어떤 뇌물도 받지 않는다고 소리친다 해도, 그런 것이 진실로 강한 것은 아니라는 거지.
청탁
사람들에게 떠들썩하게 호언장담하는 것은 강한 게 아니라는 거야.
호언장담

진실로 강한 것은 남이 알아주건 알아주지 않건 간에 옳은 것을 묵묵히 끊임없이 실천하는 거야.
본분을 지키며...
책임
폭풍우는 집을 무너뜨리고 나무들을 송두리째 뽑아 넘기고 지나가지.
폭풍우가 지나간 자리에는 어수선함만이 남아.
천둥이나 번개는 소란스럽기 그지없지만
조용한 대지의 힘과는 비교할 바가 아니지. 대지는 폭풍이 할퀴고 간 상처를 아무렇지도 않게 원상태로 되돌려 놓잖아.
대지의 힘이 바로 진실로 강한 거지.
우리 인간도 마찬가지야. 요란스럽게 호들갑을 떠는 사람은 주변을 헝클어 놓을 뿐 어느 것 하나 제대로 완성하지 못하잖아.
이게 왜 안 열리냐?
뭐야, 큰소리치고선?
그런 사람은 강한 것처럼 보이나 실은 가장 약한 자라 할 수 있어.
왜냐하면 자신이 무엇 하나 제대로 할 수 없기에 그토록 호들갑을 떨며 다른 사람들이 인정해 주길 바라는 거지.
참, 내세울 게 그리 없나?
봐봐! 내가 지구를 들었어!
인류에게 진정한 번영을 가져다준 사람들은 대부분 동요하지 않는 마음과 조용한 용기를 가진 사람들이었어.
누가 알아주지 않아도 내 목표를 향해 나아갈 뿐이야!
그들의 끈기 있는 정신적인 싸움이 자유를 쟁취한 것이고 인류의 삶을 풍요롭게 만들었어. 그들 대부분의 사람들은 바로 중용의 삶을 지켜온 것이었지.
중용
그리하여 공자는 《중용》 제11장에서 다음과 같이 말해.
오직 성인만이 이룰 수 있는 도를 중용이라 말하며, 중용을 실천하기 어렵다고.
중용
성인

공자께서 말씀하셨다. '은밀한 것을 찾고 해괴한 일을 행한 것을 후세에 기록하는 자가 있는데,
나는 그러한 짓을 하지 않는다. 군자가 도를 따라 행하다가 도중에 그만두지만, 나는 그만두지 못한다.*
군자는 중용을 따라 세상에 은둔하여 인정을 받지 못해도 후회하지 않으니, 오직 성인만이 이에 능하다.'

*공자의 성품은 겸손하여 자신의 저술을 '나는 옛사람의 설을 서술했을 뿐 새로 창작한 것은 아니다.' 라고 이야기했다. 여기서도 군자는 지극히 성실하고 쉼이 없어서 저절로 그만둘 수 있지만, 자신은 그러지 못한다고 겸손하게 말한다.(저자 주)

우리가 사는 세상은 별난 세상이고
별난 사람들이 많은 세상이야.
별난 세상…

별난 사람은 어떤
사람들일까?

한 번에 벽돌 27장 깨는 괴력의
남자가 벽돌 64장을 한 번에 격파해서
세계기록을 수립했대요.

연체동물처럼 손과 발이
360도 돌아가는 사람도
있어요.

코와 혓바닥에 피어싱한 사람요. 아니
온몸에 피어싱을 해서 사람인지 아닌지를
구별 못 하게 하는 사람도 있어요.

물구나무 서기로 산을 오르내리는
사람요.

그 사람들을 보면 어떤 생각이 드니?
징그럽고 이상하지요.
저도 저런 사람과 같은 능력이 있으면 좋겠다는 생각을 했어요.
힘이 세면서 이상한 행동을 하면, 그 누구도 저를 괴롭히지 못하잖아요.
이와 같은 사람들에 대해서 공자는 '나는 그와 같은 행동을 하지 않겠다.' 고 말해.
왜 그럴까? 그건 그들의 행동이 일상의 삶을 어지럽히기 때문이야.
사람들은 때가 되면 식사를 하고, 때가 되면 일을 하고, 때가 되면 쉬어야 해.
규칙적인 삶
만일 그 때를 놓치게 되면 병에 걸리거나 일이 틀어져 우리의 삶이 변하게 되지.
밤낮이 바뀌었어…
이상한 행동과 기괴한 모습은 이런 우리의 일상을 깨뜨려. 그래서 공자는 이상한 행동을 하지 않겠다는 거야.
《논어》〈학이〉 편을 보면
논어 학이편
다음과 같은 내용이 나와!
배우고 때에 맞추어 익히면 기쁘지 아니한가
學而時習之 不亦說乎
벗이 먼 곳에서 찾아오면 즐겁지 아니한가
有朋自遠方來 不亦樂乎
남이 나를 알아주지 않아도 노여워하지 않으면 군자답지 아니한가
人不知而不慍 不亦君子乎

너무도 유명한 말이지. 그런데 여기서 중요한 게 있어.
그건 때에 맞추어 배우고 익힌다는 거야. 공부할 때가 있고 쉴 때가 있고, 놀 때가 있으며 운동할 때가 있는 거지.
놀 땐… 노는 거야…
이게 바로 《논어》와 《중용》에서 말하는 시중(時中)이야.
시중
논어
중용
시중에 대해서는 이 책 제1장에서 자세히 설명했으니까 다시 한 번 돌아가서 봐. 정말 중요한 개념이니까.
'남이 나를 알아주지 않아도 노여워하지 않는다.' 는 이야기를 주로 설명할게.
내가 남보다 뛰어난 능력이 있는데, 내가 이런 좋은 일을 했고
선행을 베풀었는데 사람들이 몰라준다며 섭섭해 하는 사람이 있다면,
여러분은 그 사람을 어떻게 평가할 거야? 참으로 우스꽝스럽겠지?
그래서 《성경》에도 나오잖아. '왼손이 하는 일을 오른손이 모르게 하라.' 고.
그렇다면 이 말의 의미는 뭘까?
자신이 한 선행이나 좋은 일을 세상에 알리지 말라는 뜻이죠.
본래 선행은 남을 돕겠다는 순수한 마음으로 하는 일이잖아요.
그런데 그것을 세상이 모른다고 화를 내거나 섭섭해 한다면, 선행의 본래 목적에 위배되죠. 선행이 반감되기도 하죠.

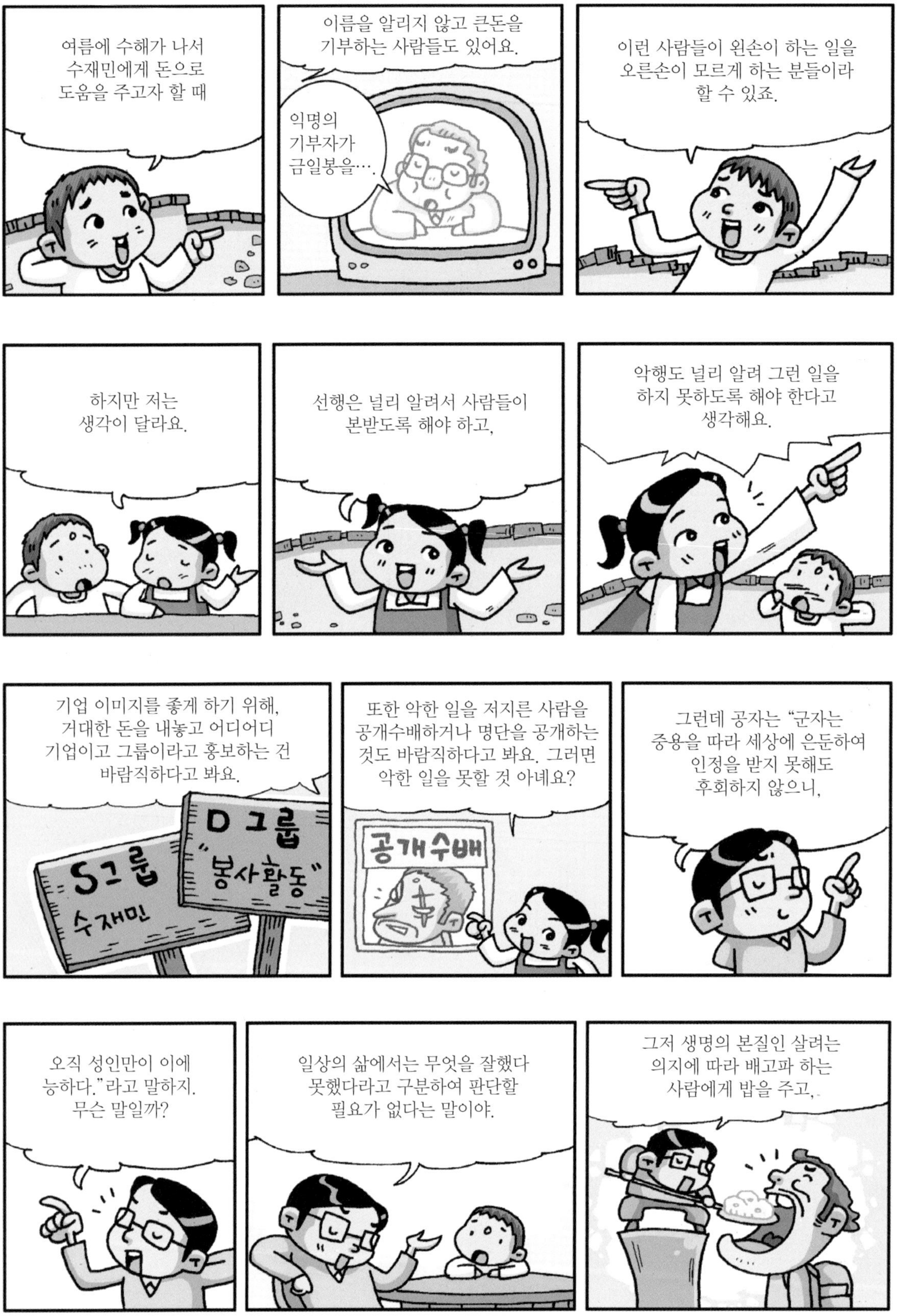
여름에 수해가 나서 수재민에게 돈으로 도움을 주고자 할 때
이름을 알리지 않고 큰돈을 기부하는 사람들도 있어요.
익명의 기부자가 금일봉을….
이런 사람들이 왼손이 하는 일을 오른손이 모르게 하는 분들이라 할 수 있죠.
하지만 저는 생각이 달라요.
선행은 널리 알려서 사람들이 본받도록 해야 하고,
악행도 널리 알려 그런 일을 하지 못하도록 해야 한다고 생각해요.
기업 이미지를 좋게 하기 위해, 거대한 돈을 내놓고 어디어디 기업이고 그룹이라고 홍보하는 건 바람직하다고 봐요.
S그룹
수재민
D그룹
"봉사활동"
또한 악한 일을 저지른 사람을 공개수배하거나 명단을 공개하는 것도 바람직하다고 봐요. 그러면 악한 일을 못할 것 아녜요?
공개수배
그런데 공자는 "군자는 중용을 따라 세상에 은둔하여 인정을 받지 못해도 후회하지 않으니,
오직 성인만이 이에 능하다."라고 말하지. 무슨 말일까?
일상의 삶에서는 무엇을 잘했다 못했다라고 구분하여 판단할 필요가 없다는 말이야.
그저 생명의 본질인 살려는 의지에 따라 배고파 하는 사람에게 밥을 주고,

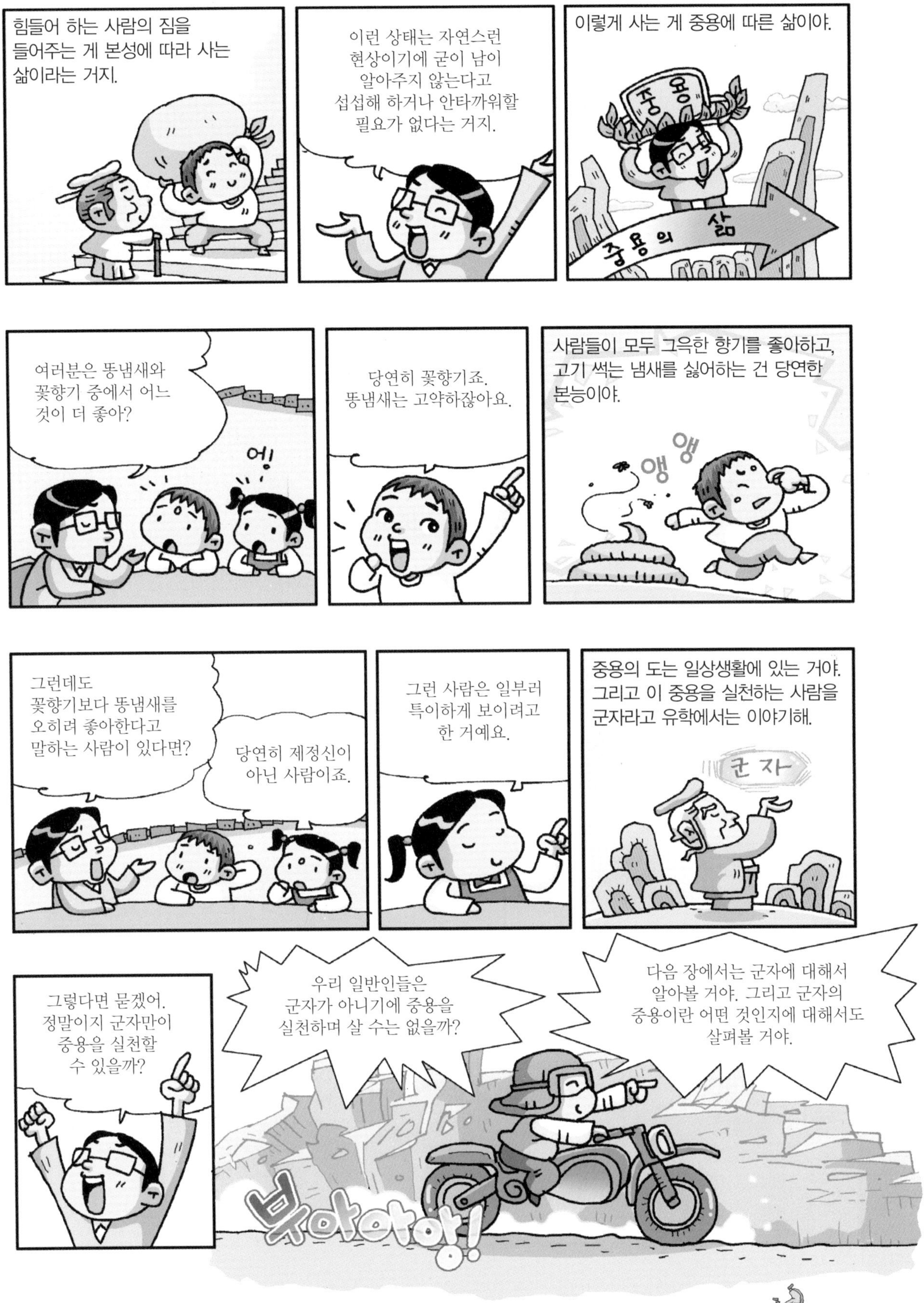
힘들어 하는 사람의 짐을 들어주는 게 본성에 따라 사는 삶이라는 거지.
이런 상태는 자연스런 현상이기에 굳이 남이 알아주지 않는다고 섭섭해 하거나 안타까워할 필요가 없다는 거지.
이렇게 사는 게 중용에 따른 삶이야.
중용
중용의 삶
여러분은 똥냄새와 꽃향기 중에서 어느 것이 더 좋아?
어!
당연히 꽃향기죠. 똥냄새는 고약하잖아요.
사람들이 모두 그윽한 향기를 좋아하고, 고기 썩는 냄새를 싫어하는 건 당연한 본능이야.
앵 앵
그런데도 꽃향기보다 똥냄새를 오히려 좋아한다고 말하는 사람이 있다면?
당연히 제정신이 아닌 사람이죠.
그런 사람은 일부러 특이하게 보이려고 한 거예요.
중용의 도는 일상생활에 있는 거야. 그리고 이 중용을 실천하는 사람을 군자라고 유학에서는 이야기해.
군자
그렇다면 묻겠어. 정말이지 군자만이 중용을 실천할 수 있을까?
우리 일반인들은 군자가 아니기에 중용을 실천하며 살 수는 없을까?
다음 장에서는 군자에 대해서 알아볼 거야. 그리고 군자의 중용이란 어떤 것인지에 대해서도 살펴볼 거야.
부아아앙!

제8장 군자의 중용지도

君子의 道

군자라는 말은 유가에서 자주 나와.
도대체 군자는 어떤 사람일까?
군자

《논어》 여러 곳에서 군자에 대한 이야기가 나오는데,
군
논어

군자라는 말은 주나라 때부터 사용했던 이상적인 인간상을 말해.
군자
이상적 인간상

군자는 학식과 덕행이 높은 사람이야.
학식
덕
군자

이에 비해 소인은 생각이 좁고 성미가 급하며 자기 이익만을 챙기는 사람이지.
자신만의 이익

《논어》에서 말하는 군자와 소인의 차이는 크게 나누어서 의리관계와 이해관계로 구별할 수 있어.
논어
의리
이익
군자
소인

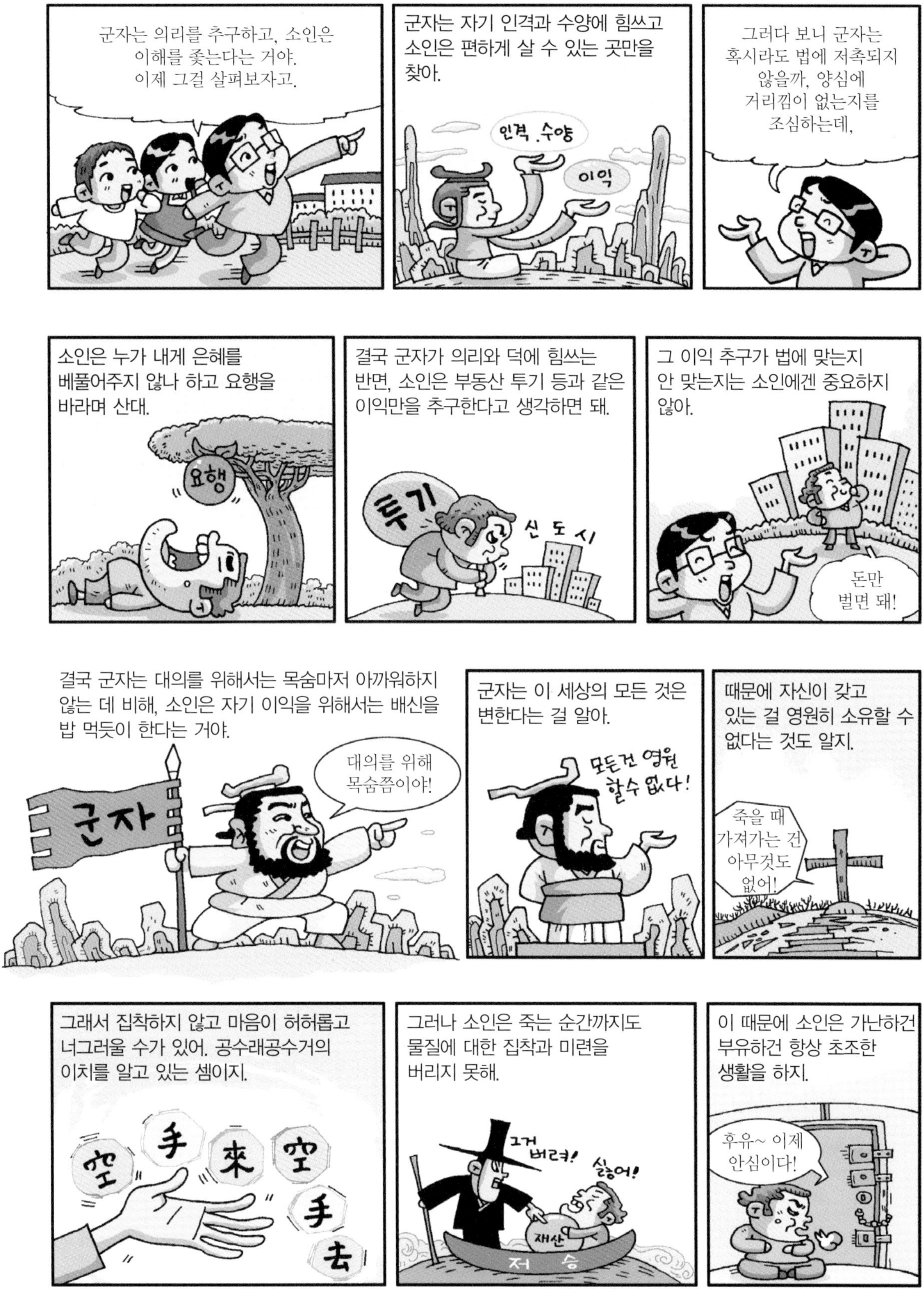
군자는 의리를 추구하고, 소인은 이해를 좇는다는 거야. 이제 그걸 살펴보자고.
군자는 자기 인격과 수양에 힘쓰고 소인은 편하게 살 수 있는 곳만을 찾아.
인격, 수양
이익
그러다 보니 군자는 혹시라도 법에 저촉되지 않을까, 양심에 거리낌이 없는지를 조심하는데,
소인은 누가 내게 은혜를 베풀어주지 않나 하고 요행을 바라며 산대.
요행
결국 군자가 의리와 덕에 힘쓰는 반면, 소인은 부동산 투기 등과 같은 이익만을 추구한다고 생각하면 돼.
투기
신도시
그 이익 추구가 법에 맞는지 안 맞는지는 소인에겐 중요하지 않아.
돈만 벌면 돼!
결국 군자는 대의를 위해서는 목숨마저 아까워하지 않는 데 비해, 소인은 자기 이익을 위해서는 배신을 밥 먹듯이 한다는 거야.
군자
대의를 위해 목숨쯤이야!
군자는 이 세상의 모든 것은 변한다는 걸 알아.
모든건 영원할수 없다!
때문에 자신이 갖고 있는 걸 영원히 소유할 수 없다는 것도 알지.
죽을 때 가져가는 건 아무것도 없어!
그래서 집착하지 않고 마음이 허허롭고 너그러울 수가 있어. 공수래공수거의 이치를 알고 있는 셈이지.
空 手 来 空 手 去
그러나 소인은 죽는 순간까지도 물질에 대한 집착과 미련을 버리지 못해.
그거 버려!
싫어!
재산
저승
이 때문에 소인은 가난하건 부유하건 항상 초조한 생활을 하지.
후유~ 이제 안심이다!

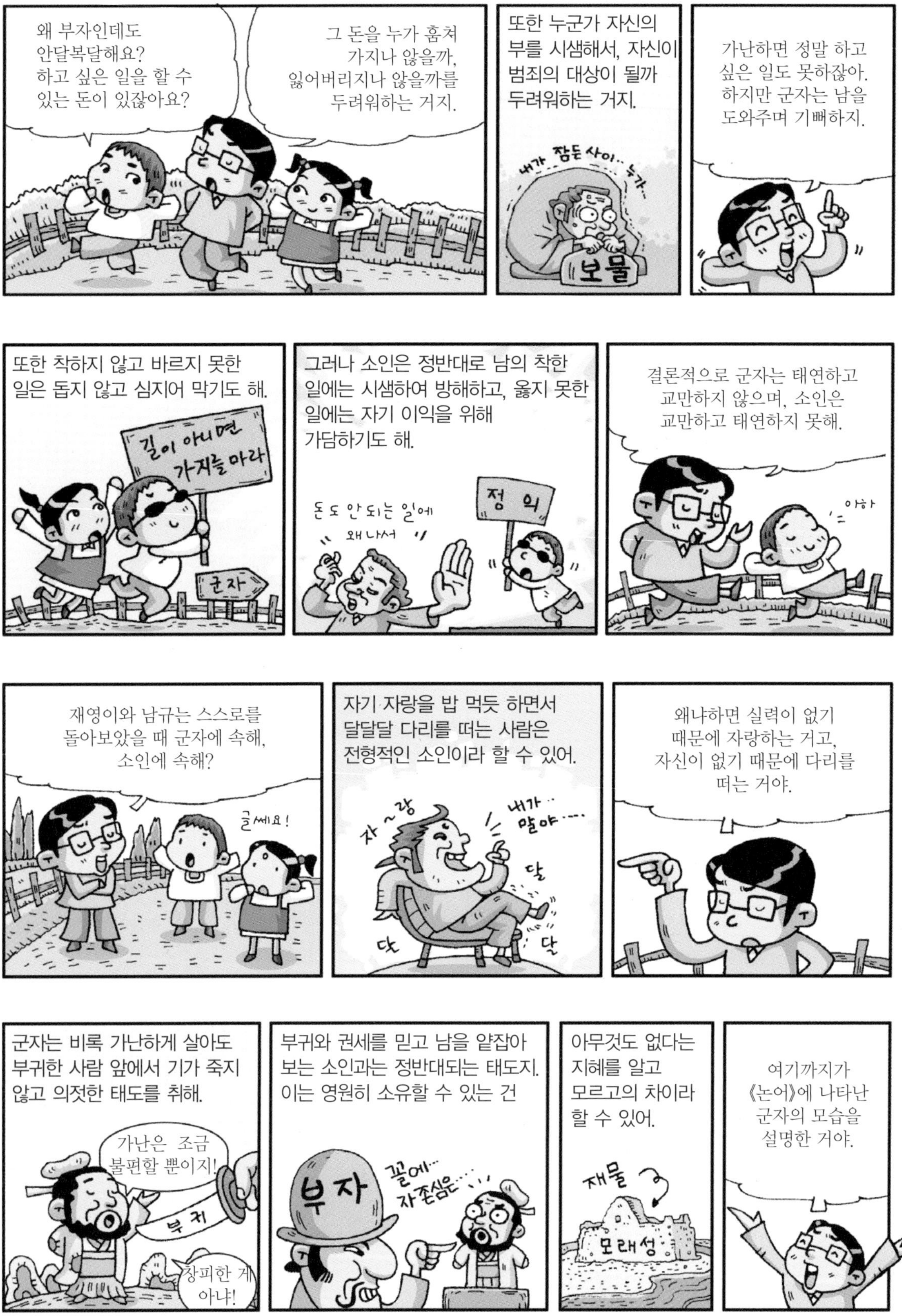
왜 부자인데도 안달복달해요? 하고 싶은 일을 할 수 있는 돈이 있잖아요?
그 돈을 누가 훔쳐 가지나 않을까, 잃어버리지나 않을까를 두려워하는 거지.
또한 누군가 자신의 부를 시샘해서, 자신이 범죄의 대상이 될까 두려워하는 거지.
내가 잠든 사이… 누가…
보물
가난하면 정말 하고 싶은 일도 못하잖아. 하지만 군자는 남을 도와주며 기뻐하지.
또한 착하지 않고 바르지 못한 일은 돕지 않고 심지어 막기도 해.
길이 아니면 가지를 마라
군자
그러나 소인은 정반대로 남의 착한 일에는 시샘하여 방해하고, 옳지 못한 일에는 자기 이익을 위해 가담하기도 해.
돈도 안되는 일에 왜 나서
정의
결론적으로 군자는 태연하고 교만하지 않으며, 소인은 교만하고 태연하지 못해.
아하
재영이와 남규는 스스로를 돌아보았을 때 군자에 속해, 소인에 속해?
글쎄요!
자기 자랑을 밥 먹듯 하면서 달달달 다리를 떠는 사람은 전형적인 소인이라 할 수 있어.
자~랑
내가… 말야……
달
달
달
왜냐하면 실력이 없기 때문에 자랑하는 거고, 자신이 없기 때문에 다리를 떠는 거야.
군자는 비록 가난하게 살아도 부귀한 사람 앞에서 기가 죽지 않고 의젓한 태도를 취해.
가난은 조금 불편할 뿐이지!
부귀
창피한 게 아냐!
부귀와 권세를 믿고 남을 얕잡아 보는 소인과는 정반대되는 태도지. 이는 영원히 소유할 수 있는 건
부자
꼴에… 자존심은……
아무것도 없다는 지혜를 알고 모르고의 차이라 할 수 있어.
재물
모래성
여기까지가 《논어》에 나타난 군자의 모습을 설명한 거야.

그렇다면 《중용》에선 군자의 모습을 어떻게 설명할까?
군자

《중용》 제14장에는 활쏘기와 군자의 사람됨을 비교한 글이 나와.
군자는 처해 있는 위치에 따라 일을 하며, 본분을 벗어난 일을 행하지 않는다는 말로 요약할 수 있어.
좌르륵

잘 읽어봐!
군자는 자신의 위치에 맞게 행하고, 그 밖의 것은 바라지 않는다. 부귀에 처해서는 부귀한 대로 행하며, 빈천*에 처해서는 빈천한 대로 행하며, 오랑캐에 처해서는 오랑캐처럼 행하며, 환난**에 처해서는 환난대로 행하니, 군자는 어느 곳에 처하든지 스스로 만족하지 않음이 없다.

*빈천(貧賤) – 가난하고 천함. **환난(患難) – 근심과 재난을 통틀어 이르는 말.

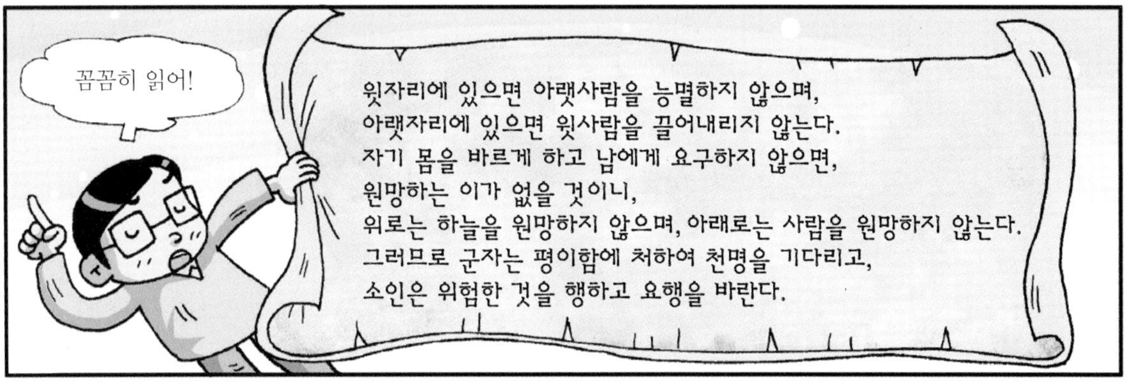

꼼꼼히 읽어!
윗자리에 있으면 아랫사람을 능멸하지 않으며, 아랫자리에 있으면 윗사람을 끌어내리지 않는다. 자기 몸을 바르게 하고 남에게 요구하지 않으면, 원망하는 이가 없을 것이니, 위로는 하늘을 원망하지 않으며, 아래로는 사람을 원망하지 않는다. 그러므로 군자는 평이함에 처하여 천명을 기다리고, 소인은 위험한 것을 행하고 요행을 바란다.

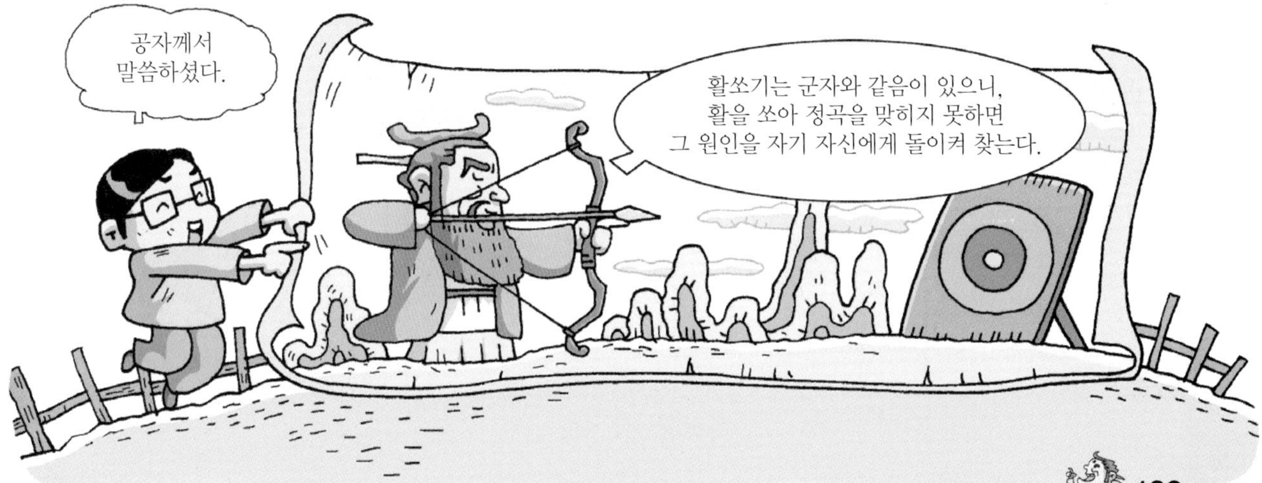

공자께서 말씀하셨다.
활쏘기는 군자와 같음이 있으니, 활을 쏘아 정곡을 맞히지 못하면 그 원인을 자기 자신에게 돌이켜 찾는다.

군자는 뜻대로 되지 않으면 모두 자기 탓으로 돌리고, 스스로 반성하여 노력하여 거듭 태어나.
노력을 더 해야 돼!
하지만 소인은 자기 실력과 노력보다는 남의 힘과 도움으로 자기의 목적을 달성하려고 노력해.
활이 안 좋아!
삐직
소인은 일이 잘될 때는 자기 탓, 안 될 때는 남의 탓으로 돌리지.
여러분 중에서 자기가 부모님을 택한 사람 있으면 손들어 볼래?
여러분 스스로가 부모와 나라, 심지어 이 학교를 택한 게 아니야.
어느 날 태어나 보니, 여러분은 누구의 자식이었고, 태어난 나라가 대한민국이었고, 사는 지역에 따라 초등학교에 다니게 된 거지.
여러분이 선택하지 않았기 때문에 여러분에게 책임이 없다고 생각할 수 있어.
하지만 그건 아니야. 오히려 여러분이 선택하지 않았기 때문에 여러분은 더욱 책임을 져야 해!
왜냐하면 여러분은 이 사회와 국가 그리고 부모의 보호와 사랑 속에서 배우고 자랐기 때문이야.
국가
이 세상은 관계 속에서만 의미가 있다고 이야기했지?
여러분은 그 누구의 자식이고 어떤 학교의 학생이고 누구의 선배이며 동시에 누구의 후배며 동생이기도 해.
사
회
관계
때문에 여러분이 잘하고 잘못함에 따라 여러분과 관계된 사람들이 칭찬을 받거나 욕을 먹기도 하지.

이건 우리가 지금 살고 있는 이곳이 가장 좋은 곳이고,
이 시간이 가장 좋은 시간이라는 이야기야.
생각해 봐! 과거는 지나가 버렸기에 존재하지 않는 시간이지?
현재
과거
미래는 오지 않은 시간이기에 존재하지 않고.
지금 여러분은 이곳에서 선생님과 중용을 함께 공부하고 있잖아.
여러분은 다른 곳에 있을 수 없고 바로 지금 이 순간 이곳에 있을 뿐이야.
그렇다면 어떻게 해야 할까? 바로 지금 이 순간 이곳에서 만나고 있는 사람에게 최선을 다하는 거야.
군자는 언제 어떤 처지에 있더라도 평안하고 자득*하며, 그 본분에 맞는 일을 행해.
내 천하의 주인이 되고자 하나 지금 주어진 일에 충실해야만 한다!
인덕이 있는 군자는 낙천적이며 운명에 순응하지.
때를 기다릴 줄 아는 지혜가 필요해!
그러지 못한 사람만이 현실을 탓하고, 부모를 흉보고, 자신이 처한 상황을 한탄하는 거야.
왜 우리 부모는 가난한 거야!

*자득(自得) – 스스로 깨달아 얻음.

하지만 군자는 모든 책임이 자기에게 있음을 인정해서
내 부하는 잘못없소! 나만 잡아가시오!
자연의 도에 부합하며 근심없이 살지.
내가 곧 자연이요.
자연이 곧 나다!
이게 바로 군자는 그 처한 위치에 따라 행동한다는 말의 뜻이야.

유가에서 말하는 성인(聖人)이란 인격적으로 완벽해지고 학문이 완성된, 군자의 도를 넘어선 사람을 말해.
성인
군자의 도
유가에서는 학문적으로, 인격적으로 완벽하게 된 사람을 최고로 꼽고 그 사람을 성인이라고 불러.
성 인
유가
그래서 공자를 성인에 이르렀다 해서 지성,
지 성
맹자는 지성인 공자에 버금간다고 해서 아성,
아 성
이 책을 지은 자사는 설명을 잘한다고 해서 술성이라고 존칭하는 거야.
이 책의 제2장을 다시 한 번 살펴봐.
술 성
이제 군자의 중용지도에 대해 《중용》 제12장에서는 다음과 같이 말해.
군자의 도는 널리 쓰이면서도 은미하다.
한낱 부부의 어리석음으로도 알 수 있지만, 지극한 경지에 이르면
비록 성인이라도 또한 알지 못하는 것이 있으며,
한낱 부부의 어질지 못함으로도 행할 수 있지만,
지극한 경지에 이르면 비록 성인이라도 또한 할 수 없는 것이 있으며,
천지가 아무리 커도 사람이 오히려 유감스럽게 여기는 것이 있다.
그러므로 군자가 큰 것을 말하면 천하가 싣지 못하고,
작은 것을 말하면 천하가 깨뜨리지 못한다.
군자의 도는 능력의 범위가 매우 넓지만, 실체는 매우 세밀하여 사소하고 조그마한 일까지도 영향을 미쳐.
군자의
도
이 때문에 군자의 도는 평범한 남녀일지라도 알 수 있어.
남… 여?
갑자기 혼란스럽지? 군자의 도가 어려운 줄 알았는데, 평범한 남녀라도 알 수 있다니.

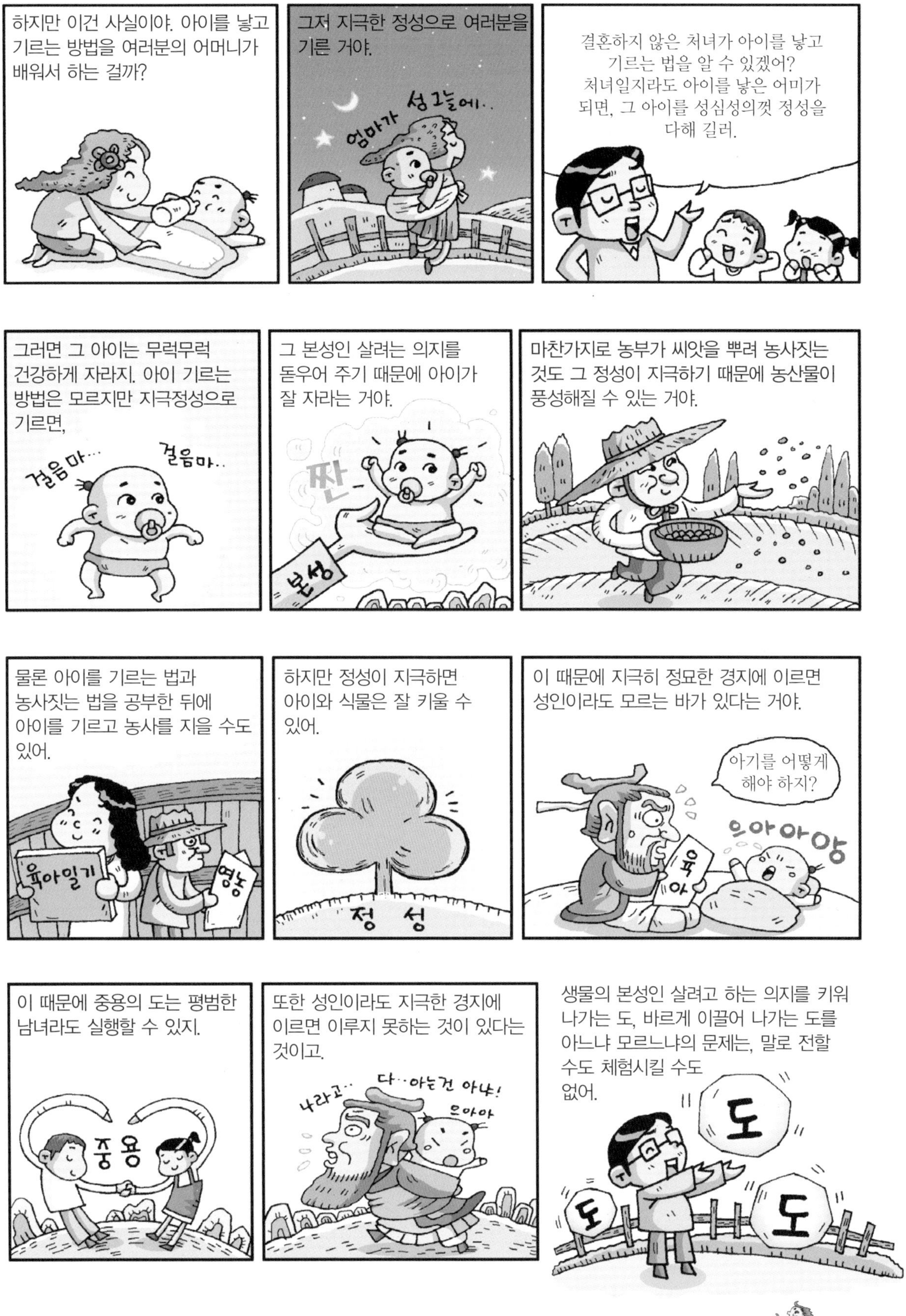
하지만 이건 사실이야. 아이를 낳고 기르는 방법을 여러분의 어머니가 배워서 하는 걸까?
그저 지극한 정성으로 여러분을 기른 거야.
엄마가 섬그늘에...
결혼하지 않은 처녀가 아이를 낳고 기르는 법을 알 수 있겠어? 처녀일지라도 아이를 낳은 어미가 되면, 그 아이를 성심성의껏 정성을 다해 길러.
그러면 그 아이는 무럭무럭 건강하게 자라지. 아이 기르는 방법은 모르지만 지극정성으로 기르면,
걸음마...
걸음마..
그 본성인 살려는 의지를 돋우어 주기 때문에 아이가 잘 자라는 거야.
짠
본성
마찬가지로 농부가 씨앗을 뿌려 농사짓는 것도 그 정성이 지극하기 때문에 농산물이 풍성해질 수 있는 거야.
물론 아이를 기르는 법과 농사짓는 법을 공부한 뒤에 아이를 기르고 농사를 지을 수도 있어.
육아일기
영농
하지만 정성이 지극하면 아이와 식물은 잘 키울 수 있어.
정 성
이 때문에 지극히 정묘한 경지에 이르면 성인이라도 모르는 바가 있다는 거야.
아기를 어떻게 해야 하지?
으아아앙
육아
이 때문에 중용의 도는 평범한 남녀라도 실행할 수 있지.
중용
또한 성인이라도 지극한 경지에 이르면 이루지 못하는 것이 있다는 것이고.
나라고...
다...아는건 아냐!
으아아
생물의 본성인 살려고 하는 의지를 키워 나가는 도, 바르게 이끌어 나가는 도를 아느냐 모르느냐의 문제는, 말로 전할 수도 체험시킬 수도 없어.
도
도
도

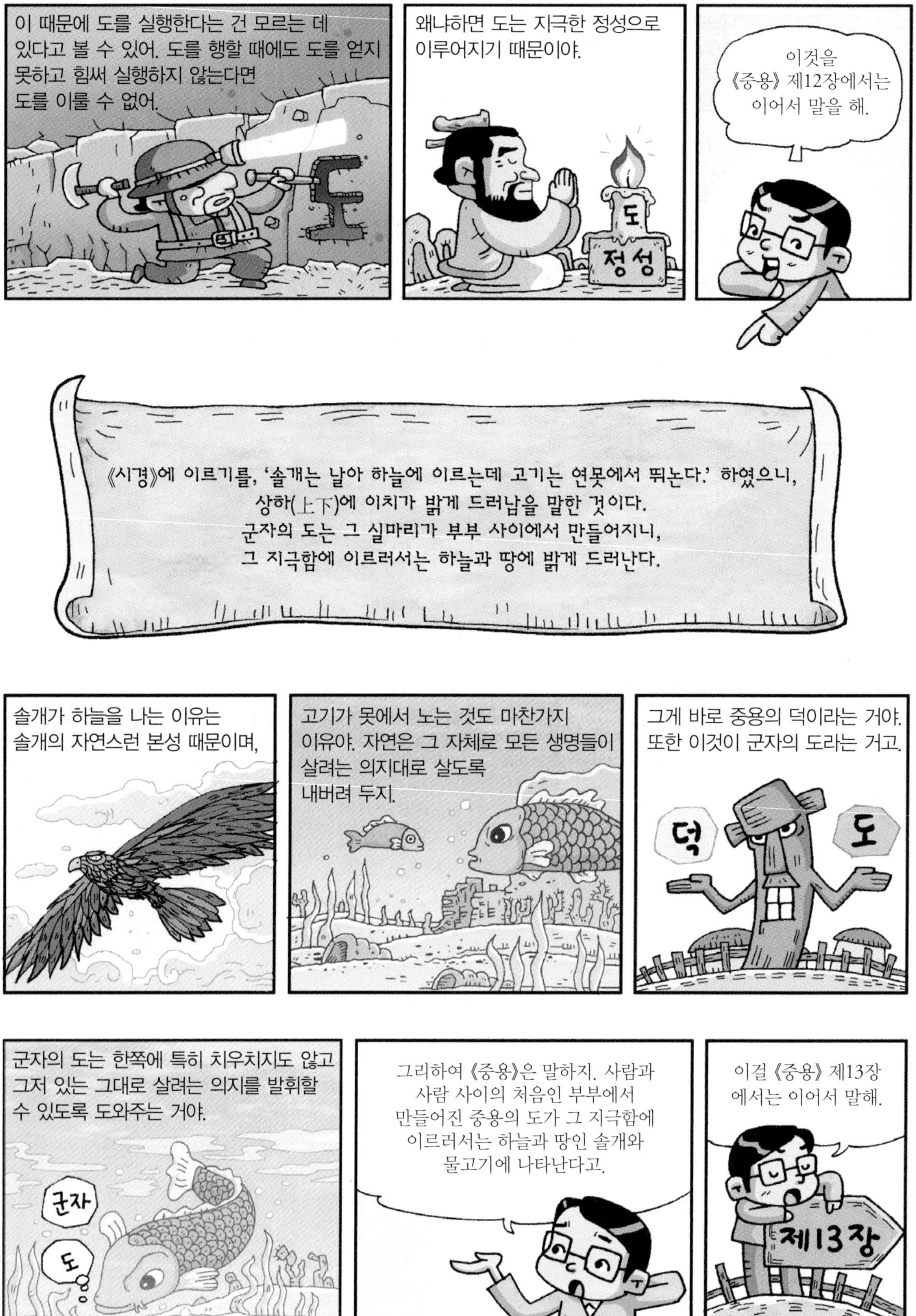
이 때문에 도를 실행한다는 건 모르는 데 있다고 볼 수 있어. 도를 행할 때에도 도를 얻지 못하고 힘써 실행하지 않는다면 도를 이룰 수 없어.
도
왜냐하면 도는 지극한 정성으로 이루어지기 때문이야.
도
정성
이것을 《중용》 제12장에서는 이어서 말을 해.
《시경》에 이르기를, '솔개는 날아 하늘에 이르는데 고기는 연못에서 뛰논다.' 하였으니, 상하(上下)에 이치가 밝게 드러남을 말한 것이다. 군자의 도는 그 실마리가 부부 사이에서 만들어지니, 그 지극함에 이르러서는 하늘과 땅에 밝게 드러난다.
솔개가 하늘을 나는 이유는 솔개의 자연스런 본성 때문이며,
고기가 못에서 노는 것도 마찬가지 이유야. 자연은 그 자체로 모든 생명들이 살려는 의지대로 살도록 내버려 두지.
그게 바로 중용의 덕이라는 거야. 또한 이것이 군자의 도라는 거고.
덕
도
군자의 도는 한쪽에 특히 치우치지도 않고 그저 있는 그대로 살려는 의지를 발휘할 수 있도록 도와주는 거야.
군자
도
그리하여 《중용》은 말하지. 사람과 사람 사이의 처음인 부부에서 만들어진 중용의 도가 그 지극함에 이르러서는 하늘과 땅인 솔개와 물고기에 나타난다고.
이걸 《중용》 제13장에서는 이어서 말해.
제13장

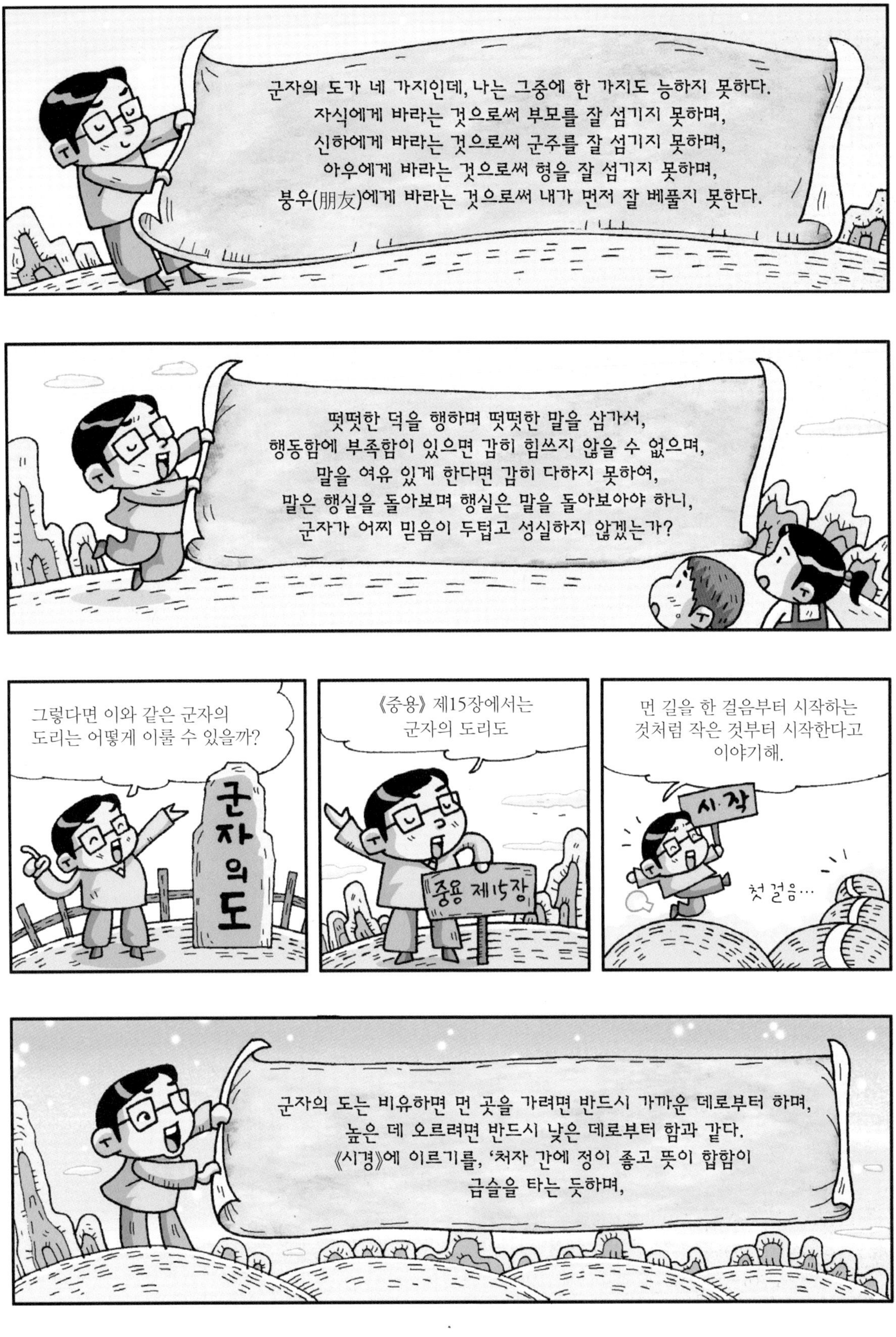
군자의 도가 네 가지인데, 나는 그중에 한 가지도 능하지 못하다.
자식에게 바라는 것으로써 부모를 잘 섬기지 못하며,
신하에게 바라는 것으로써 군주를 잘 섬기지 못하며,
아우에게 바라는 것으로써 형을 잘 섬기지 못하며,
붕우(朋友)에게 바라는 것으로써 내가 먼저 잘 베풀지 못한다.
떳떳한 덕을 행하며 떳떳한 말을 삼가서,
행동함에 부족함이 있으면 감히 힘쓰지 않을 수 없으며,
말을 여유 있게 한다면 감히 다하지 못하여,
말은 행실을 돌아보며 행실은 말을 돌아보아야 하니,
군자가 어찌 믿음이 두텁고 성실하지 않겠는가?
그렇다면 이와 같은 군자의 도리는 어떻게 이룰 수 있을까?
군자의 도
《중용》 제15장에서는 군자의 도리도
중용 제15장
먼 길을 한 걸음부터 시작하는 것처럼 작은 것부터 시작한다고 이야기해.
시작
첫걸음…
군자의 도는 비유하면 먼 곳을 가려면 반드시 가까운 데로부터 하며,
높은 데 오르려면 반드시 낮은 데로부터 함과 같다.
《시경》에 이르기를, '처자 간에 정이 좋고 뜻이 합함이
금슬을 타는 듯하며,

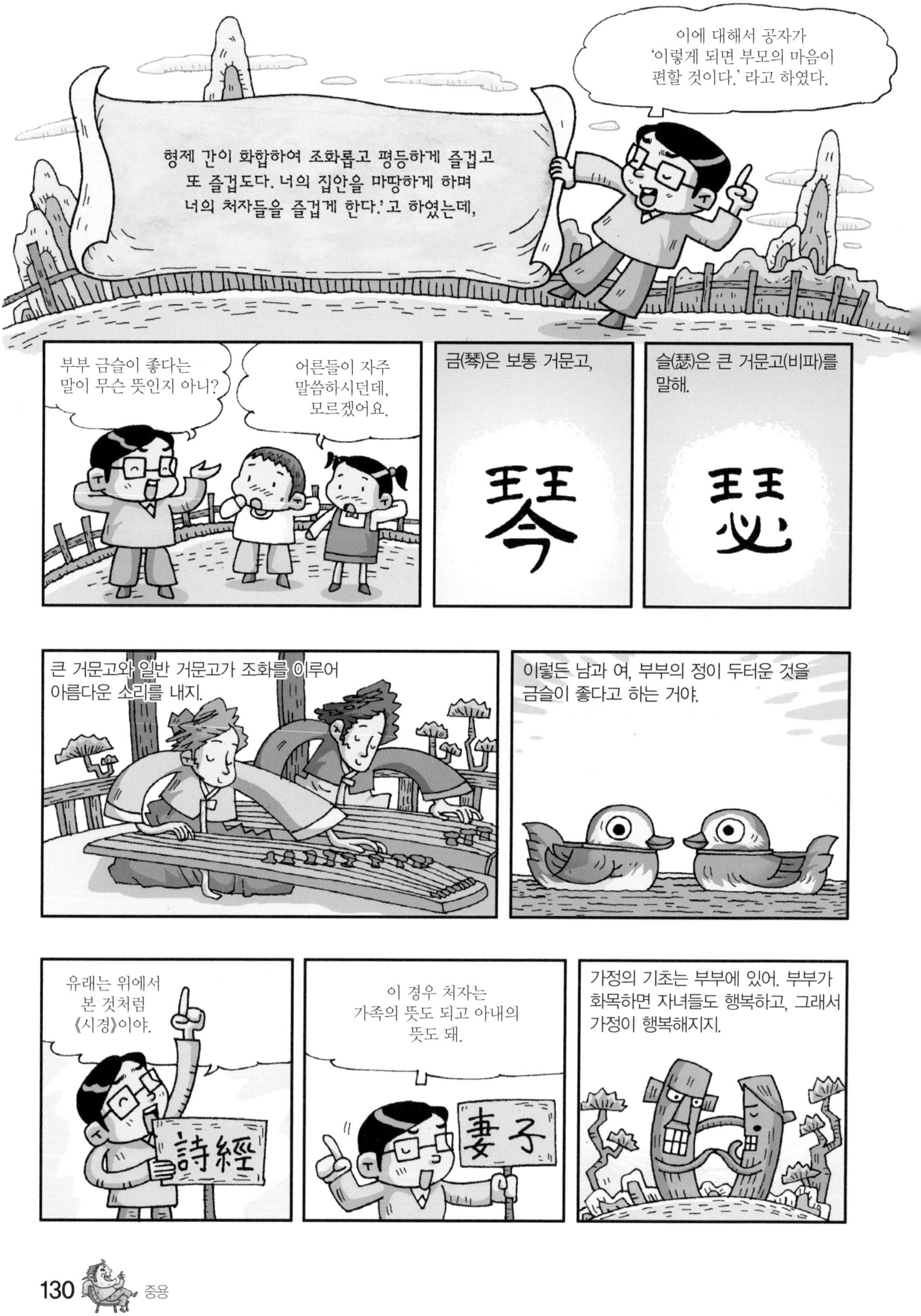
형제 간이 화합하여 조화롭고 평등하게 즐겁고
또 즐겁도다. 너의 집안을 마땅하게 하며
너의 처자들을 즐겁게 한다.'고 하였는데,
이에 대해서 공자가 '이렇게 되면 부모의 마음이 편할 것이다.' 라고 하였다.
부부 금슬이 좋다는 말이 무슨 뜻인지 아니?
어른들이 자주 말씀하시던데, 모르겠어요.
금(琴)은 보통 거문고,
琴
슬(瑟)은 큰 거문고(비파)를 말해.
瑟
큰 거문고와 일반 거문고가 조화를 이루어 아름다운 소리를 내지.
이렇든 남과 여, 부부의 정이 두터운 것을 금슬이 좋다고 하는 거야.
유래는 위에서 본 것처럼 《시경》이야.
詩經
이 경우 처자는 가족의 뜻도 되고 아내의 뜻도 돼.
妻子
가정의 기초는 부부에 있어. 부부가 화목하면 자녀들도 행복하고, 그래서 가정이 행복해지지.

다시 가정이 화목하면 그 부모도 역시 흐뭇하고 즐거울 것이야.
화 목
이와 같은 가정들로 이루어진 사회는 역시 화목하고 행복하게 되겠지.
사람들 모두가 행복하니, 아이들이 학교 다니기도 두렵지 않고, 노약자들이 밤늦게 다녀도 무섭지 않는 사회가 될 거야.
그렇다면, 이 모든 것의 출발점은 어디일까?
그건 바로 군자로서 자신의 인과 덕을 닦는 수신에 있다고 할 수 있어.
인
덕
《대학》에는 수신제가치국평천하(修身齊家治國平天下)란 말이 나오지.
수신 제가 치국 평천하
대학
맨 처음이 왜 수신일까? 닦을 수(修)와 몸 신(身)의 합성어 수신.
修身
자식은 자식으로서, 부모는 부모로서 몸가짐을 바르게 하고(修身),
학교에 다녀 오겠습니다!
그래! 조심해서!
학생으로서 그리고 회사원으로서 몸가짐을 바르게 하고(修身),
국어
가정주부로서 몸가짐을 바르게 하고(修身),
정치인으로서 몸가짐을 바르게 하면(修身)
제가(齊家)와 치국(治國)과 평천하(平天下)는 저절로 이루어진다는 거지.
수신
제가
치국
평천하

그래서 《중용》에서 '군자의 도리는 먼 길을 나섬에 있어 한 걸음부터 시작하는 것과 같다.' 고 이야기하는 거야.
모든 사람들이 세상의 그릇됨을 지적하며 싸워서 바꾸려 할 것이 아니라
바꾸자
각자 스스로의 몸가짐을 바르게 하는 데 힘을 쓴다면 평천하(平天下)는 저절로 이루어진다는 이야기야.
먼저 나부터… 수양…
수양
자세한 건 《대학》을 봐!
대학
세상을 편하게 하려고 노력하는 게 아니라, 자기 한 몸을 바르게 하는 게 천하를 편하게 하는 지름길이란 이야긴가요?
그렇지.
그게 바로 도가와 유가의 무위자연(無爲自然) 사상이라 할 수 있어.
무위자연은 도가 사상 아니에요? 노자 《도덕경》을 읽었는데요?
그렇긴 하지!
무위자연이란 만물의 흐름을 인위적으로 만들지 않고, 그 스스로 완성을 이룬다는 뜻이잖아.
세상을 바꾸려 하지 않고 백성 한 사람 한 사람이 제 스스로 몸가짐을 바르게 할 때
나라가 잘 다스려지고, 나아가 세상이 편안해진다는 말이지.
세상

그래도 이해가 안 가는데요?
그래. 그렇다면….
무위사상은 처음엔 도가 사상이었으나 뒤에 유가에서도 인간의 의식을 초월한 고차적인 자연행위, 완성적 행위라고 인식하여 받아들여.
무위사상
도 가
유 가
이 책 제3장에서 설명했잖아.
사람의 타고난 본성을 지키는 게 하늘의 명을 따르는 거라고!
'윗물이 맑아야 아랫물이 맑다.' 는 우리나라 속담 있잖니?
어른들이 모범을 보여야 학생들과 어린이들도 그 본을 받아 따른다는 이야기지.
솔선
수범
하지만 윗물이 아무리 맑아도 바닥에 오염된 침전물이 깔려 있다면
그 물에서 물고기가 살 수 있을까?
당연히 살 수 없지요.
아무리 훌륭한 지도자가 다스린다 해도 백성이 서로 화합하지 않는다면 결코 평화롭다고 할 수 없겠지?
티격..
태격
국가
가정에서 아버지는 열심히 일을 해서 돈을 벌어오고, 어머니가 집안일에 아무리 정성을 다한다 해도
자식이 효도를 하지 않고 방탕한 생활을 한다면 그 가정은 화목할 수 없을 거고.

부모와 자식이 서로 같이 도리를 다할 때 제가(齊家)가 이루어지는 것이며,
효
백성과 임금이 서로 각자의 도리를 다할 때,
군신
그 나라는 평화롭고 부강한 나라가 될 것이야.
부 강
나아가 지구상의 모든 나라가 평화롭고 행복하게 살 수 있어.
행 복
그렇다면 수신은 어떻게 할까?
그건 이미 《중용》 제1장 '군자신기독야(君子愼其獨也).' 라는 말에 답이 나와.
군자신기독야
여기에서 신독(愼獨)이란 말이 나오지.
군자 신기 독야
신독이란 보는 사람이 없거나 듣는 사람이 없는 곳에 혼자 있을 때에도 도리에 어긋나는 행동이나 생각을 하지 않는 마음과 태도를 말해.
'신독' 이란 바로 혼자 있을 때 자신의 마음을 잘 다스리는 거야.
아무도 안 볼 때 제대로 자신의 일을 하거나 자신의 마음을 바로 다스리는 게 군자고 성인이라 할 수 있어.
군 자
군자의 길은 힘들어~.
이 세상 모든 사람을 속일 수 있어도 자신만은 속일 수 없지?
양심
나쁜 짓을 하면 누군가가 지켜보는 것 같은 경험을 했을 거야.
나쁜짓

그래서 혼자 있을 때라도 함부로 나쁜 짓을 못하지. 마음속으로 누군가가 지켜보고 있다는 경건한 마음을 가지면,
자연히 못된 짓을 못해. 이걸 《중용》 제16장에서는 귀신의 지극히 큰 덕이라고 말하지.
중용 제16장
오호, 오해는 하지 마. 여기서 귀신이란 유령을 말하는 게 아니라,
기(氣)의 작용을 말해.
氣
뜻이 간절하면 그 뜻이 이루어지고, 기도가 간절하면 그 기도대로 이루어지잖아.
물론 나쁜 기도는 안 이루어지지만. 그 기도를 경건한 마음으로 간절하게 하고,
정성을 다하여 하고자 하는 일을 위해 노력하면, 꿈은 이루어지잖아.
꿈은 이루어진다
이게 바로 귀신의 굴신(屈伸)이라는 거야. 여기서 굴(屈)은 굽다, 구부리다의 뜻으로 귀(鬼)에 해당해.
屈 鬼
그리고 신(伸)은 펴다, 기지개 켜다의 뜻으로 신(神)에 해당해.
伸 神
모든 사물은 이 구부림과 펼침을 통해서 운동하고 변하지. 그걸 귀신의 덕이라고 말한 거야.
공자께서 말씀하셨다.
귀신의 덕이 지극하다. 보아도 보이지 않으며 들어도 들리지 않지만 사물의 본체가 되어 버릴 수가 없다. 온 천하의 사람으로 하여금 재계하고 깨끗이 하며 의복을 성대하게 하여 제사를 받들게 하고는, 그 위에 있는 듯하며 그 주변에 있는 듯하다. 《시경》에 '신의 강림도 예측할 수 없는데, 하물며 신을 싫어할 수 있겠는가.'라고 하였으니, 묻히거나 작아서 알기 어려운 것이 드러나니, 성(誠)을 가릴 수 없음이 이와 같구나!

제9장 효를 다하면 모든 일을 이룰 수 있다

지극
孝
정성

중용의 덕을 개인적으로 쌓는 것에 대해 살펴보았어.
덕
중용

이 수신과 신독은 인간 관계 속에서만 의미를 가져.
인간 관계 속
수신
신독

이제 관계 중에서 가장 작고도 소중한 가족에 대해 살펴보자.
가족

《중용》에서는 역사적으로 가장 효도가 컸던 임금을 순임금이라고 말해.
효
중용

요순 시대에는 백성들이 태평성대를 누렸다는 말을 들어 보았을 거야.
태평성대
요
순

요순 시대란 요임금과 순임금이 통치했던 시대지.
통치
요·순 임금

순임금은 큰 효자라고 이름이 나 있어.
순임금의 성은 요이고, 다른 이름은 중화라고 해.
그의 아버지는 고수라고 하는데, 장님이라는 뜻이야.
장님…
오해는 하지 마. 실제로 순의 아버지 고수는 장님이 아냐. 하지만 사람들은 그를 고수라고 불렀어.
왜냐하면 순의 아버지는 어리석어서 장님처럼 주변 상황을 잘 보지 못했기 때문이야.
이게… 호박이냐… 아님 수박이냐…
순의 어머니가 죽자 고수는 새엄마를 얻었어. 새엄마에게서 이복동생인 상이 태어났지.
응애-
아버지 고수와 새엄마는 온화한 순을 학대하고 상만을 귀여워했대.
넌 저리 가!
그런데도 순은 참으면서 효도를 다했다고 해.
효
도
순은 먹고 살기 위해 집을 떠나 여러 가지 일을 했는데,
내힘으로 먹고 사는 거야!
무슨 일이든지 성실히 하고 동료들의 모범이 되었기에 그를 믿고 따르는 사람들이 많았대.
쉬면서 해!
순이 역산에서 농사를 지었을 때도 그 지방 사람들은 순의 높은 덕에 감화되었어.
덕
사람들은 밭둑 때문에 서로 싸우지도 않았고, 서로 양보할 만큼 겸양해졌대.
좀 넘어오면 어떠냐~.
또 연못에서 고기 잡을 때도 낚시터를 서로 사양하여, 한 사람이 좋은 자리를 독차지하는 일이 없었다고 해.
양보

순이 황하 부근에서 그릇을 굽고 있을 때에도, 사람들은 순에게 감화되어 나쁜 물건을 만들어 내지 않았대.
휘리릭
이리하여 순이 살고 있는 이곳에는 순의 덕을 사모하여 사람들이 모여들더니 1년이 지나 마을을 이루고, 2년이 지나 읍이 되고, 3년이 지나서 도시가 되었다고 해.
한 사람의 덕이 얼마나 큰 힘을 발휘하는지를 보여주는 이야기지.
덕
이러한 소문은 요임금의 귀에 들어갔는데,
정말?
요임금은 순을 불러 놓고 살펴보았어. 요임금이 순에게 이것저것을 물어보고,
요놈 봐라··· 쓸 만한데···
그의 됨됨이를 살펴보니, 순은 정말이지 뛰어난 인재였어.
인재···
요임금은 순을 시험해 보기 위해 두 딸인 아황과 여영을 순에게 시집보냈어.
둘씩이나···
그리고 이들 부부 사이를 관찰했지. 순은 부부의 도를 다하여 흠잡을 것 없이 원만하게 살았어.
하하하
'군자의 도는 그 실마리가 부부에게서 시작된다.'는 말이 있듯이
흡족···
이들 부부 사이를 본 요임금은 순의 능력을 인정하여 비로소 안심했대.
그런데 순의 가정에 문제가 생겼어. 이복동생인 상이 어머니와 짜고 그의 아버지인 고수를 꾀어 순을 죽이려 한 것이지.

하루는 순에게 광의 지붕에 올라가 수리하라고 한 뒤
사다리를 치우고 불을 질러 태워 죽이려 했어.
활활
지혜로운 순은 미리 준비해 간 두 개의 삿갓을 펴, 날 듯이 내려와 위기를 모면했지.
스르…
군자는 모든 일에 미리 준비하면 위태롭지 않음을 보여 준 거야.
소 잃고 외양간 고칠 수는 없지!
음~ 머…
외양간
또 한 번은 우물을 파게 한 후 순이 나오려 하자 흙을 덮어 생매장하려 했대.
순은 위험을 예측하고 옆으로 빠지는 통로를 미리 마련해 두었다가 그곳으로 빠져나와 죽음을 모면했어.
이제 죽었겠지!
집으로 돌아온 순은 평상 위에서 거문고를 타고 있었대. 정말 대단하지?
순의 동생 상은 순이 죽었다고 생각하고 집에 돌아왔지.
이제 형수들은 내 차지야!
그런데 순이 태연하게 거문고를 타고 있지 않겠어?
헉! 어떻게 살아왔지?
상은 겸연쩍은 표정을 지으며 거짓말을 했어.
형님, 걱정 많이 했습니다.
이런 동생이 있다면, 여러분은 어떻게 할 거야?
살인 미수죄로 고발하죠.
형제 간의 핏줄을 끊겠어요.

그런데 순은 이런 일이 있은 뒤에도 전과 다름없이 부모를 극진히 받들었고
효
동생을 한결같이 사랑했대. 순의 진심이 부모와 아우에게도 전달되자,
그들도 차차 선도되어 간악한 길에 빠지지 않았다고 해.
화
목
순은 일을 처리할 때에도 당연히 정성을 다했어.
정성
요임금은 순을 여러 요직에 등용하여 시험해 본 결과, 모두 훌륭하게 처리한다는 것을 알았어.
요직
그래서 요임금은 천하를 그의 아들 단주에게 물려주지 않고 순에게 물려줬어.
사마천의 《사기》 〈오제본기〉에 따르면, 순은 스무 살에 효행으로 유명해졌고
오제본기
서른 살에 등용되고
등용
쉰 살에 섭정하였으며
쉰여덟 살에 요임금이 죽고, 예순한 살에 정식으로 재위에 올라
39년 동안 임금의 위치에서 통치했다고 해.
재위 39년에 남쪽을 순시하다 창오의 들판에서 죽었대.
앞에서도 말했듯 순임금에게는 아황과 여영의 두 아내가 있었는데 아황에게서는 소생이 없고 여영에게서 외아들 상균을 얻었어.

그런데 이 상균도 요임금의 아들 단주처럼 불초하여 천하를 맡길 수가 없었대.
불초(不肖)란 자식이 부모를 닮지 못했다는 의미야.
불초
단주가 그의 아버지 요임금처럼 어질고 능력이 있지 못함을 이른 말이야.
이 말은 나중에 매우 어리석은 사람을 말하거나 자식이 부모에게 낮출 때 쓰여.
불초 소자를 용서하소서!
순임금도 요임금과 마찬가지로 천하를 물려줄 사람을 찾고 있었는데
그중에서 가장 물망에 오른 사람이 치수 사업의 성공자이며 인망이 가장 높은 우(禹)였대.
뭘 그리 보누?
그리하여 순임금은 아들 상균이 아닌 우에게 임금 자리를 물려줘.
지금도 요임금이 자신의 왕위자리를 큰아들 단주에게 넘기지 않고, 순에게 선양*하고 두 딸을 시집보낸 걸 매우 훌륭한 일로 여겨.
칭
송

*선양(禪讓) – 왕이 살아 있을 때, 왕위를 덕 있는 다른 성을 가진 사람에게 넘기는 것.

요
순
그리고 순임금은 다시 우에게 임금 자리를 선양하지. 그래서 유가에서는 선양한 요임금과 순임금을 가장 이상적인 군주로 숭배해.

자! 이제 다시 중용으로 돌아오자.
어떻게 하는 게 효도인 것 같니?
중용
그거야 선생님께서
말씀하신 것처럼
마음과 몸을 다 바쳐
부모님을 공양하는 거요.
맞아. 하지만
그것만으로는 효도를
다했다고 할 수 없단다.
자신의 몸을 일으켜 세상에
이름을 알리고,
효도
자신이 뜻한 바를 펼쳐 세상
사람들을 편하게 살도록 해
주었을 때 효도를
다했다고 해.
효도
이리하여 사람들이 그의 효행과
덕행을 칭송하였을 때를 큰 효도를
했다고 하지.
칭 송
입신이 효의 시작이고
양명이 효의 끝이라는 거야.
입신
효
양명
입신양명(立身揚名)이란 몸을
세워 이름을 드날리는 것,
또는 출세하여 이름을 세상에
드날리는 걸 말해.
스타 콘서트
그렇다면 이 세상에는
모두 불효자만 있겠네요?
아니지. 그건 큰 효이고,
부모를 성심성의껏 모시는
것도 효도야.
이런 의미에서 《중용》 제17장에선
순임금을 진정 큰 효를 지닌
분이라고 하지.
중용 제17장

공자께서
말씀하시길,
순임금은 큰 효를 행한
분이다. 그의 덕성은
성인이 되었고, 존귀함은 천자가
되었고,

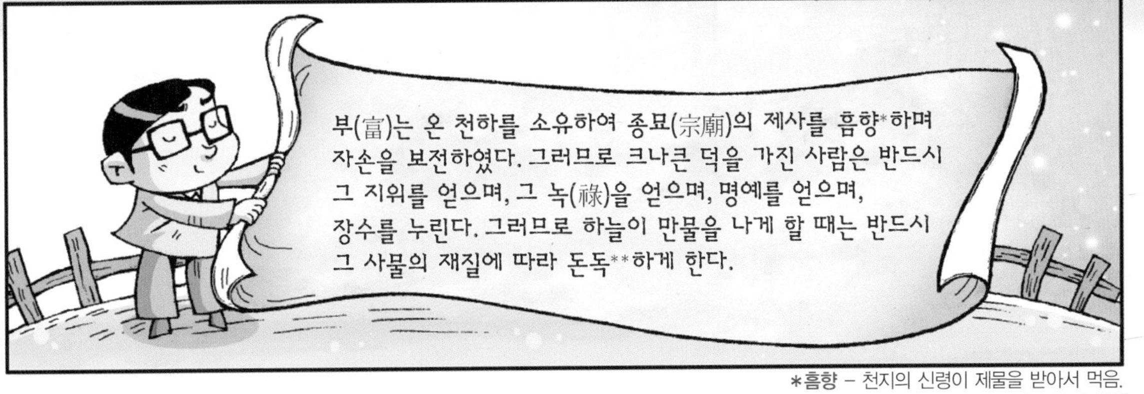
부(富)는 온 천하를 소유하여 종묘(宗廟)의 제사를 흠향*하며
자손을 보전하였다. 그러므로 크나큰 덕을 가진 사람은 반드시
그 지위를 얻으며, 그 녹(祿)을 얻으며, 명예를 얻으며,
장수를 누린다. 그러므로 하늘이 만물을 나게 할 때는 반드시
그 사물의 재질에 따라 돈독**하게 한다.

*흠향 – 천지의 신령이 제물을 받아서 먹음.

**돈독(敦篤) – 서로의 관계에 사랑이나 인정이 많고 깊으며 성실함.

그러므로 심은
것은 북돋아 주고
쓰러질 것은
엎어버리는 것이다.
《시경》에, '아름다운 군자여,
훌륭한 덕이 드러났도다.
백성에게 마땅하며 사람들에게
마땅하다. 그리하여 하늘에서
복록을 받아 하늘이 보우하여
명(命)을 내려주고 또 이를
하늘이 거듭한다.' 고 하였다.
그러므로 큰 덕을 지닌 사람은
반드시 천명을 받는다.

문왕과 무왕은 은나라를 멸하고 주나라를 연 인물이야. 또한 공자는 주나라의 예(禮)와 악(樂)을 존중했고, 그 예악을 회복할 것을 주장해.
이제 문왕과 무왕을 설명해야겠구나.
주나라
은나라

강태공이란 사람을 들어 보았니?
낚시로 유명한 사람 말인가요?

그래. 하지만 강태공은 낚시꾼이 아니었어. 강태공은 중국 주나라의 신하로서 은나라를 격파하고 제나라의 후로 봉해진* 인물이야.

*봉하다 – 임금이 신하에게 일정 정도의 영지를 내려주고 영주(領主)로 삼다.

본래 성은 강(姜)이고 이름은 상(尙)이야. 그의 조상이 우임금의 치수사업을 도운 공로가 있어,
강상
제상

지금의 하남성 남양 서쪽 여(呂) 땅에 봉해졌으므로 여씨가 되었다고 해.

그래서 그를 여상이라고도 부르지. 보통 강태공이라 불러.
강 태 공……

강태공을 흔히 태공망이라고도 부르는데
본래 태공은 문왕의 호야.
호
문왕인 태공이 오랫동안 바라던 어진 인물이라는 의미로 강태공을 태공망이라 부르는 거야.
태공망은 주나라와 대대로 혼인관계를 맺어온 강씨 부족의 대표로서
주나라
주나라 군대를 지휘한 인물로 추측하고 있어. 태공망의 저술로는 병법 관련책 《태공육도(太公六韜)》 등이 있어.
태공
육도
낚시꾼을 강태공이라고 부르는 것도 태공망에서 유래한 것이야.
은나라를 멸망시키고 주나라를 연 사람이 누구지?
그야, 문왕이 잖아요.
아니야. 주나라를 연 사람은 문왕의 아들 무왕이야.
여기에서 백이와 숙제의 고사가 나오잖아.
백이와 숙제의 고사도 알아?
백이와 숙제는 고죽국의 형과 아우지요.
은나라의 주왕을 정벌한 주나라 무왕의 처사에 항거하여 속세를 등지고 수양산으로 들어가 고사리만을 먹고 살다 굶어 죽었다는 현인이잖아요.
수양산
왜 그를 어진 사람, 현인이라 하지?
그야 무왕이 아버지 문왕의 장례 기간에 군대를 일으켜 은나라 28대째 마지막 왕이었던 주를 토벌하는 걸 막았기 때문이죠.
와… 대단…

그렇지. 백이와 숙제는 무왕이 탄 말을 가로막고 무왕에게 간했지.
“부왕이 돌아가셔서 아직 장례도 끝나기 전에 무기를 손에 잡으니 어찌 효라 할 것이며, 또한 신하로서 임금을 죽이려 하니, 어찌 인이라 할 수 있소?”
그러나 무왕은 그 말을 듣지 않고, 결국 은나라를 멸망시켰어. 그리고 주나라가 천하를 다스리게 되었어. 백이와 숙제는 이를 부끄럽게 여기고, 주나라의 곡식을 먹지 않고, 수양산에 숨어 고사리를 캐어 먹으며 살다가, 결국은 굶어 죽었다고 하지.

하지만 맹자는
그의 책 《맹자》 〈양혜왕〉 하편에서 이렇게 말해.
이를 두고 사람들은 어찌 신하가 임금을 칠 수 있느냐고 백이와 숙제의 편을 들지.
신하
인(仁)을 해치는 자를 ‘적(賊)’이라 하고,
의(義)를 해치는 자를 ‘잔(殘)’이라 하고,
잔적(殘賊)한 사람을 ‘일부(一夫)’라 이르니,
일부인 주(紂)를 베었다는 말은 들었지만
군주(君主)를 시해하였다는 말은 듣지 못했습니다.

적(賊)은 도적을, 잔(殘)은 멸하고 해롭게 하는 일을, 잔적(殘賊)은 해치고 도적질하는 걸 말해.
적 ➡ 도적
잔 ➡ 멸하고…
잔적 ➡ 해치고
그리고 일부는 평범한 남자를 뜻하지.
평범
일부
이 말은 주의 무왕이 은나라의 주왕을 친 것은 신하가 임금을 친 것이 아니라,
인과 의를 저버린 평범한 한 남자를 벤 것이라며 무왕의 역성혁명을 옹호한 이야기야.
역성혁명(易姓革命)이란 성을 바꾸는 혁명이란 뜻이야.
易姓革命
왕조에는 각각 세습되는 통치자의 성(姓)이 있고, 왕조가 바뀌면 통치자의 성도 바뀌게 되지.
이씨왕조
그리고 임금은 하늘이 낸다는 말처럼, 하늘의 명인 천명을 바꾼다는 의미에서 혁명이라 한 거야.
천명
혁명
이러한 사상은 주나라가 은나라를 무너뜨린 때부터 비롯된 거야.
주
은
맹자에 이르러서야 역성혁명 사상으로 정비됐어.
역성 혁명
또한 같은 책 〈진심〉 하편에서는 무왕이 군사를 일으킨 것을 정당하다고 평가하지.
진심
백성이 가장 귀중하고, 사직은 그 다음이고, 군주는 대단하지 않다.
이런 면에서 본다면, 은나라의 주왕을 정벌한 주나라 무왕의 처사에 항거하여 속세를 등지고 수양산으로 들어간 백이와 숙제의 행동은 현실감이 없다는 평을 듣기도 해.
不食周粟*
수양산

*불식주속(不食周粟) – 주나라의 곡식은 먹지 않겠다는 뜻.

왜냐하면 자신들의 지혜를 동원하여 백성들이 잘 먹고 잘 살 수 있는 정치를 펼쳤어야 하는데,
이를 외면하고 은거했으니 말야.
또한 은의 주왕이 전해 오는 이야기처럼 폭군이라면, 폭군을 없앤 무왕은 어떤 면에서는 의인이라 할 수 있잖아.
폭군…
백성들을 폭정에서 구제하기 위한 일이었으니까 말이야.
때문에 무왕의 행위는 정당하다고 맹자는 말을 하지.
어찌 되었건, 문왕은 은나라 서쪽 지방의 우두머리에 해당하는 신분의 서백(西伯)이었어.
우두머리
이름은 창이었고, 아들 무왕이 새로운 왕조를 열 수 있도록 기반을 세운 왕이기도 해.
주나라
문왕은 자신이 다스리는 땅을 좀 더 풍요롭게 하기 위해서 인재를 구하려고 노력했어.
구인
어느 날 문왕은 사냥을 떠나기 전, 관습에 따라 그날 일을 점쳐 보았어.
占
점괘의 해석에 따르면 위수(渭水)에서 사냥을 하면 장차 큰 인물을 얻게 되리라는 내용이었어.
마
장차 동량*이 될 큰 인물을 얻는다는 뜻이었지.
"큰 인물"
점괘가 그렇게 좋단 말인가?
옛날 신의 조상인 주(疇)께서 순임금을 위해 점을 보시고 고요를 얻었사옵니다.

*동량 – 기둥과 들보를 아울러 이르는 말.

이 점괘는 그것과
비견할 수 있사옵니다.
이 말을 듣고 문왕은
목욕재계하고 위수를 향해 길을
떠났어.
그리고 거기서 왕골자리*를 깔고 앉아
낚싯줄을 드리운 채 고기를 낚고 있는 태공을
만났지.

*왕골자리 – 왕골(사초과의 한해살이풀)을 굵게 쪼개어
엮어 만든 자리.

문왕은 태공을 만나 간단한
인사를 주고받았지.
강상
입니다.
난창이오.
그리고 곧게 펴진
낚싯바늘로 낚시를 하는
강태공에게 물었지.
항상 이렇게
낚시를 즐기
시나요?
군자는 그 뜻을 얻는
것을 즐거워하고,
평범한 사람은
사냥감을 얻는 것을
즐거워한다고 합니다.
제가 즐기고 있는
낚시도 그와
비슷합니다.
구체적으로
무슨 뜻입니까?
낚시에는 세 가지
뜻이 있습니다.
미끼로 고기를
낚는 것은 녹을 주어
인재를 발탁하는
것과 같습니다.
그리고 좋은 미끼를 달면
좋은 고기가 잡히는데,
이는 후한 녹에 누구나
목숨을 걸고 일한다는 것과
같다고 할 수 있습니다.
또 낚은 고기의 크고 작음에
따라 그 쓰임이 다른데, 이는
사람마다 소질과 능력에 따라
알맞은 지위나 역할을 부여하는
것과 같습니다.
낚시란 확실히 물고기를
낚는 일이기는 하지만,
생각해 보면 그 내용이
깊습니다.

이렇게 세월을 낚는 어부 강태공을 얻은 문왕은 자신이 지배하고 있는 서쪽 지역을 날로 튼튼하고 살기 좋은 지역으로 만들어. 그리고 그의 아들 무왕은 서쪽으로 더욱 전진하여, 결국에는 은나라를 멸망시키고 주나라를 개국해.

이 때문에 《중용》 제18장에서는 근심 없는 사람은 오직 문왕뿐이라고 이야기하지.
공자께서 말씀하셨다.
근심이 없으신 분은 오직 문왕이실 것이다.

왕계(王季)를 아버지로 삼으시고, 무왕을 아들로 삼으셨으니,

아버지가 시작을 하고 아들이 뒤를 계승하였다.
대업

무왕이 태왕 · 왕계 · 문왕의 기업(基業)을 이어, 한 번 전쟁을 해서 천하를 차지하셨는데,
몸은 천하의 훌륭한 이름을 잃지 않으셨으며, 존귀함은 천자가 되시고,
부(富)는 사해(四海)의 안을 소유하여,
종묘의 제사를 흠향하시며 자손을 보전하셨다.

효의 참뜻은 죽을 때까지 받들고
모시는 데 있는 것이 아니라,
효

그 뜻을 계승하여 부모가 이루지 못한 일을 완성시키는 것이야.

공자가 효성심이 지극한 제자인 증자에게 전한
효도에 관한 이야기를, 뒷날 제자들이 편집해서
만든 책이 《효경(孝經)》인데,
효경

이 책에서는 효를 다음과 같이 나누고
효가 덕의 근본임을 밝혔어.
천자(天子) · 제후(諸侯)
대부(大夫) · 사(士) · 서인(庶人)

《효경》에선 이렇게 말하고 있어.
우리의 몸은 부모에게서 받은 것이니, 감히 다치게 하지 않는 것이 효도의 시작이요, 몸을 세워 도를 행하여 후세에 이름을 날려 부모를 드러나게 하는 것이 효도의 마지막이다.
효는 모든 덕의 출발점이자 기초야.
효
그래서 《중용》 제19장에서는 '무릇 큰 효란 선대의 뜻을 계승하여 사업을 이룩하는 것.' 이라고 말하고 있어.
제19장
계 승
그리고 이와 같은 덕의 출발을 제대로 할 수 있는 사람은 나라 다스리는 것도 제대로 할 수 있다고 하지.
첫 단추를 잘 끼워야….
생각해 봐! 작은 일에도 성심을 다해 최선을 다할 수 있는 사람이라면,
작은일
큰일을 할 때에는 더욱 조심하며 성심을 다하지 않겠어?
성심
《중용》 제19장에선 효의 출발에서부터 제사 지내는 법 그리고 나라 다스리는 법까지를 일목요연하게 설명하고 있어.
중용 제19장
이는 모든 일을 그 처해진 일에 따라 다루면 무리가 없고 일을 행함에 실수가 없다는 걸 말해.
결론적으로 무언가를 제대로 알면 지나치지도 모자르지도 않는 중용의 덕을 행할 수 있다는 거야.
중용의 덕

공자께서 말씀하셨다. '무왕과 주공(周公)은 누구나 공통으로 칭찬하는 효이시다. 효는 부모의 뜻을 잘 계승하며, 부모의 일을 잘 전술(傳述)하는 것이다. 봄과 가을에 선조의 사당(祠堂)을 수리하며 종묘*의 제기를 진열(陳列)하며 그 선조의 의상(衣裳)을 펴놓으며 제철의 음식을 올린다. 종묘의 예는 조상의 신주를 모시는 차례대로 하는 것이요, 관작(官爵)에 따라 서열하는 것은 귀천(貴賤)을 분별하는 것이요, 일을 차례로 맡기는 것은 어진 이를 분별하는 것이요,

여럿이 술을 권할 때에 아랫사람이 윗사람을 위하여 술잔을 올리는 것은 천(賤)한 이에게까지 미치는 것이요, 잔치할 때에 모발(毛髮)의 색깔대로 차례하는 것은 나이를 서열(序列)하는 것이다.

그 자리를 밟아 그 예를 행하고 그 음악을 연주하며, 그가 존경하시던 바를 존경하고 그가 친애하시던 바를 사랑하며, 죽은 이 섬기기를 산 이를 섬기듯이 하고 없는 이 섬기기를 살아계신 이를 섬기듯이 하는 것이 효의 지극함이다.

교제**와 사직*** 제사의 예는 상제(上帝)를 섬기는 것이요, 종묘의 예는 그 선조를 섬기는 것이니, 교제와 사직 제사의 예와 체제****의 의의(意義)에 밝으면, 나라를 다스림은 그 손바닥 위에 놓고 보는 것처럼 쉬울 것이다.'

*종묘(宗廟) – 역대 임금과 왕비의 위패를 모시던 왕실의 사당. **교제(郊祭) – 성 밖에서 지내는 제사.
***사직(社稷) – 나라 또는 조정을 이르는 말. 고대 중국에서, 새로 나라를 세울 때 천자나 제후가 제사를 지내던 토지 신과 곡식 신.
****체제(禘祭) – 하늘에 지내는 제사.

제10장
다스림의 아홉 가지 원리와 성(誠)
誠

이제까지 일상생활에서 자신을 다스리는 중용과 군자의 중용에 대해 공부했어.
일상 생활

그리고 제9장에서는 가장 긴밀하고도 소중한 관계인 가족에 대해서 살펴봤어.
가족

또한 사람 사이의 관계 속에서 중용을 어떻게 지키고 유지할 수 있는지에 대한 효에 관해서도 알아봤어.
효

사람은 모두 관계 속에 있는데,
관계

그 대표적인 관계는 군신, 부자, 장유, 부부, 붕우의 다섯 가지야.
군신
부자
장유
부부
붕우

하늘이 있기에 땅이 있고,

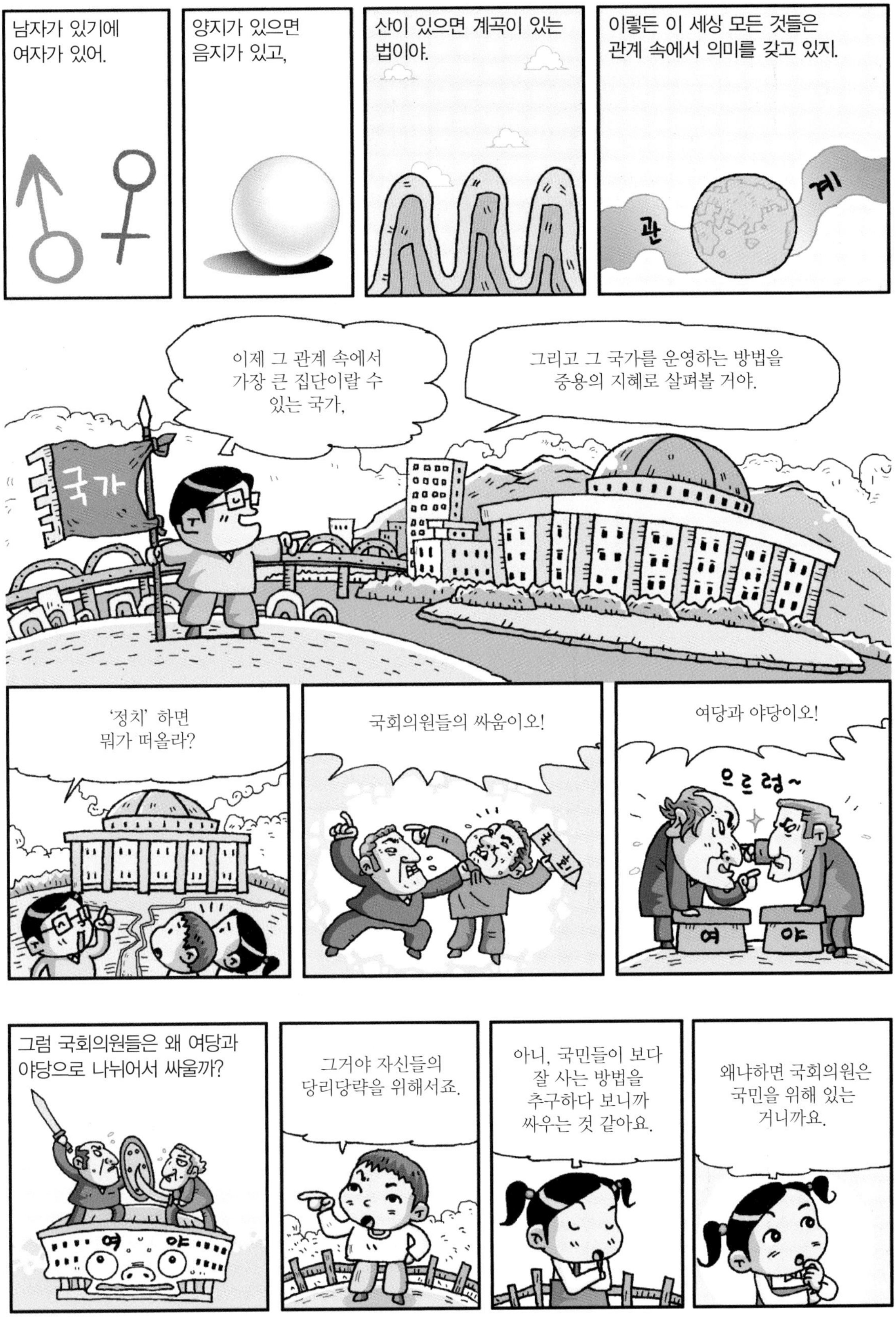
남자가 있기에
여자가 있어.
양지가 있으면
음지가 있고,
산이 있으면 계곡이 있는
법이야.
이렇듯 이 세상 모든 것들은
관계 속에서 의미를 갖고 있지.
관
계
이제 그 관계 속에서
가장 큰 집단이랄 수
있는 국가,
그리고 그 국가를 운영하는 방법을
중용의 지혜로 살펴볼 거야.
국가
'정치' 하면
뭐가 떠올라?
국회의원들의 싸움이오!
여당과 야당이오!
으르렁~
여
야
그럼 국회의원들은 왜 여당과
야당으로 나뉘어서 싸울까?
여
야
그거야 자신들의
당리당략을 위해서죠.
아니, 국민들이 보다
잘 사는 방법을
추구하다 보니까
싸우는 것 같아요.
왜냐하면 국회의원은
국민을 위해 있는
거니까요.

국회의원은 국민이 직접
뽑은 사람이지.
국민
투표
직접 선거
그리고 대통령도 국민이
직접 뽑은 사람이고.
대통령
그들 국회의원이나 대통령은 소신과 철학을 가지고
나라를 잘 살게 하고 국민들을 행복하게
해 주려고 노력하지.
부강한 나라
우린 나라의 일꾼!
그러다가 자신과 뜻이 안 맞는
사람이나 정당이 있으면 싸우기도 해.
여당
야당
그래서 싸운다는 건 바람직한
일이기도 해.
나라
국민
그런데 그 싸움의 빌미가
자기들만을 위한 것이라면
큰 문제가 될 거야.
나만의 이익
《중용》 제20장에는 애공(哀公)이 공자에게
정치에 관해 묻고, 올바른 정치에
대한 공자의 설명이 나와 있어.
중용 제20장
"문왕 · 무왕의 정사가 문헌에 기록되어
있으니, 그러한 사람이 있으면 그러한 정치가 거행되고,
그러한 사람이 없으면 그러한 정치가 끝나버립니다.
사람의 도는 정사에 빠르게 나타나고,
땅의 도는 나무에 빠르게 나타나니,
정치의 신속한 효험은 쉽게 자라는 갈대와 같습니다.
애공이 정사를 묻자, 공자께서 다음과
같이 말씀하셨다.
정사?
그러므로 정사를 함이 사람에게 달려 있으니,
사람을 취하되 몸으로써 하고, 몸을 닦을 때는 도로써 하고,
도를 닦을 때는 인(仁)으로써 해야 합니다.

인은 사람의 몸이니 어버이를 친히 함이 크고, 의는 마땅함이니 어진 이를 높임이 크니,
친척을 친히 함의 높고 낮음과 어진 이를 높이는 등급이 예가 생겨난 이유입니다.
아래 지위에 있으면서 윗사람에게 신임을 얻지 못하면 백성을 다스리지 못할 것입니다.
도
인

그러므로 군자는 몸을 닦지 않을 수 없으니, 몸을 닦을 것을 생각한다면
어버이를 섬기지 않을 수 없고, 어버이를 섬길 것을 생각한다면 사람을 알지 않을 수 없고,
사람을 알 것을 생각한다면 하늘의 이치를 알지 않을 수 없습니다."

정치하는 사람이 대신을 등용할 때는 재주가 있느냐 없느냐가 아니라, 본마음에 순수성이 있느냐 없느냐에 기준을 두어야 해.
관리
시험
등용

본마음의 순수성이 있는 어진 사람을 보면 바로 등용하는 것이
순수
등용

정치의 비결이라 할 수 있어.
순수

만일 그렇게 하지 않는 것은 자기의 일을 게을리 하는 것이라 할 수 있어.

훌륭한 인재를 뽑기 위해 문왕이 강태공을 모신 것도 이런 이치야.
등용

마찬가지 이유로 본마음의 순수성을 가지고 있지 않은 사람은 물리쳐야 해.
등용

물리치는 정도에서도
가장 멀리 물리쳐야겠지.
왜냐하면 그가 있으면 백성들이 힘들고
나라 운영이 혼란스러워지기 때문이야.
순수
뻥
등
용
만일 어리석고 본마음의 순수성이 없는 사람을 물리치지
못한다면, 그것은 정치를 담당한 자의 잘못이야.
남들이 좋아하는 걸 좋아하고
싫어하는 걸 싫어하는 건, 사람들의
자연스런 본성이야.
본능
이게 바로 사람이 태어나면서
갖게 된 성(性)의 뜻이야.
성
그리고 이 성은 살려는 의지라고
설명했지?
성
쪽
쪽
살려는
의지
사람의 성은 천지만물 전체의 성으로서
천지만물 전체의 삶을 유지해 가는 '의지'라
할 수 있어.
천지만물
사람을 포함한 천지만물은 모두 근원적으로 이 성의 작용에
따라 삶을 유지하고 있어.
성
그런데 이 성의 작용과 반대로 하면
일시적으로는 삶을 유지할 수 있을지
모르나,
성
거부
삶을 유지하는 근원적인 작용에
위배되어 남과 조화를 이루지
못해 결국 망하지.
정치를 담당하는 자가
정치를 잘하는 아주 좋은
방법이
있어.
?

그건 살려는 의지에 따라 통치하는 거야.
살려는 의지
통치
백성과 한마음이 되어 백성이 좋아하는 것을 좋아하고 백성이 싫어하는 것을 싫어하는 거야.
한마음..
그런데 이러한 방법은 어떻게 터득할 수 있을까?
그거야 첫 마음, 본래의 마음을 회복하면 되잖아요.
첫마음
어떤 마음이 본래의 마음이지?
남의 마음을 나의 마음처럼 믿을 수 있는 마음이잖아요.
내가 청소하기 싫으면 남도 청소하기 싫어하니 차라리 내가 하자는 마음이잖아요.
역지사지
역지사지, 기소불욕 물시어인! 이미 공부했잖아요.
기소불욕물시어인
모든 사람은 본성대로 꽃향기를 좋아하고, 썩은 고기 냄새는 싫어해요.
빙고! 정치를 하는 중요한 방법은 정치를 하는 사람 자신의 본마음의 순수성을 회복하여 백성과 한마음이 되는 데 있어.
도덕성을 회복한 뒤에야 경제발전도 이룰 수 있어.
경제 발전
도덕성
회복
농산물이나 공산물을 생산하는 사람을 늘리고 정치나 교육 등에 종사하는 사람 중에
불필요한 사람을 줄이는 거야. 그러면 소비량에 비해서 생산량이 늘겠지?

이렇게 되면 농산물이나 공산물 비축량이 빠르게 늘 거야.
그러면 보다 풍족한 생활을 할 수 있어.
풍요
만일 도덕성이 회복되지 않은 상태라면, 경제발전은 이루어질 수 있을까?
도 덕 성
사람들의 욕심과 무지 때문에 힘들 것 같아요.
자기만이 잘 먹고 잘 살려는 마음에 부정과 비리가 발생하고,
부정·비리
이 때문에 백성들은 서로를 의심하고 화합할 수 없어요.
남이 잘 살아야 자신이 진정으로 잘 사는 것인 줄 모르잖아요.
남
재물을 축적하는 것은 어디까지나 인간의 행복한 삶을 위한 것인 만큼,
행복한 삶을 위해…
그 자체가 목적이 되어서는 안 돼. 가치관의 전도*라는 말 알지?
가치관의 전도

*전도 – 차례, 위치, 이치, 가치관 따위가 뒤바뀌어 원래와 달리 거꾸로 됨.

돈은 삶의 수단인데, 목적이 돼 버렸다는 거요?
그래서 사람들이 돈의 노예가 되어 그저 돈 버는 일이라면 무슨 일이라도 하는 것 말이죠?
돈…
돈…
돈…
순수한 사람은 재물을 교육 등에 투자함으로써 인간성을 회복하는 데 쓰지.
투자…..
순수

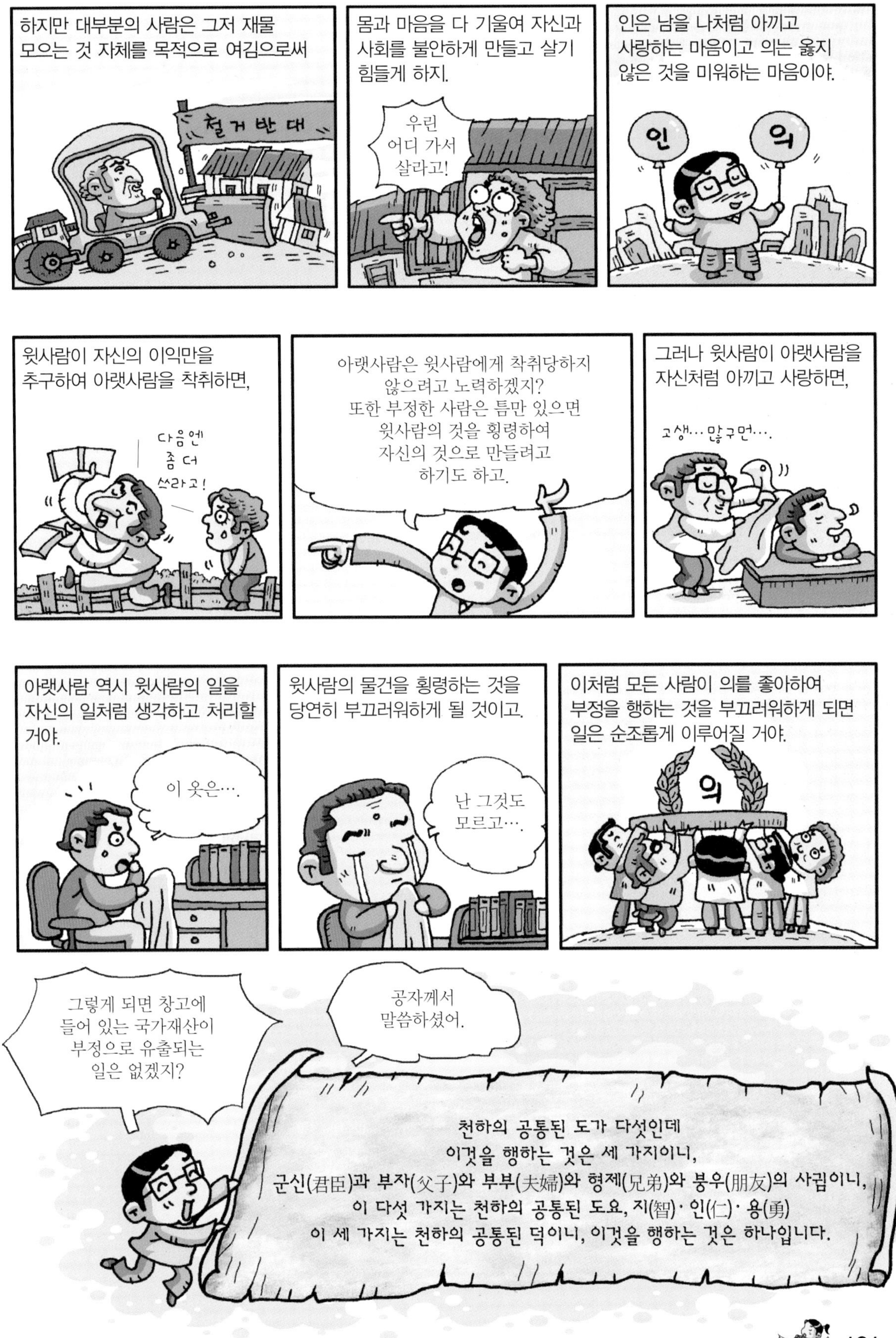
하지만 대부분의 사람은 그저 재물 모으는 것 자체를 목적으로 여김으로써
철거반대
몸과 마음을 다 기울여 자신과 사회를 불안하게 만들고 살기 힘들게 하지.
우린 어디 가서 살라고!
인은 남을 나처럼 아끼고 사랑하는 마음이고 의는 옳지 않은 것을 미워하는 마음이야.
인
의
윗사람이 자신의 이익만을 추구하여 아랫사람을 착취하면,
다음엔 좀 더 쓰라고!
아랫사람은 윗사람에게 착취당하지 않으려고 노력하겠지? 또한 부정한 사람은 틈만 있으면 윗사람의 것을 횡령하여 자신의 것으로 만들려고 하기도 하고.
그러나 윗사람이 아랫사람을 자신처럼 아끼고 사랑하면,
고생…많구먼….
아랫사람 역시 윗사람의 일을 자신의 일처럼 생각하고 처리할 거야.
이 옷은….
윗사람의 물건을 횡령하는 것을 당연히 부끄러워하게 될 것이고.
난 그것도 모르고….
이처럼 모든 사람이 의를 좋아하여 부정을 행하는 것을 부끄러워하게 되면 일은 순조롭게 이루어질 거야.
의
그렇게 되면 창고에 들어 있는 국가재산이 부정으로 유출되는 일은 없겠지?
공자께서 말씀하셨어.
천하의 공통된 도가 다섯인데 이것을 행하는 것은 세 가지이니, 군신(君臣)과 부자(父子)와 부부(夫婦)와 형제(兄弟)와 붕우(朋友)의 사귐이니, 이 다섯 가지는 천하의 공통된 도요, 지(智)·인(仁)·용(勇) 이 세 가지는 천하의 공통된 덕이니, 이것을 행하는 것은 하나입니다.

관계 속에 있는 인간은 관계를 통해서 자신을 나타낸다고 했지?
관 계
인류사회를 유지 · 변화 · 발전 시키는 인간관계에는 크게 다섯 가지가 있어.
군신은 정치 관계이고,
전하!
부자와 형제는 혈연 관계이고,
부부는 혼인 관계이며,
친구와 장유는 사회 관계야.
사회
그리고 이들 관계 사이에서 지켜야 할 도리를
도리
윤리 또는 인륜이라고 불러.
인륜
윤리
이 다섯 가지 관계에 대해서 이제 설명하려고 해.
도리
문왕이 은나라의 마지막 왕인 28대 주왕(紂王)의 신하였을 때는, 계속 경건한 마음을 간직하고 백성들을 살폈어.
백성
경(敬)이란 글자의 뜻은 속마음을 곧게 간직하고 의로써 바깥일을 방정(方正)하게 한다는 뜻이야.
方 正
방정하다는 말은 말이나 행동이 바르고 점잖다는 뜻이야.
위 학생은 품행이 방정하여 ….
상
무슨 말씀인지 모르겠어요….
앵

재영이가 새 책을 앞에
놓고 가졌던
첫 마음이 있지?
그 마음이 비뚤어지지 않고
곧게 나올 수 있도록 마음의
상태를 간직하는 걸 말해.
첫 마음
신하가 임금을 대할 때 경을 간직해야 한다는
말은, '내가 출세하기 위해 임금에게 잘
보여야지.' 하는 식의 계산된 마음을 갖지
않는다는 말이야.
백성들이 잘 먹고 잘 살기
위해서는 속[中]에 있는
본마음[心]이 합쳐진
忠
충(忠)으로
임금을 대해야
한다는 거지.
충에는 두 가지 성격이 있어. 임금이 본래 목적인,
살기 좋은 나라를 건설하기 위하여 노력하고 있을 때
신하는 정성껏 그 임금과 마음을 합치는 게 하나고,
임금이 폭군이 되어 백성들을 못살게 굴 때는
오히려 그 임금을 추방해야 하는 게
나머지 하나야.
추방
이러한 충의 개념이 더욱
구체화되어 나타난 것이
정의로움을 뜻하는 의(義)야.
의
그러므로 군신유의, 즉
임금과 신하 사이에는 의가
있어야 하는 것이야.
군신유의
문왕이 왕계의 아들이었을 때는
계속 효를 다하였어.
효
인간 관계 속에서도 끝까지 무조건
나를 믿어주고 감싸주며 나를 위해
희생해 주는 사람이 바로 부모야.
조건 없는 사랑
조건 없는 사랑
인간 관계에서 빚어지는 모든 정신적
갈등은 부모의 절대적 사랑 속에서
해소될 수 있어.
부모
외부
갈등

행복한 삶을 영위하기 위해서는 부모와의 관계를 잘 유지하는 게 기본이야.
행복
부모와의 관계를 잘 유지하기 위한 자녀의 노력이 효야.
부모
효
행복
문왕이 무왕의 아버지였을 때는 계속 아들에 대한 자애로운 마음[慈]을 유지했어.
자애
자(慈)는 '이 자(玆)'와 '마음 심(心)'이 합해졌지. '이 마음' 또는 '그 마음'이란 뜻이야.
玆 心
부모는 자녀에 대해 욕심을 부리기 쉬워.
많이 먹고 판검사 되어야지!
자기 자녀가 남보다 앞서기를 바라고 자기 자녀가 남보다 잘되기를 바라지.
맞아요!
선생님! 엄마와 아빠는 항상 저보고 더 열심히 공부하고 열심히 운동하래요.
제가 슈퍼맨도 아닌데 말이에요.
그게 부모 마음이야.
그렇기 때문에 자기 자녀가 남에게 얻어맞고 들어오면 '너는 손이 없냐?'며 소리 지르기도 하고,
넌 손이 없어!
자녀가 나쁜 성적을 받아 오면, '이것도 성적이냐?'며 야단치기도 하지.
30
그러나 부모님이 속상한 것보다는 당사자인 너희들이 더 속상하지?
예!
부모들의 마음이 자녀의 마음이 된다면 야단치기보다는 오히려 위로하게 될 거야.
괜찮아! 다음에 잘 하면 돼!

이렇게 바르게 되는 부모의 도리와 마음이 자(慈)야.
慈
문왕이 백성들과 서로 사귈 때는 믿음을 갖고 대했어.
信
信
信
일반적인 인간 관계는, 태어날 때부터 맺어진 게 아니라 자라면서 필요에 따라 맺어진 거야.
인간 관계
스승과 제자, 임금과 신하, 남편과 아내, 친구와 친구 등등. 때문에 이 모든 관계는 항상 필요에 따라 단절될 수도 있어.
싹둑
믿음
인간 관계를 계속 유지하려면 서로 믿음이 필요해.
믿음
그런데 이익을 추구하기 위해 맺어진 관계는 이익이 없어지면 단절될 수밖에 없어.
믿음
때문에 인간 관계에서 완전한 믿음은 밝은 덕을 회복한 상태에서 서로 한마음이 된 경우에만 가능하다고 할 수 있어.
믿
음
부부는 서로 행하는 일이 달라. 남자가 할 수 있는 일이 있고, 여자가 더 잘할 수 있는 일이 있어.
이런 걸 구분하는 게 부부의 도야.
남
여
역할
분담
그리고 그 부부는 서로의 부족한 부분을 채워주는 사랑을 전제로 하고 있지.
남
여

사랑이 전제하지 않는 부부 간의 구별은 그래서 의미 없는 관계가 되지.
무엇이 옳고 그른지를 아는 건 중요해. 하지만 더욱 중요한 건 그러한 일들을 실천하는 거야.
실천
윤리와 도덕은 아는 것보다는 실천이 중요한 거야.
윤리
도덕
부부 사이에도 서로 해야 할 일과 하지 말아야 할 일을 구별하여 실천하는 게 중요해.
착
부부실천사항
1. 남편은…
2. 부인은…
공자께서는 다음과 같은 말씀을 하셨지.
학문(學問)을 좋아함은 지(智)에 가깝고, 힘써 행함은 인(仁)에 가깝고, 부끄러움을 앎은 용(勇)에 가깝다.
이 세 가지를 알면 몸을 닦는 바를 알 것이요, 몸을 닦는 바를 알면 남을 다스리는 바를 알 것이요,
남을 다스리는 바를 알면 천하와 국가를 다스리는 바를 알 것이다.
지 · 인 · 용을 삼달덕*이라고 해. 이 세 가지의 근본은 인(仁)이야.
지
인
용
인
인은 유교의 근본사상으로 압축할 수 있어.
인
하지만 인에 대한 공자의 대답은 일정하지 않아. 그건 공자가 제자들의 눈높이에 맞추어 달리 대답해 주었기 때문이야.

*삼달덕 – 어떠한 경우에도 통하는 세 가지 덕.

제자들이 인이 무엇인지에 대해 물었을 때, 공자는 다음과 같이 말해.
사람을 사랑하는 것이다(愛人).
내가 하고 싶지 않은 일을 남에게 시키지 않는 것이다(己所不欲 勿施於人).
사사로운 욕심을 이겨 내어 본성으로 돌아가는 것이다(극기복례, 克己復禮).
학문을 즐겨 배움은 지의 능력이고, 지를 통해서 인을 알게 되지.
지
인
그래서 인을 행하는 데 용감해야 해.
인
용감해야 하는 건 수치를 아는 것을 첫째로 여겨야 해.
도망····
수치를 알면 어떤 행위를 해야 하는지, 하지 말아야 하는지를 알게 되지.
그래서 힘써 행하는 것이 인의 실천이라 할 수 있는 거야. 인의 실천이 없으면 헛된 구호에 지나지 않아.
크르르
사랑이란 실천할 때 가치가 있고 의미가 있는 거야.
사랑의 모금함
세상은 머리가 아니라 몸과 마음으로 실천하는 행동을 통해서 살아가는 거야.
물론 머리로 사는 것도 좋지만 더욱 중요한 건 실천을 통한 인의 실현이야.
실천을 통한 인의 실현

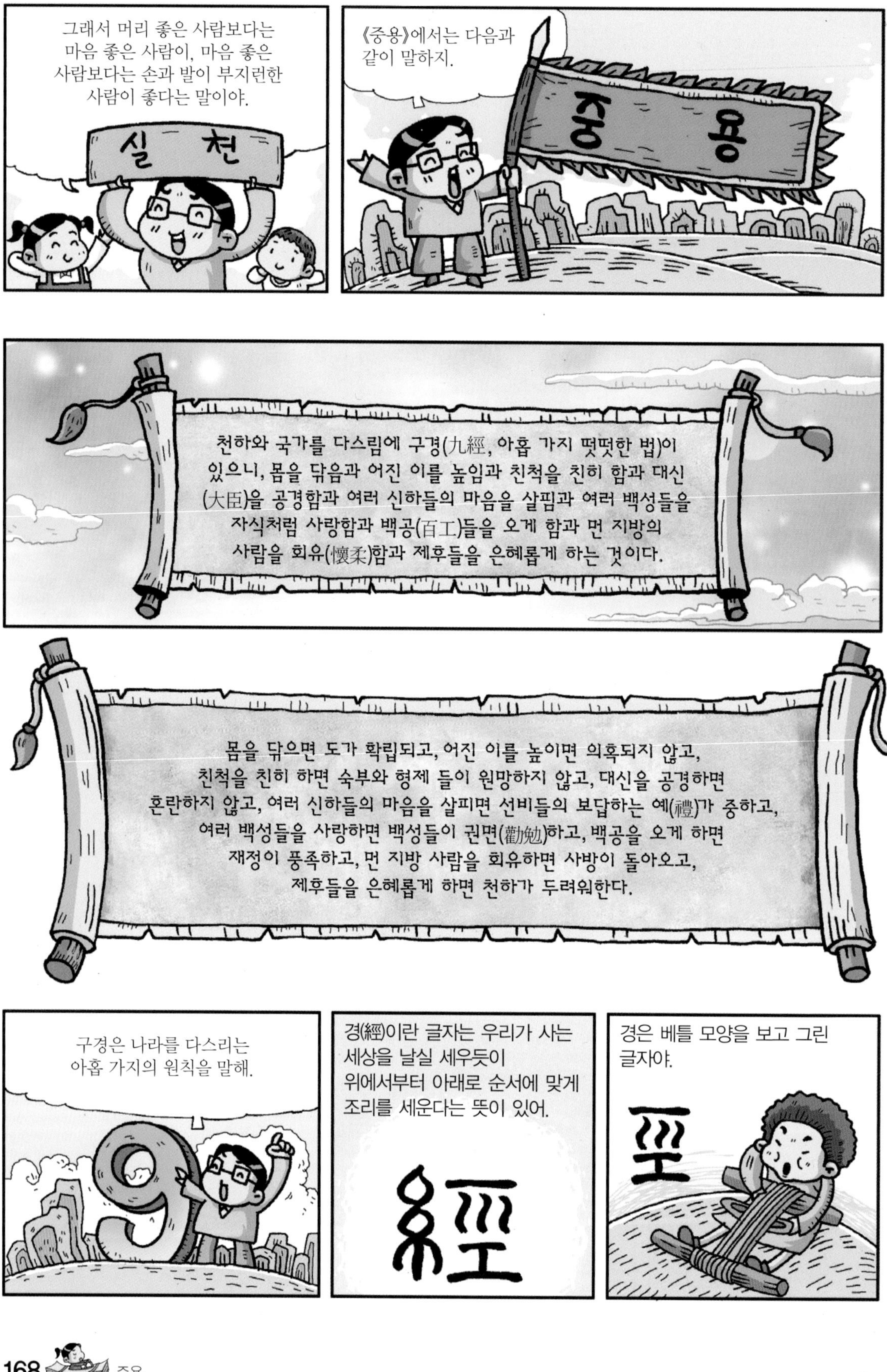
그래서 머리 좋은 사람보다는 마음 좋은 사람이, 마음 좋은 사람보다는 손과 발이 부지런한 사람이 좋다는 말이야.
실 천
《중용》에서는 다음과 같이 말하지.
중 용
천하와 국가를 다스림에 구경(九經, 아홉 가지 떳떳한 법)이 있으니, 몸을 닦음과 어진 이를 높임과 친척을 친히 함과 대신(大臣)을 공경함과 여러 신하들의 마음을 살핌과 여러 백성들을 자식처럼 사랑함과 백공(百工)들을 오게 함과 먼 지방의 사람을 회유(懷柔)함과 제후들을 은혜롭게 하는 것이다.
몸을 닦으면 도가 확립되고, 어진 이를 높이면 의혹되지 않고, 친척을 친히 하면 숙부와 형제 들이 원망하지 않고, 대신을 공경하면 혼란하지 않고, 여러 신하들의 마음을 살피면 선비들의 보답하는 예(禮)가 중하고, 여러 백성들을 사랑하면 백성들이 권면(勸勉)하고, 백공을 오게 하면 재정이 풍족하고, 먼 지방 사람을 회유하면 사방이 돌아오고, 제후들을 은혜롭게 하면 천하가 두려워한다.
구경은 나라를 다스리는 아홉 가지의 원칙을 말해.
경(經)이란 글자는 우리가 사는 세상을 날실 세우듯이 위에서부터 아래로 순서에 맞게 조리를 세운다는 뜻이 있어.
經
경은 베틀 모양을 보고 그린 글자야.

경(經)은 경(巠)과 실(糸)의
합성어로 베틀의 '날실'을 나타내.
巠 + 糸
베를 짤 때 날실 고르기를 하는데
준비된 명주실을 가지런히 골라 모으는
거지.
이런 준비 과정 때문에 '잘 놓다',
'직선 길', '다스리다'는 뜻으로
확장되어 쓰여.
천하와 국가의 근본이 한 몸에
달려 있기 때문에 수신을 근본으로
삼는 것이고,
국 가
수 신
현명한 인물을 존중하라는 것은
스승을 받들고 좋은 친구를
택하라는 뜻이야.
스승님 제가 인사 올립니다…
그래….
관계 속의 인간은,
좋은 관계를 맺기 위해
자신부터 수신해야겠지.
관 계
그래서 수신이 제일 먼저
놓이게 된 거야.
수신
마찬가지 이유로 나라를 다스리려면 먼저 가정부터 잘 다스려야 해.
가정
국 가
그래서 친족 사이의 사랑을
수신 뒤에 둔 것이야.
수신
친족의 사랑
국정의 집행은 대신과 신하 들의
임무야.
국정 집행
그래서 대신을 예의로써 대하고,
신하를 아껴야 한다는 항목을
친족 사랑의 뒤에 두었어.
수신
친족의 사랑

《대학》의 수신제가치국평천하(修身齊家治國平天下)의 체계와 완전히 일치하지. 《대학》에 아주 재미있고 쉽게 설명이 나와.
이 체계는 이유와 근본과 순서를 설명하고 있는데,
수신제가치국평천하
《중용》과 《대학》은 같이 공부하면 시너지 효과가 있어.
중용
대학
이제까지의 말을 정리하자면,
말한 바를 실천하는 것!
그 덕목이 무엇일까?
말[言]을 이룬다[成]는 뜻인 정성 · 성실을 나타내는 성(誠)이잖아요.
言
成
성은 수단도 아니며 방법도 아닌 도덕의 근본이야.
도덕
성

사람들 중에서
여러분을 가장 잘 아는 사람은
누구일까?
그야... 당연..
아빠와 엄마요.
선생님과
친구요.
그렇지.
부모와 친구가 여러분을 가장 잘 알고 이해하는 사람일 거야. 또한 여러분을 아끼고 사랑하며 용기를 주고
도와주려는 마음도 가장 많이 갖고 있는 사람들이지.
믿.... 음...
그런데 그들마저 여러분을 믿지
않는다면, 왜 그럴까?
그것은 여러분의 말과 행동에
도저히 용납할 수 없는
결점이 있기 때문일 거야.
말
행동
그렇기 때문에 그들마저
포기한 것이지.
앵?

성실해야만 남의 신임을 얻을 수 있다는 것이 《중용》에서 말하는 성(誠)의 논리야.
이 성이 모든 행동과 삶의 근본이라고 《중용》은 이야기하고 있어.

誠

제11장
지성이면 감천이다
지성

'지성이면 감천.' 이란 말을 아니?
정성이 지극하면 하늘도 감동한다는 말이잖아요.
무슨 일이든 공을 들여서 한다면 뜻대로 일이 풀린다는 뜻이지요.
그게 무슨 말이야?
노력은 배신하지 않는다는 말이죠.

《연금술사》라는 책에도 이와 비슷한 이야기가 나와요. 내가 무언가를 간절히 원할 때 온 우주는 내 소망이 실현되도록 도와준다는 말이죠.

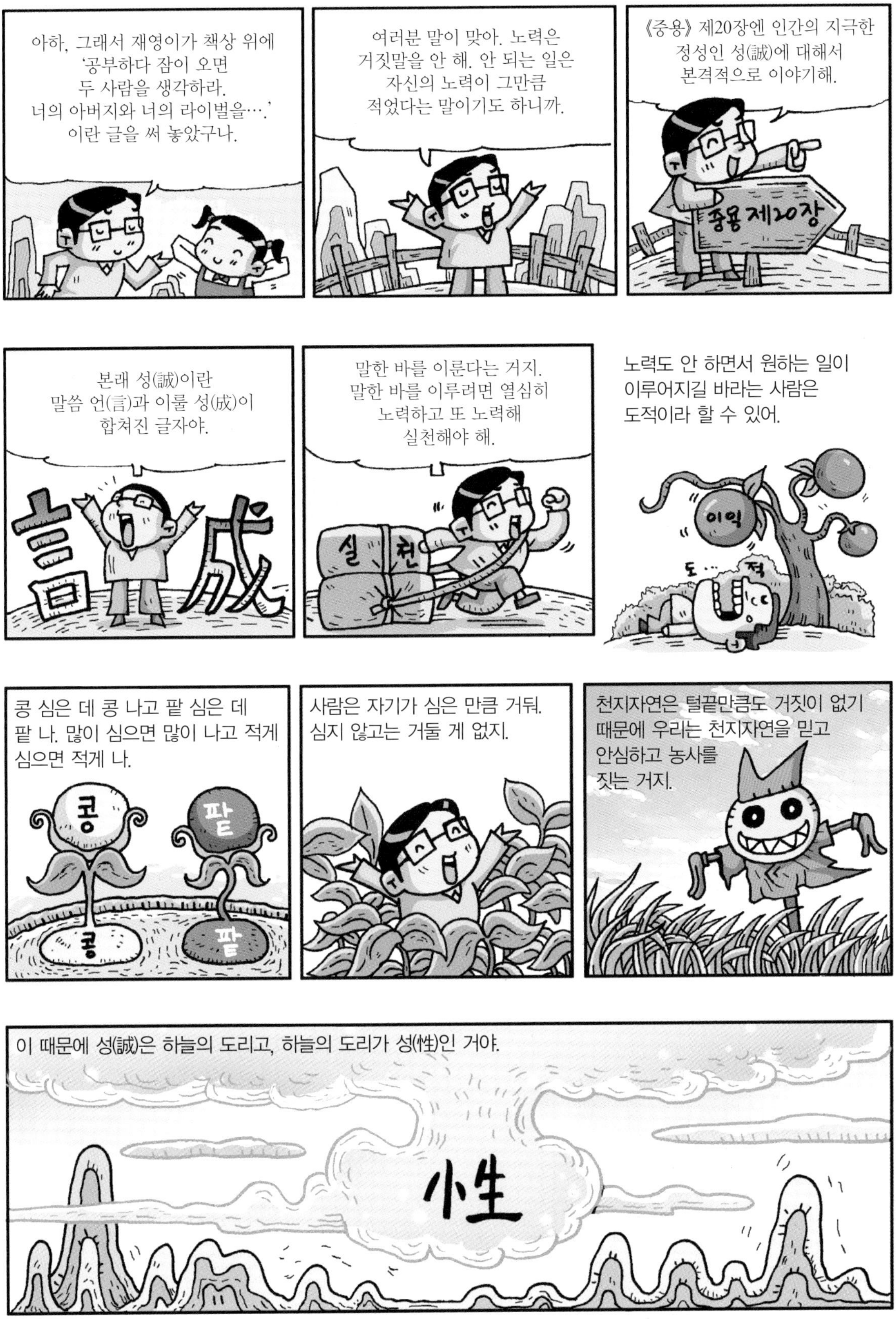
아하, 그래서 재영이가 책상 위에 '공부하다 잠이 오면 두 사람을 생각하라. 너의 아버지와 너의 라이벌을….' 이란 글을 써 놓았구나.
여러분 말이 맞아. 노력은 거짓말을 안 해. 안 되는 일은 자신의 노력이 그만큼 적었다는 말이기도 하니까.
《중용》 제20장엔 인간의 지극한 정성인 성(誠)에 대해서 본격적으로 이야기해.
중용 제20장
본래 성(誠)이란 말씀 언(言)과 이룰 성(成)이 합쳐진 글자야.
言
成
말한 바를 이룬다는 거지. 말한 바를 이루려면 열심히 노력하고 또 노력해 실천해야 해.
실천
노력도 안 하면서 원하는 일이 이루어지길 바라는 사람은 도적이라 할 수 있어.
이익
도… 적
콩 심은 데 콩 나고 팥 심은 데 팥 나. 많이 심으면 많이 나고 적게 심으면 적게 나.
콩
팥
콩
팥
사람은 자기가 심은 만큼 거둬. 심지 않고는 거둘 게 없지.
천지자연은 털끝만큼도 거짓이 없기 때문에 우리는 천지자연을 믿고 안심하고 농사를 짓는 거지.
이 때문에 성(誠)은 하늘의 도리고, 하늘의 도리가 성(性)인 거야.
性

그리고 성(性)을 따르는 것이 사람의 도리라고도 하는 거고. 하늘을 본받아 참되고 성실하기를 힘쓰는 것이 사람이 해야 할 일이고, 가야 할 길이라는 거야.
性
性
性
性
이걸 《중용》 제20장에서는 다음과 같이 말해.
성실한 자는 하늘의 도요, 성실히 하려는 자는 사람의 도이니, 성실한 자는 힘쓰지 않고도 도에 맞으며, 생각하지 않고도 알아서 조용히 도에 맞으니, 성인(聖人)이요, 성실히 하려는 자는 선(善)을 택하여 굳게 잡는 자이다.
정성스러운 것은 하늘의 작용이고 정성스럽게 되도록 노력하는 것은 사람의 도리야.
정성
젖먹이 아기들은 알맞게 젖을 먹으면 그냥 잠을 자. 저절로 그만 먹음으로써 과식하지 않고 건강을 유지하지.
이처럼 본성(本性)은 힘쓰지 않아도 저절로 적중하고 생각해서 저절로 최선의 결과를 얻게 해.
本 性

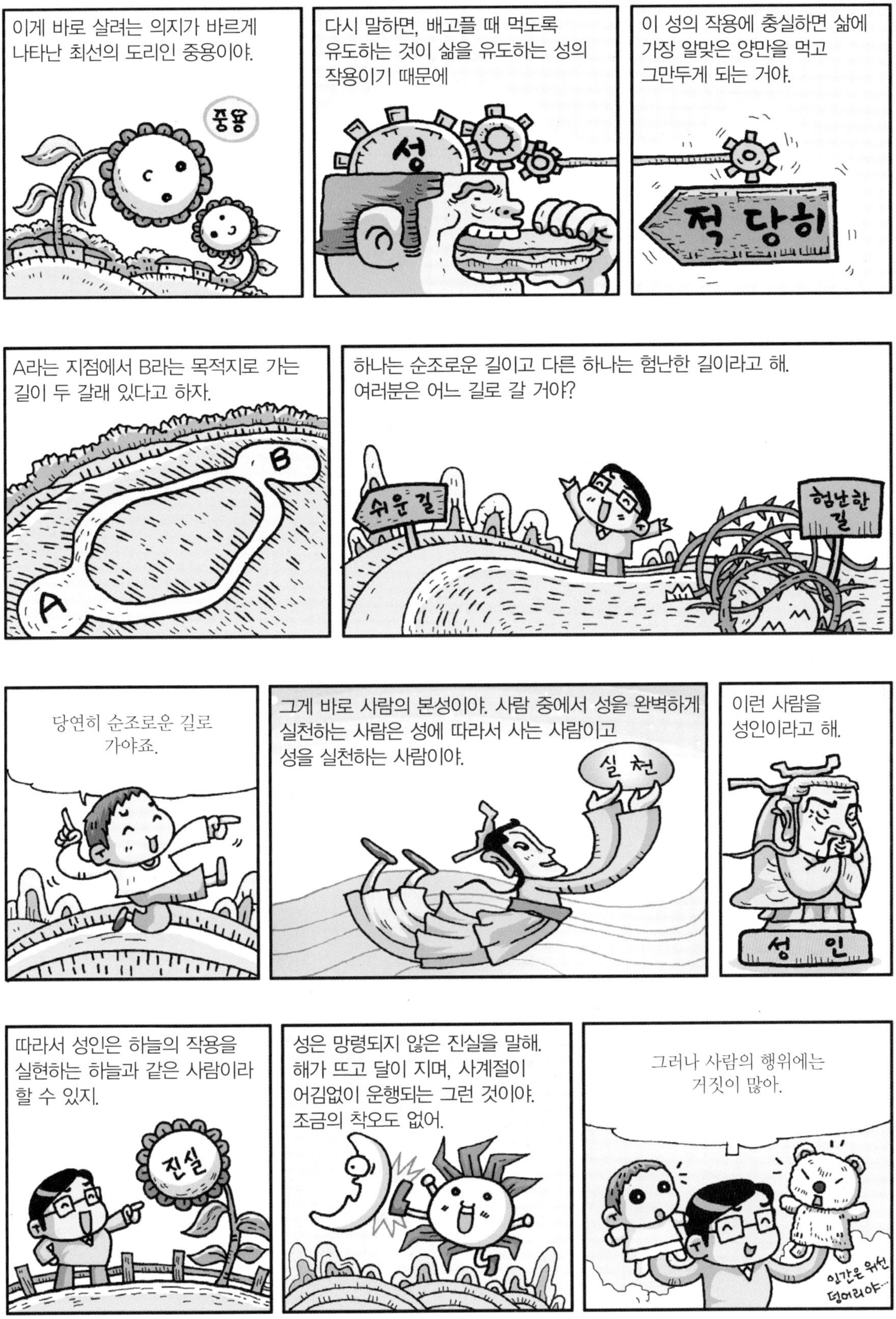

이게 바로 살려는 의지가 바르게 나타난 최선의 도리인 중용이야.
중용
다시 말하면, 배고플 때 먹도록 유도하는 것이 삶을 유도하는 성의 작용이기 때문에
성
이 성의 작용에 충실하면 삶에 가장 알맞은 양만을 먹고 그만두게 되는 거야.
적당히
A라는 지점에서 B라는 목적지로 가는 길이 두 갈래 있다고 하자.
B
A
하나는 순조로운 길이고 다른 하나는 험난한 길이라고 해. 여러분은 어느 길로 갈 거야?
쉬운 길
험난한 길
당연히 순조로운 길로 가야죠.
그게 바로 사람의 본성이야. 사람 중에서 성을 완벽하게 실천하는 사람은 성에 따라서 사는 사람이고 성을 실천하는 사람이야.
실천
이런 사람을 성인이라고 해.
성인
따라서 성인은 하늘의 작용을 실현하는 하늘과 같은 사람이라 할 수 있지.
진실
성은 망령되지 않은 진실을 말해. 해가 뜨고 달이 지며, 사계절이 어김없이 운행되는 그런 것이야. 조금의 착오도 없어.
그러나 사람의 행위에는 거짓이 많아.
인간은 위선 덩어리야…

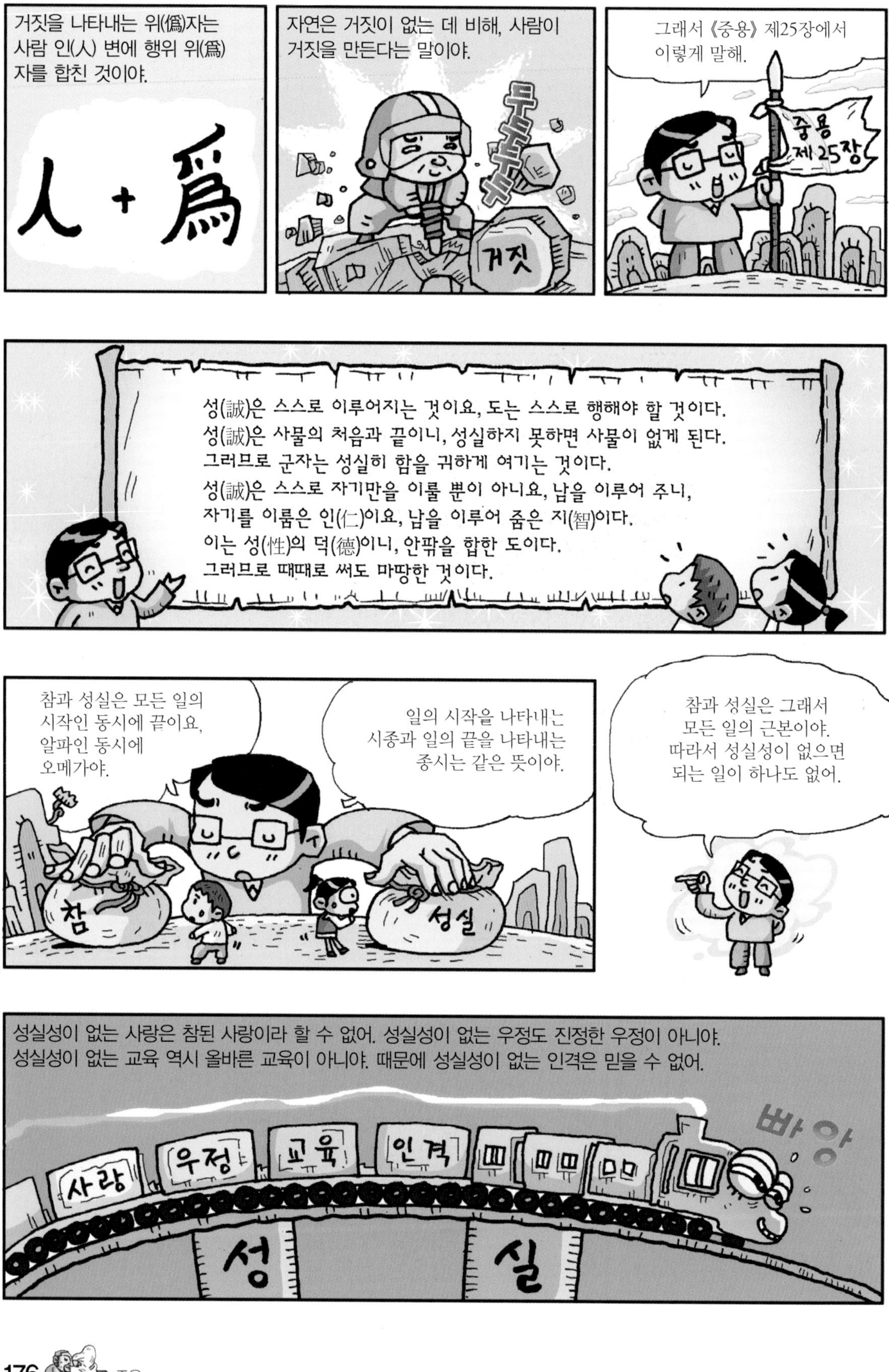
거짓을 나타내는 위(僞)자는 사람 인(人) 변에 행위 위(爲) 자를 합친 것이야.
人 + 爲
자연은 거짓이 없는 데 비해, 사람이 거짓을 만든다는 말이야.
두두두두
거짓
그래서 《중용》 제25장에서 이렇게 말해.
중용 제25장
성(誠)은 스스로 이루어지는 것이요, 도는 스스로 행해야 할 것이다.
성(誠)은 사물의 처음과 끝이니, 성실하지 못하면 사물이 없게 된다.
그러므로 군자는 성실히 함을 귀하게 여기는 것이다.
성(誠)은 스스로 자기만을 이룰 뿐이 아니요, 남을 이루어 주니,
자기를 이룸은 인(仁)이요, 남을 이루어 줌은 지(智)이다.
이는 성(性)의 덕(德)이니, 안팎을 합한 도이다.
그러므로 때때로 써도 마땅한 것이다.
참과 성실은 모든 일의 시작인 동시에 끝이요, 알파인 동시에 오메가야.
일의 시작을 나타내는 시종과 일의 끝을 나타내는 종시는 같은 뜻이야.
참
성실
참과 성실은 그래서 모든 일의 근본이야. 따라서 성실성이 없으면 되는 일이 하나도 없어.
성실성이 없는 사랑은 참된 사랑이라 할 수 없어. 성실성이 없는 우정도 진정한 우정이 아니야.
성실성이 없는 교육 역시 올바른 교육이 아니야. 때문에 성실성이 없는 인격은 믿을 수 없어.
빠앙
사랑
우정
교육
인격
성
실

그래서 《중용》 제25장에서는 성(誠)은 스스로 이루는 것이고, 도는 스스로 행해야 할 길이라고 말하지.
성
도
중용 25장
성실은 모든 사람이 마땅히 행해야 하는 근본이야.
성실
성실은 사람의 마음에서부터 시작해야 하는 인간의 최고 가치야.
성실
이 때문에 우리는 모두 성실한 사람이 되어야 해.
성실
동서고금의 모든 책 중에서 성실의 원리를 가장 잘 표현하고 강조한 책이 《중용》이야.
중용
성실은 중용의 중심 사상이며 핵심 원리야.
중용 사상
성실
그렇다면 인(仁)과 지(智)는 성(誠)과 무관할까?
仁
智
誠
인을 본체로 삼아야만 자신을 성취시키고,
지를 응용하여 사물을 성취시킬 수 있어.
인
지
그러나 근본은 여전히 성실에 있어. 성실이 없으면 아무것도 없다고 할 수 있어.
성실
따라서 성실은 모든 만물을 성취시키는 근본이며 우리들 본성에 있는 고유한 것이야!
성
실

성(誠)은 성(性)의 작용이 한순간도 쉬지 않고 지속되는 양상을 나타내서 붙인 말이야.
誠
性 性 性
성(誠)으로 나타나는 성(性)의 작용은 밤과 낮을 순환시키며,
봄, 여름, 가을, 겨울을 순환시키며 만물의 삶을 지속시켜.
잠깐만요. 그렇다면 정성스럽다, 말한 바를 이룬다는 성(誠)은
살려는 의지인 본성, 아니 태어나면서 갖게 된 마음인 성(性)이 나타나는 모습이란 이야긴가요?
바로 그거야. 성(性)은 인간의 욕구나 의지와 관계없이 저절로 이루어지는 것이야.
봄이 가면 인간의 의지와 관계없이 여름이 오고
와~ 여름이다!
밤이 지나면 낮이 오지?
그리고 호흡이나 심장의 박동도 여러분의 의지와는 관계없이 지속되지? 모두 저절로 이루어지는 것이야.
춘하추동의 계절 변화, 낮과 밤의 교차 등의 천지 변화와 만물의 삶은 일정한 길이 있어.

이 길 역시 인간의 욕구와 관계없이 성(性)의 작용에 따라 저절로 형성되는 것이야.
인간의 욕구와 관계없이 물은 아래로 흐르고 나무는 위로 자라지. 이것이 바로 성(性)에 따른 성(誠)의 나타남이야.
이런 이유 때문에 인간이 마땅히 행해야 하는 도리도 근본적으로는 배우거나 생각해서 알 수 있는 것이 아니야. 성실해지면 저절로 터득되지.
아직 성실성이 터득되지 않은 사람은 성실성이 터득된 성인의 삶의 형태를 배우고 기억하여 실천함으로써 성실한 삶에 가까이 갈 수 있어. 또한 성실성을 터득하고 나면 노력하거나 생각하지 않아도 저절로 인간의 도리가 실천되는 이유가 이런 까닭이야.
대학
중용
성실
성인들의 삶...
실...천...
도리
정성스러우면 이로 말미암아 모든 것을 저절로 잘 알게 돼.
정성
아이를 낳고 기르는 방법을 잘 모르는 여자도 정성스러움으로 말미암아 아이를 잘 낳고 기를 수 있지.
이는 성(誠)을 충실히 따른 결과야.
성

그러나 아이를 낳고 기르는 방법을 학문적으로 연구하고 배워서 아이를 기르는 최선의 방법이 정성을 다하는 것임을 알게 될 수도 있지.
육아
육아
이것을 교육적인 효과라고 해. 이와 마찬가지로 동식물을 기르거나
장사를 하는 등 모든 인간의 일에서도 지극히 정성스러우면 그 방법은 저절로 터득되지.
또한 방법을 잘 알면 정성스러워지기도 하고.
따라서 정성(誠)은 성(性)의 나타남이고, 정성을 통해서 성을 이해할 수 있는 거야.
결론적으로 말해서, 정성(誠)은 성(性)이 나타난 형태와 모양을 말해.
정성
성
따라서 성(性)은 본질이고 정성을 나타내는 성(誠)은 현상이라고 할 수 있어.
성
본질
뇌병변이란 질환이 있어. 뇌에 탈이 나서 언어장애나 손과 발이 저리거나 아픈 질병이야.
여기서 뇌는 질병 발생과 고통의 원인이고
그 결과로 언어장애가 오고 손과 발이 저려.
이때 손과 발을 부지런히 놀리고 운동을 하면 언어장애와 뇌병변이 치료되기도 해.
여기서 뇌가 성(性)이라 할 수 있고, 뇌병변과 언어장애 및 손과 발의 저림 현상이 성(誠)이라 할 수 있어.
뇌

이 때문에 성(誠)은 성(性)이 나타나는 현상이라 하는 거야.
냄새..
정성
뽕
뽕
뽕
음식은 성이고
방귀는 정성….
뭐

이리하여 《중용》 제24장에는 지극한 성실에 이른 성인은 미래의 일까지도 알 수 있다는 '지성여신' 이란 말이 나와.
중용 제24장

지성(至誠)의 도는 일이 닥쳐오기 전에 미리 알 수 있으니,
국가가 장차 일어나려면 반드시 상서로운 조짐이 있으며, 국가가 장차 망하려면
반드시 요괴스러운 일이 있어, 시초점*과 거북점**에 나타나며, 사체(四體)에 드러난다.
그리하여 화와 복이 장차 이르름에 좋을 것을 반드시 먼저 알며,
좋지 못할 것을 반드시 먼저 안다. 그러므로 지성(至誠)은 신(神)과 같은 것이다.

*시초점 – 톱풀을 이용해 치는 점.
**거북점 – 거북의 등딱지를 불에 태워 그 갈라지는 틈을 보고 길흉을 판단하는 점.

인류에게는 예측 능력이 있어. 현재의 현상을 근거로 미래를 예측하기도 하고,
占

어떤 예감을 느끼기도 하지.
꿈 해몽..
꿈에 돼지를 봤는데….

성실의 극치에 이른 사람은 미래를 예측해 보는 능력도 있어.

이건 원인을 분석하여 결과를 알 수 있고, 자연의 추세를 보고 화복을 미리 알 수 있는 이치야.
자연의
원인
분석
이치… 깨달음…
어떻게 이럴 수 있을까?

그건 정성이 성의 나타남이고, 성은 이 우주로, 자연을 움직이는 하늘의 명이고 원리이며 이치이기 때문이야. 이 때문에 지성여신이란 거야. 지성은 신과 같은 위대한 힘이 있다는 뜻이지.
정
성
국가적으로도 그 국가의 정치이념이 건실하여 백성들의 삶을 충족시킬 수 있는 것이라면 백성들의 마음도 이로 말미암아 성실해지겠지?
성
실
국가정책
그 성실해진 결과는 국민들의 노랫소리나 젊은이들의 꿈과 행복으로 나타나고 말이야.
한 가정에서도 가족이 성실하고 밝으면 그 집에 있는 동식물도 다 잘 자라.
푸하하
국가적으로도 백성들이 성실해지면 그 나라의 동식물도 삶이 충만해 잘 자라지.
국가건실
그래서 풍년이 들고, 사람들의 생활도 풍요로워지는 거야.
풍년
이 모든 것을 상서로운 징조인 정상*이라 하는 거야.
이와 반대로 국가의 정치이념이 국민의 삶을 저해하면 백성들의 마음은 이로 말미암아 고달파지겠지?
국가부실
사람들이 꿈과 희망이 없으니 불성실하게 되고,
일 안 해?
희망이 보여야
일을 하죠!

*정상(禎祥) – 경사롭고 복스러운 징조.

이 때문에 퇴폐적인 풍조가 나타나 허무주의나 쾌락주의에 빠지며 젊은이들은 삶의 목표를 잃고 방황하게 되지.
노래
이런 기운은 동식물에게도 영향을 미쳐.
그리하여 삶에 충실하지 못함으로써 갑자기 죽는다든가 하는 괴이한 현상들이 발생해.
이 모든 것이 '요사하게 꾸미고 치장하다'는 요얼(妖孼)이야. 이렇게 되면 나라는 망하지.
妖孼
돌발 퀴즈! 왜 사람들이 점을 볼까?
그거야 미래의 일이 궁금해 서겠지요.
아마도 자신이 행하는 일이 잘하는 일인지 잘못된 일인지를
하늘에 묻기 위해서라고 사회시간에 배웠어요.
산가지 시초풀로 하는 주역점이나 거북 껍질로 하는 거북점은,
거북…점?
성(性)의 작용에 따라 충실하게 살아가는 본래의 자기에게 그렇지 못한 현재의 자기가 묻는 행위야.
이것이 거북점이고 주역점이야. 점을 통해서 사람은
미래의 상황에 대한 바람직한 대처방안을 찾아내려 하지.
점
미래
마음이 성실해지면 몸도 착실하게 되어 말이나 행동이 예에 맞지만, 말이나 행동에 성실이 없다면 예에 맞지 않게 돼.

이처럼 길흉화복에 대해서 성실한 사람은
그것을 먼저 알아서 대처하므로
신과 같이 신통하다고 하는 것이야.
吉
凶
이것이 성실의 극치에 이르면
신과 같아진다는 지성여신
(至誠如神)이야.
지성여신
성인은 이미 지극한 선의 경지에
도달했기 때문에, 성을 실천할 때
억지를 부리거나 생각만으로
그치지 않아.
성인
조화를 이루며 극단과 극단의 중을 택하여
실천하고 몸소 본을 보이지.
성
탑
하지만 평범한 사람은 여전히
인간의 욕심을 버리지 못하기
때문에,
욕심
성을 이루기가 어려워.
욕심
평범한 사람은 선을 밝게 생각하면서
실천하는 일을 게을리 하지 말아야
성에 어울릴 수 있는 거야.
성
이 때문에 성인만이
자연스럽게 도에 부합되고,
평범한 사람은 고집스런 노력을
해야 성을 이룰 수 있는 거야.
성
일반인은 선을 택하여
밀고 나가는 것에서부터 성이 출발한다고
할 수 있어.
출발
선
그렇다면 선을 택하고
밀고 나가기 위해서는
어떻게 해야 할까?
그건 총명해지고 강해져야 해.
무엇이 옳고 그른지를 알아야,
옳은 일을 행하고 그른 일을
고칠 수 있으니까.

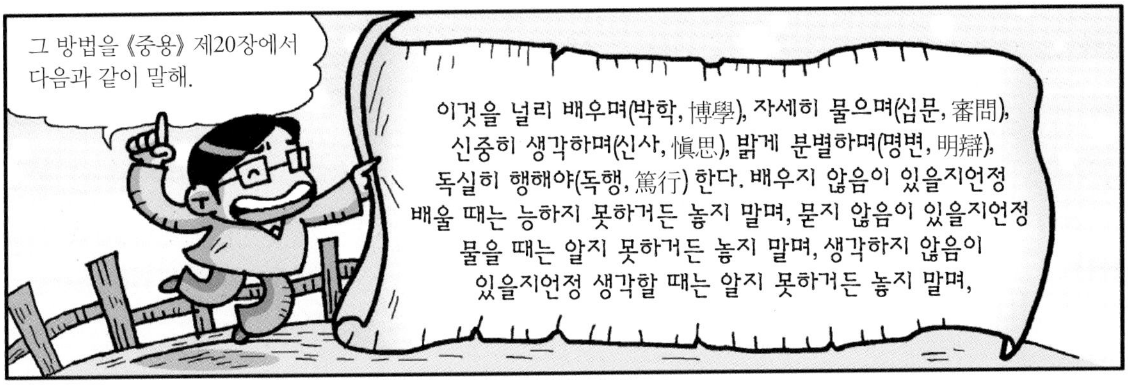
그 방법을 《중용》 제20장에서 다음과 같이 말해.
이것을 널리 배우며(박학, 博學), 자세히 물으며(심문, 審問), 신중히 생각하며(신사, 愼思), 밝게 분별하며(명변, 明辯), 독실히 행해야(독행, 篤行) 한다. 배우지 않음이 있을지언정 배울 때는 능하지 못하거든 놓지 말며, 묻지 않음이 있을지언정 물을 때는 알지 못하거든 놓지 말며, 생각하지 않음이 있을지언정 생각할 때는 알지 못하거든 놓지 말며,

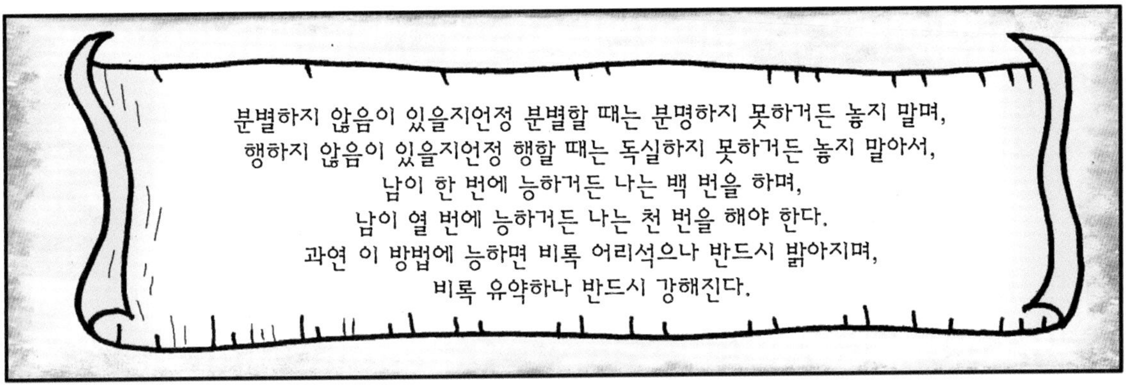
분별하지 않음이 있을지언정 분별할 때는 분명하지 못하거든 놓지 말며, 행하지 않음이 있을지언정 행할 때는 독실하지 못하거든 놓지 말아서, 남이 한 번에 능하거든 나는 백 번을 하며, 남이 열 번에 능하거든 나는 천 번을 해야 한다. 과연 이 방법에 능하면 비록 어리석으나 반드시 밝아지며, 비록 유약하나 반드시 강해진다.

박학, 심문, 신사, 명변, 독행은 본래 성의 실천에 대한 논리야. 하지만 후세 사람들이 학문을 연구하는 원칙과 방법으로도 여기게 되었지.
박학
심문
신사
명변
독행
성의 실현

남이 한 번에 익히면 나는 백 번, 천 번을 익히는 것이야말로, 힘써 노력함으로써 알게 된다는 설명이야.
하늘천
따지
검을

한번 생각해 봐! 학문에 뜻을 둔 사람이 이렇게 할 수만 있다면, 성공하지 못하겠어?

여러분도 명심해 둬. 세상에 공짜는 없다는 사실을.
땅을 파…
10원이라도.. 나오나…

학문을 탐구하는 데 있어 끊임없이 연구하고 노력해야 목표를 이룰 수 있다는 사실을.
깡
학문

끝까지 널리 배우고 깊게 묻고 신중히 생각하고
명확하게 분별하고 힘써 실천하고 행하기를 남보다
백 배 노력한다면 비록 어리석을지라도
반드시 밝아지고, 비록 나약하더라도 반드시
강해지게 되어 있어.
노력은 절대 거짓으로 답하지 않아. 노력하면
그 결과는 반드시 진실로 나타나.
노력
진실
뻥
그래서 《중용》 제21장에서는 성(誠), 성(性),
교(敎)의 관계를 다시 밝히고 있어.
중용 제21장
성(誠)으로 말미암아 밝아짐을 성(性)이라 이르고,
명(明)으로 말미암아 성실해짐을 교(敎)라 이르니,
성실하면 밝아지고, 밝아지면 성실해진다.
끊임없이 노력함으로써 알게
되는 게 인간의 본성인 성(性)이야.
노력
성
사람들은 왜 공부하고
알고자 할까?
노력
그건 생명의 본질이 살고자 하는
의지이기 때문이야. 그리고 그 의지는
남이 잘 되도록 노력하는 '살려는 의지' 야.
의지

이 의지를 통해서 하고자 하는 바를 이루도록 실천하는 게 성(誠)이고.
의지
성
무엇이 옳고 그른지를 알려면 성인의 가르침이 필요해.
그 가르침이 교(敎)야.
훌륭한 사람은 배움에 들어가 힘써 노력하여 행함으로써, 성을 밝히는 명성(明誠)의 경지에 이를 수 있어.
명
성
그러므로 정성스러운 성(誠)은 인간의 도리이며, 사람의 노력으로 이루어지는 거라 할 수 있어.
성
그리하여 《중용》 제26장에서는 지극한 정성됨의 특징에 대해서 논해.
중용 제26장
그러므로 지성(至誠)은 쉽이 없으니, 쉬지 않으면 오래고, 오래면 효험이 나타나고,

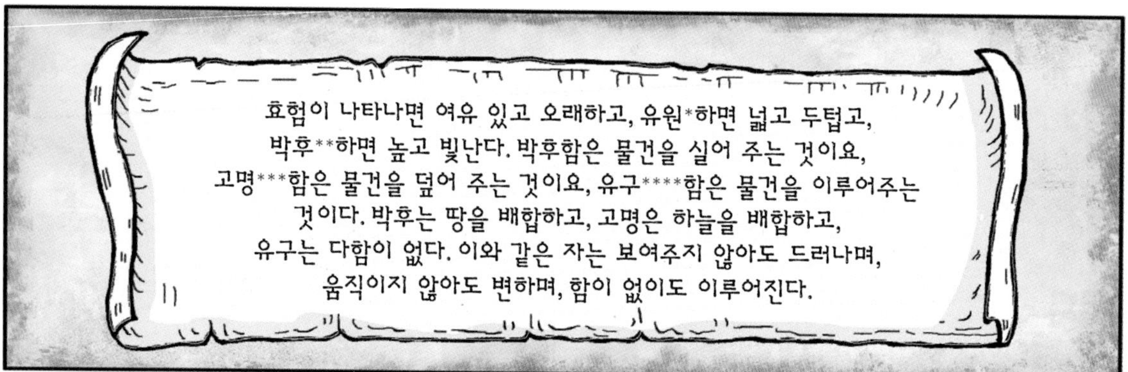
효험이 나타나면 여유 있고 오래하고, 유원*하면 넓고 두텁고,
박후**하면 높고 빛난다. 박후함은 물건을 실어 주는 것이요,
고명***함은 물건을 덮어 주는 것이요, 유구****함은 물건을 이루어주는
것이다. 박후는 땅을 배합하고, 고명은 하늘을 배합하고,
유구는 다함이 없다. 이와 같은 자는 보여주지 않아도 드러나며,
움직이지 않아도 변하며, 함이 없이도 이루어진다.

*유원(悠遠) – 심오하여 아득하다. **박후(博厚) – 인품이 소박하고 후하다. ***고명(高明) – 식견이 높고 사물에 밝음.
****유구(悠久) – 아득하고 오래다.

끊임없는 성(性)의 작용을 성(誠)이라고 하였으므로
誠
性
性
性
성(誠)을 실천하는 사람은 당연히 쉼이 없고 쉼이 없으면 이루고자 하는 바를 이룰 수 있어.
철썩
성실성이 오래 지속되면 성(性)의 작용이 충만함으로써 마음은 도심(道心)으로 가득 차고, 가득 찬 것은 자연히 몸 밖으로 나타나지.
성실성
性
性
性
이런 나타남은 어린아이와 같은 순수함이 되며,
순수
삶은 육체적 욕구에 따른 삶에서 성(性)의 작용에 따른 삶으로 바뀌게 되지.
끙
삶
성
선생님! 무슨 말씀인지 또 모르겠어요.
이건 여태까지 설명한 건데, 추상화시켜 말하니까 어려워하는구나.
선생님도 살려는 의지인 성(性)이 있고, 재영이와 남규도 있지?
아니, 이 세상 모든 생명체들은 다 갖고 있잖아?

마치 해바라기가 살기 위해서 해를 따라 꽃을 피우고,
살려는 성
연어가 자손을 보존하기 위해 강물을 거꾸로 오르는 것도 살려는 본성에 따른 거잖아.
이런 의미에서 본다면, 살려는 의지는 시간성과 공간성을 초월하여 영원성이 있는 거지.
육체는 시간 속에서 생로병사 하지만 성(性)은 특정한 육체에 국한되지 않는다는 말이지.
성
이 때문에 선생님의 성(性)은 재영이, 남규의 성이 되기도 하고, 또한 너희들의 성(性)은 만물의 성이 되기도 하잖아.
小生
그리고 성(性)은 정성스럽고 성실한 성(誠)을 통해 나타난다고 했으니
誠
성(誠)을 실천함으로써 성(性)의 작용에 따른 삶이 지속된다면 그 삶은 만물의 삶 그 자체가 되어 넓고 두터워진다고 하는 거야.
성
넓고 두터운 삶은 공통적 · 전체적인 것이고 형체를 초월한 형이상적인 것이기 때문에 높고 밝다고 할 수 있지.
하늘이 그 어떤 모습을 나타내고 있지는 않잖아. 하지만 하늘과 땅은 말없이 움직이면서 만물을 질서정연하게 움직이고 변화시키잖아.
이처럼 만물의 주체가 되고 통괄할 수 있으려면, 높고 밝아야 해. 이것이 바로 하늘과 땅이 천지가 된 이유야.
천 지

제12장 세상을 살아가는 방법

휴, 이제까지 중용에 대해 공부를 해 왔어.
중용
정말 형이상학적인 문제를 설명하다 보니, 선생님이 너무 힘들었어.
중용
하지만 명심해! 이 세상에 공부만큼 재미있고 질리지 않는 것도 없으니까.
에이, 선생님! 공부가 뭐가 재미있어요?
맞아요. 공부가 얼마나 지겨운데요.
여러분은 공부하다 지치면 컴퓨터 게임도 하고, 친구들과 놀기도 하지. 그리고 운동도 하잖아.

공부도 마찬가지야. 세계 여행을 가고 싶으면 앉아서도 갈 수 있어.
그뿐이니? 우주여행도 갈 수 있어.
외롭거나 슬플 땐 마음을 위안해 줄 시를 읽으면 좋을 것이고,
인생이 힘들다고 생각할 땐 위인전이나 장편 소설을 읽으면 되지.
그도 저도 귀찮다 싶으면 아주 재미있고 유쾌한 만화책을 읽으면 되잖아.
인문 고전
이제 《중용》의 마지막 강의네. 《중용》은 우리에게 어떻게 살라고 이야기하는 걸까?
"중용"
사람은 관계 속에서만 의미가 있다고 했지?
펑
관계
사람과 사람 사이의 관계에선 서로 좋아하고 미워하는 관계가 반드시 만들어지지.
관계
사랑
미움
이제 《중용》을 마무리하면서 너무나 잘 알려진 이야기를 해 줄게.
중용
조선 시대 명재상이었던 황희* 정승의 일화야. 어느 날 집에서 하인들이 싸움을 하다가 그중 한 하인이 황희에게 와서 자기가 옳다고 하소연했대.
그러자 황희 정승은 "네가 옳다." 하고 돌려보냈대. 그런데 이번에는 상대방 하인이 와서
자기가 옳다고 주장했대. 황희는 그에게도 "네가 옳다."라고 말했대.

*황희(黃喜, 1363~1452) – 조선 시대의 명신. 세종 때 18년간 영의정을 지내면서 농사법을 개량하고 예법을 개정하는 등 문물제도의 정비에 힘썼으며, 어질고 깨끗한 관리의 표본이 되었다.

옆에서 이를 지켜보던 부인이 어이가 없어서
한쪽이 옳으면 한쪽이 그른 것이지, 어떻게 양쪽이 다 옳을 수 있습니까?
그러자 황희는 부인에게도 "부인의 말도 옳소."라고 했대. 정말 황당하지?
지혜
이 일화는 옳고 그름의 갈등을 다루는 황희 정승의 지혜가 잘 나타나 있어.
그는 누가 옳고 누가 그르고의 시비 차원에서 이 갈등을 바라보지 않았어. 그는 옳다 그르다의 시비차원(是非次元)이나 좋다 나쁘다의 호오차원(好惡次元)을 초월해서 사태를 보고 있는 거야.
是非次元
好惡次元
그는 두 하인 중 어느 쪽에도 치우치지 않고 중립적 입장에서 사물과 사태를 본 거야.
중
립
이를 통해 그는 하인들이 진정으로 바라던 주인의 인정을 양쪽 모두에게 줄 수 있었지.
중용의 참뜻이 그대로 나타난 일화라고 할 수 있어.
중
용
무슨 말인지 모르겠다고? 시비 차원에서는 한쪽이 옳으면 반드시 한쪽은 그른 것이 되지.
이기고 지고가 명확해지지. 이긴 쪽은 이겨서 기쁘겠지만, 진 쪽은 져서 슬플 거야.
그리고 다음에 이기기 위해서 이를 악물고 노력하거나 음모를 꾸미기도 할 거야.
다음엔… 반드시…
음모
하지만 시비 차원을 넘어서게 되면 누가 옳고 누가 그른 것이 아니라 양쪽 모두가 옳을 수 있게 돼.
따라서 앞의 일화에서처럼 양쪽 모두가 이길 수 있는 거야.

옳고 그름을 판단해 주는 권위 있는 사람이 네가 옳다, 또한 너도 옳다라고 하였으니, 두 하인은 기쁜 마음으로 돌아갈 수 있었지.
내 말이 맞대..
날 인정 했어..
그렇다면 이것이 어떻게 가능할까?
우리는 옳고 그름 또는 좋고 나쁨을 어떻게 초월할 수 있을까?
중용은 누가 옳고 누가 그르고의 시비를 초월하여 글자 그대로 어느 쪽에도 치우침 없이 중립적 입장에 서는 것을 말해.
중
립
중용
그리하여 양쪽 모두가 만족할 수 있는 방식으로 갈등을 해결하는 것이라고 볼 수 있어.
이게 중용에 따르는 삶이야. 자신이 옳다는 말을 들은 하인은 일단 기분이 좋을 거야.
중용
그리고 다른 하인에게도 옳다는 말을 한 황희 정승의 말을 듣고는 자신을 돌아보겠지.
자신의 옳은 점과 고쳐야 할 점을 생각하게 되는 거야.
내가 다 잘한 건 아닌데?
이는 상대편 하인도 마찬가지고 부인의 경우도 마찬가지야.
이 세상 만물은 각각 자기의 특징대로 다양하게 삶을 유지해.
개성대로 사는 거야….
키 큰 사람이 있으면 키가 작은 사람도 있어.

공부를 잘하는 사람이 있으면, 운동을 잘하는 사람도 있지.
오직 인간만이 그 모든 걸 잘하려고 시샘하고 경쟁해.
러닝
그런데 자연은 달라. 장미, 해바라기, 민들레, 채송화, 튤립, 할미꽃 등 여러 가지 꽃이 많아.
하지만 이 꽃들은 자신의 향기와 빛깔이 왜 이렇게 생겼냐고 탓하지 않아.
이들은 하늘과 땅에서 얻는 혜택이 근본적으로 같기 때문에 그 다양성이 차별성으로 나타나지 않고 조화로움으로 나타나거든. 살려는 의지가 남을 살리는 의지로 자연스럽게 조화를 이루고 있지.
힘이 센 형과 머리 좋은 아우가 있을 때,
아버지가 형에게 씨름을 하도록 하고, 아우에게는 공부를 하게 했다고 하자.
이때 서로 다르게 표현되는 아버지의 뜻이 차별로 느껴지면 형은 자신에게 공부를 시키지 않은 아버지의 뜻에 불만이 생기겠지.
나도.. 공부하고.. 싶어..
그래서 공부하는 아우가 미워질 거야. 이건 아우의 처지에서도 마찬가지일 것이고.
그런데 이러한 불만은 서로 다르게 표현되는 아버지의 뜻이, 자식을 사랑하는 마음이라는 사실을 아들들이 알게 될 때 없어지지.
그러면 형제는 서로 미워하는 마음이 없어지고, 오히려 서로를 위해 주지. 그리고 아버지에겐 감사하고 말이야.

만물이 각각 서로 다른 양상의 삶을 영위하지만 모두 각각의 삶에 충실하며 다른 것을 해치지 않고 조화를 이루는 것은 이 때문이야.
선생님의 이 말을 황희 정승의 이야기와 비교하면 어떨까?
황희 정승이 아빠일 것이고, 두 하인과 부인이 형과 아우일 것 같네요.
각각의 꽃들과 사람들은 하인과 부인일 것이고, 하늘과 땅으로 표현한 게 황희 정승인 것 같아요.
국가는 사람과 사람의 관계에서 가장 큰 관계야.
국가
그래서 《중용》 제27장에서는 나라에 도가 있을 때와 없을 때에 처신하는 방법을 말해 주고 있어.
중용

위대하다, 성인의 도여! 넓고 가득하게 만물을 발육하여 높음이 하늘에 다하였다.
크고 성대하다. 예의(禮儀)가 3백 가지요, 위의(威儀)가 3천 가지이다. 훌륭한 사람을 기다린 뒤에 행해진다.
그러므로 '만일 지극한 덕(德)이 아니면 지극한 도(道)가 모이지 않는다.' 고 말한 것이다.
그러므로 군자는 덕성(德性)을 높이고 학문을 말미암으니, 광대함을 지극히 하고 정미*함을 다하며, 고명(高明)을 다하고 중용(中庸)을 따르며, 옛것을 잊지 않고 새로운 것을 알며, 두터움을 돈독하게 하고 예를 높이는 것이다.

* 정미(精微) – 정밀하고 자세함.

그러므로 윗자리에 있을 때에는 교만하지 않고, 아랫사람이 되어서는 배반하지 않는다. 나라가 도가 있을 때에는 그 말이 흥기*시킬 수 있고, 나라에 도가 없을 때에는 그 침묵이 몸을 용납할 수 있다. 《시경》에 이르기를, '이미 밝고 또 밝아 그 몸을 보전한다.' 하였으니, 이것을 말함일 것이다.

*흥기(興起) – 떨치고 일어남, 세력이 왕성해짐.

오직 천하의 지극히 정성스러운 사람만이 귀 밝고 눈 밝고
정
성
슬기롭고 지혜로워 높고도 높은 하늘의 역할을 다할 수 있어.
귀가 밝아서 만물의 소리를 듣고 눈이 밝아서 만물의 모습을 볼 수 있어.
천리안…
더워야 할 때 덥게 하고, 비가 와야 할 때 비를 내리고, 추워야 할 때 춥도록 할 수 있는 역할을 하는 게 성인이야.
성
이 때문에 성인은 너그럽고 넉넉하며 따뜻하고 부드러워, 만물을 다 포용하는 땅의 역할을 다할 수 있지.
또한 발랄하고 강하며 굳세고 꿋꿋하기 때문에 지속적으로 만물의 삶을 붙들어 주고 북돋아 주기도 하는 게 성인이야.
철썩
또 마음을 가다듬고 엄숙하며 놓인 상황에 알맞고 바르게 대처하여 내적인 경건성이 외적으로 조화됨으로써 전체적인 조화를 이루고 있는 모습이 성인이야.

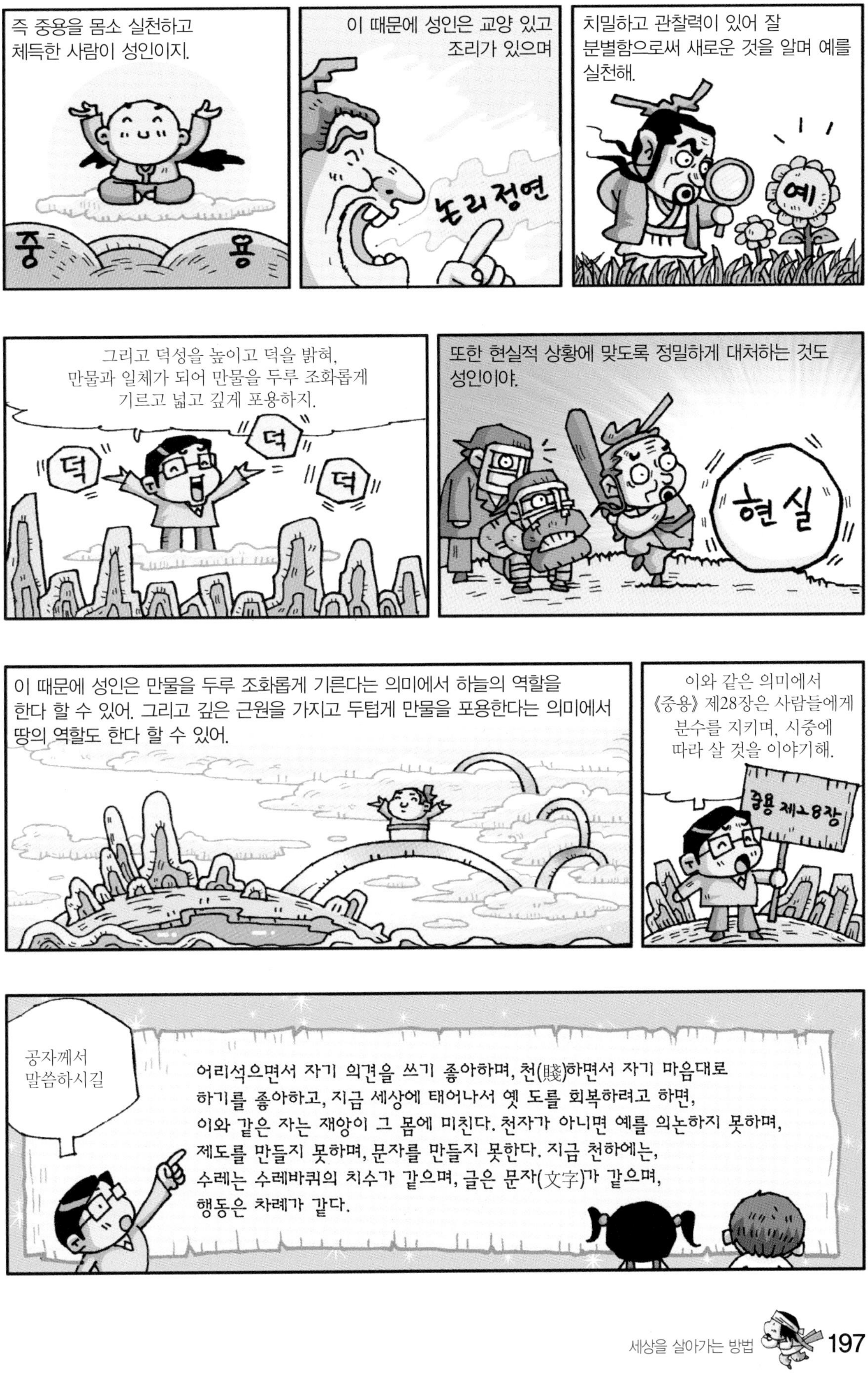
즉 중용을 몸소 실천하고
체득한 사람이 성인이지.
중
용
이 때문에 성인은 교양 있고
조리가 있으며
논리정연
치밀하고 관찰력이 있어 잘
분별함으로써 새로운 것을 알며 예를
실천해.
예
그리고 덕성을 높이고 덕을 밝혀,
만물과 일체가 되어 만물을 두루 조화롭게
기르고 넓고 깊게 포용하지.
덕
덕
덕
또한 현실적 상황에 맞도록 정밀하게 대처하는 것도
성인이야.
현실
이 때문에 성인은 만물을 두루 조화롭게 기른다는 의미에서 하늘의 역할을
한다 할 수 있어. 그리고 깊은 근원을 가지고 두텁게 만물을 포용한다는 의미에서
땅의 역할도 한다 할 수 있어.
이와 같은 의미에서
《중용》 제28장은 사람들에게
분수를 지키며, 시중에
따라 살 것을 이야기해.
중용 제28장
공자께서
말씀하시길
어리석으면서 자기 의견을 쓰기 좋아하며, 천(賤)하면서 자기 마음대로
하기를 좋아하고, 지금 세상에 태어나서 옛 도를 회복하려고 하면,
이와 같은 자는 재앙이 그 몸에 미친다. 천자가 아니면 예를 의논하지 못하며,
제도를 만들지 못하며, 문자를 만들지 못한다. 지금 천하에는,
수레는 수레바퀴의 치수가 같으며, 글은 문자(文字)가 같으며,
행동은 차례가 같다.

비록 천자의 지위를 갖고 있으나 만일 성인(聖人)의 덕이 없으면 감히 예악을 짓지 못하며, 비록 그 덕이 있으나 만일 그 지위가 없으면 또한 감히 예악을 짓지 못한다.
내가 하(夏)나라 예를 말할 수 있으나 기(杞)나라가 충분히 증거해 주지 못하며, 내가 은(殷)나라 예를 배웠는데 그 후손인 송(宋)나라가 있고,
내가 주(周)나라 예를 배웠는데 지금 이것을 쓰고 있으니, 나는 주나라 예를 따르겠다.
모든 사람이 행해야 하는 윤리도덕인 예, 모든 사람의 삶의 방편인 문물제도, 모든 사람이 공동으로 사용하는 문자 등은 그 성격상 하나로 통일되어야 해.
예
문물제도
문자
만일 사람마다 쓰는 문자와 윤리와 도덕이 다르다면 인간은 함께 살 수 없어.
문자
윤리도덕
때문에 예와 문자, 수레의 크기, 도량형 등은 천자*가 통일해야 해.
문자
예
도량형
수레의 크기
지금 천하에는 수레바퀴의 폭이 같듯이 문물제도가 통일되어 있고 문자가 통일되어 있으며 윤리도덕의 기준과 예의범절이 통일되어 있다고 한 자사의 말뜻은,

*천자 – 하늘의 뜻을 받아 하늘을 대신하여 천하를 다스리는 사람이란 뜻.

주나라 때에는 이 모든 것이 주공에 의해 통일되어 있었음을 뜻하는 것이야.
문자
윤리 도덕

그러나 자사가 살던 때는 혼란한 춘추 시대였어.
춘추시대

사회가 혼란한 이유가 제후들이 제각기 예를 어기고 문물제도를 함부로 고치고 만드는 데 있다고 본 거야.
쾅
문물제도

따라서 사회가 안정되려면 제후들이 마음대로 제도와 법을 만들고 고치는 것을 억제해야만 한다고 자사는 주장한 거야.

사회를 안정시키고 백성들이 잘 살도록 하려면 정치를 잘해야 해. 《중용》 제29장에서는 정치를 잘하려면 군자의 도에 따라서 행해야 한다고 설명하고 있어.
국.. 회

천하를 통치함에 세 가지 중(重)함이 있으니, 이것을 잘 행하면 허물이 적을 것이다.
상고시대(上古時代)의 것은 비록 좋으나 증거할 만한 것이 없으니,
증거할 것이 없기 때문에 믿지 않고, 믿지 않기 때문에 백성들이 따르지 않는다.
성인(聖人)으로서 아래에 있는 자는 비록 잘하나 높지 못하니,
높지 못하기 때문에 믿지 않고, 믿지 않기 때문에 백성들이 따르지 않는다.
이 때문에 군자의 도는 자기 몸에 근본하여 여러 백성들에게 징험*하며,
삼왕(三王)에게 상고해도 틀리지 않으며, 천지에 세워도 어그러지지 않으며,
귀신에게 묻거나 따져서 바로잡아도 의심이 없으며,
백세(百世)에 성인을 기다려도 의혹되지 않는 것이다.
귀신에게 질정**하여도 의심이 없음은 하늘을 아는 것이요,
백세에 성인을 기다려도 의혹되지 않음은 사람을 아는 것이다.
그러므로 군자는 움직임에 대대로 천하의 도가 되는 것이니,
행함에 대대로 천하의 법이 되며, 말함에 대대로 천하의 준칙***이 된다.
멀리 있으면 우러러봄이 있고, 가까이 있으면 싫지 않다.

*징험(徵驗) – 어떤 징조를 경험함. **질정(質正) – 묻거나 따져서 바로잡는 것.
***준칙(準則) – 준거할 기준이 되는 규칙이나 법칙.

정치에서 중요한 것은 윤리도덕의 기준과 예의범절을 정하는 것, 문물제도를 제작하여 시행하는 것, 문자를 통일하는 것 등 세 가지라 할 수 있어.
윤리도덕
문물제도
문자
이것의 실천은 군자는 도를 따르는 거야.
도
군자는 모범적인 법도를 행하는 것이 아니라 군자의 행동이 타의 모범이 되는 법도라는 거야.
타의 모범
왜냐하면 군자는 원칙을 말하는 것이 아니라 군자의 말이 원칙이 되기 때문이지.
'가까운 이웃이 먼 친척보다 낫다.' 는 속담의 뜻을 아니?
이웃과 서로 돕고 가까이 지내면 먼 곳에 있는 친척보다 더 친하고 다정하다는 말이잖아요.
그렇다면 백성이 군자를 멀리한다는 말은 무슨 뜻일까?
백성이 믿고 따를 군자를 멀리한다는 말이잖아요.
이렇게 되면 백성은 타락하게 될 것이고, 군자를 원망하게 되겠죠.
그럼 어떻게 해야 할까?
군자는 넓고 두터운 마음으로 백성들을 어루만져야겠죠. 백성들은 군자에 비해 상대적으로 어리석고 욕심 많고 질투하는 사람들이니까요.
우리는 너무 친하고 소중하기 때문에 오히려 그 고마움을 모를 때가 많아. 공기, 물, 햇빛, 부모 등이 그렇지.
너무 가까이 있으면 고마움과 권위를 느끼지 못해.

그래서 함부로 대하고 불손하게 대하며 싫증을 내기도 하지.
어우.. 또 잔소리..
앵...?
하지만 군자는 일체감을 실천하기 때문에 그와 가까이 있는 사람은 싫증을 내지 않지. 그 때문에 먼 곳에서는 우러르며, 가까이 있어도 싫어하지 않는 사람이지.
군자
《중용》 제20장부터 여기까지는 대체로 정치의 근본이 외부 제도에 있는 것이 아니라 정치인의 내적인 덕성에 있음을 밝히고 있어.
찌이 익
중요한 건 덕성이 없는 정치인이 함부로 문물제도 등을 만들어서는 안 된다는 주장이지.
이제 지성인 공자의 도를 제30장에서는 이렇게 이야기해.
중용 제30장
공자는 요순을 근본으로 삼아 전하여 설명하시고, 문왕·무왕을 본받으시며,
위로는 천시(天時)를 따르시고, 아래로는 풍토(風土)를 따르셨다.
비유하면 하늘과 땅이 실어주지 않음이 없고 덮어주지 않음이 없는 것과 같으며,
비유하면 사시(四時)가 교대하여 운행함과 같으며,
일월(日月)이 교대하여 밝음과 같다.
만물(萬物)이 함께 길러져 서로 해치지 않으며,
도가 함께 행하여 서로 위배되지 않는다.
작은 덕은 냇물의 흐름이요, 큰 덕은 변화를 도탑게* 하니,
이는 천지(天地)가 위대함이 되는 것이다.

*도탑다 – 서로의 관계에 사랑이나 인정이 많고 깊다.

그리고 《중용》 제31장에서는 천하에서 가장 위대한 성인에 대한 설명을 구체적으로 하고 있어. 결론적으로 성인은 인격의 완성에 그치는 것이 아니라 지극히 높은 지혜와 재능이 있기 때문에, 안으로는 모든 사람들이 본받고 따라야 할 성인이지만, 밖으로는 천하의 사람들을 지배하고 통치하는 제왕이라는 거야.
통치
이 장에서는 성인은 다섯 가지 덕인 총명예지 · 관유온유 · 발강강의 · 제장중정 · 문리밀찰을 가진 사람이라고 말하고 있어. 또한 성인은 온화 · 양순 · 공손 · 검소 · 겸양을 지닌 자라 말하지.

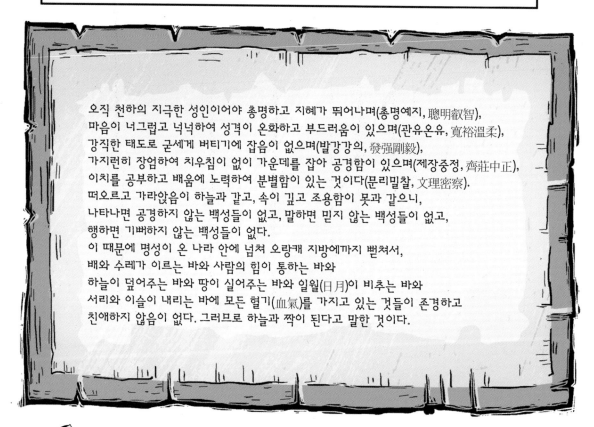

오직 천하의 지극한 성인이어야 총명하고 지혜가 뛰어나며(총명예지, 聰明叡智),
마음이 너그럽고 넉넉하여 성격이 온화하고 부드러움이 있으며(관유온유, 寬裕溫柔),
강직한 태도로 굳세게 버티기에 잡음이 없으며(발강강의, 發强剛毅),
가지런히 장엄하여 치우침이 없이 가운데를 잡아 공경함이 있으며(제장중정, 齊莊中正),
이치를 공부하고 배움에 노력하여 분별함이 있는 것이다(문리밀찰, 文理密察).
떠오르고 가라앉음이 하늘과 같고, 속이 깊고 조용함이 못과 같으니,
나타나면 공경하지 않는 백성들이 없고, 말하면 믿지 않는 백성들이 없고,
행하면 기뻐하지 않는 백성들이 없다.
이 때문에 명성이 온 나라 안에 넘쳐 오랑캐 지방에까지 뻗쳐서,
배와 수레가 이르는 바와 사람의 힘이 통하는 바와
하늘이 덮어주는 바와 땅이 실어주는 바와 일월(日月)이 비추는 바와
서리와 이슬이 내리는 바에 모든 혈기(血氣)를 가지고 있는 것들이 존경하고
친애하지 않음이 없다. 그러므로 하늘과 짝이 된다고 말한 것이다.

다시 《중용》 제32장에서는 중용의 핵심사상이라 할 수 있는 정성인 성(誠)에 대해서 설명하고 있으며, 성인(聖人)이란 지극한 성(誠)의 경지에 이른 사람이라 말하고 있어.
오직 천하에 지극히 성실한 분이어야 천하의 큰 이치를 경영하며, 천하의 큰 근본을 세우며, 천지의 화육(化育)을 알 수 있으니
誠
성인
어찌 딴것에 의지할 것이 있겠는가? 지극한 그 인(仁)이며, 깊고 깊은 그 못이며, 넓고 넓은 그 하늘이다. 만일 진실로 총명(聰明)하고 성지(聖智)하여 하늘의 덕을 통달한 자가 아니면 그 누가 이것을 알겠는가?
그리고 군자의 지극한 경지를 속과 겉으로 비유해서 설명하고 있어.
천천히 읽으면 이젠 다 이해할 수 있는 내용이야. 한번 찬찬히 음미하면서 행간(行間)을 읽어 봐.
행간이란 문장의 줄과 줄 사이를 말해. 따라서 '행간을 읽다.' 라는 말은 줄과 줄 사이에 드러나지 않은 뜻을 파악하는 행동이지.

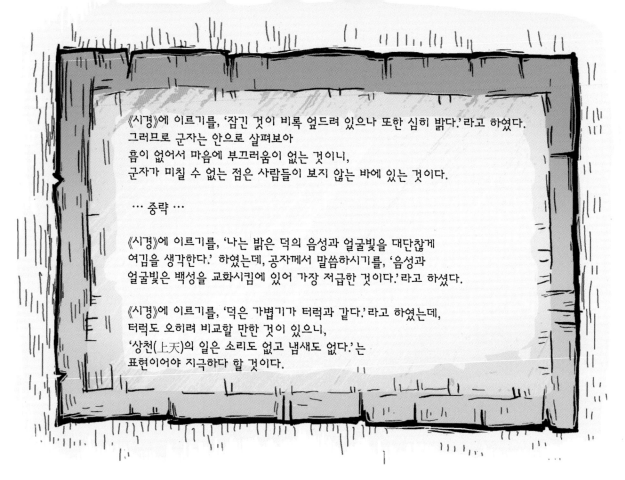

《시경》에 이르기를, '잠긴 것이 비록 엎드려 있으나 또한 심히 밝다.' 라고 하였다.
그러므로 군자는 안으로 살펴보아
흠이 없어서 마음에 부끄러움이 없는 것이니,
군자가 미칠 수 없는 점은 사람들이 보지 않는 바에 있는 것이다.

… 중략 …

《시경》에 이르기를, '나는 밝은 덕의 음성과 얼굴빛을 대단찮게
여김을 생각한다.' 하였는데, 공자께서 말씀하시기를, '음성과
얼굴빛은 백성을 교화시킴에 있어 가장 저급한 것이다.' 라고 하셨다.

《시경》에 이르기를, '덕은 가볍기가 터럭과 같다.' 라고 하였는데,
터럭도 오히려 비교할 만한 것이 있으니,
'상천(上天)의 일은 소리도 없고 냄새도 없다.' 는
표현이어야 지극하다 할 것이다.

군자는 속에 밝은 덕을 갖고 있지만, 그 밝은 덕으로 남과 구별되지 않기 위해 그저 평범한 사람처럼 보여.
군자
오히려 남에게 자기를 내세우지 않음으로써, 얼핏 보기에는 남보다 뛰어난 점이 없어서 어두운 듯이 보이기도 해.
평범
하지만 그와 함께 있으면 늘 인정과 사랑을 받기 때문에 아무 갈등도 느끼지 않게 되어 그 덕이 날로 빛을 발하게 되지.
자연히 사람들이 그를 따르고 그에게 모이지.
등대
하지만 소인은 남과의 경쟁에서 자기가 앞서려고 하기 때문에 늘 자기 자랑과 선전을 해.
자랑
그 때문에 그의 훌륭함이 환하게 금방 드러나지. 하지만 그와 함께 있으면 그에게 늘 인정을 받지 못하고 갈등이 생기게 되지.

처음에는 그의 뛰어난 점이라고 생각했던 것들이 위장된 모습임을 알게 되면서 사람들은 그 곁을 떠나고
위장

결국 홀로 남게 되지.
외로워…
무인도

천명을 실천하기 위해 천명을 찾아가는 것이 중용의 시작이야. 그러나 천명은 소리도 없고 냄새도 없기에 인식할 수 없어.
천명
천명은 인식할 수 있는 것이 아니라 실천을 통해서 다가갈 수 있을 뿐이야. 천명에 다가가 천명과 하나가 되면 더 이상 천명을 인식할 필요가 없어지지.
진리도 마찬가지야. 처음에는 진리를 알고 싶지만 진리에 다가갈수록 진리를 알 필요가 없게 되지.

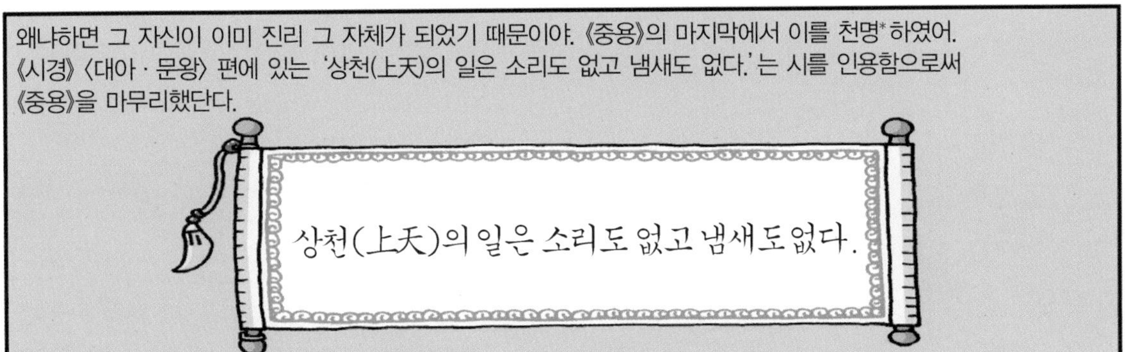
왜냐하면 그 자신이 이미 진리 그 자체가 되었기 때문이야. 《중용》의 마지막에서 이를 천명* 하였어. 《시경》 〈대아 · 문왕〉 편에 있는 '상천(上天)의 일은 소리도 없고 냄새도 없다.'는 시를 인용함으로써 《중용》을 마무리했단다.
상천(上天)의 일은 소리도 없고 냄새도 없다.

* 천명(闡明) – 진리나 사실, 입장 따위를 드러내어 밝힘.

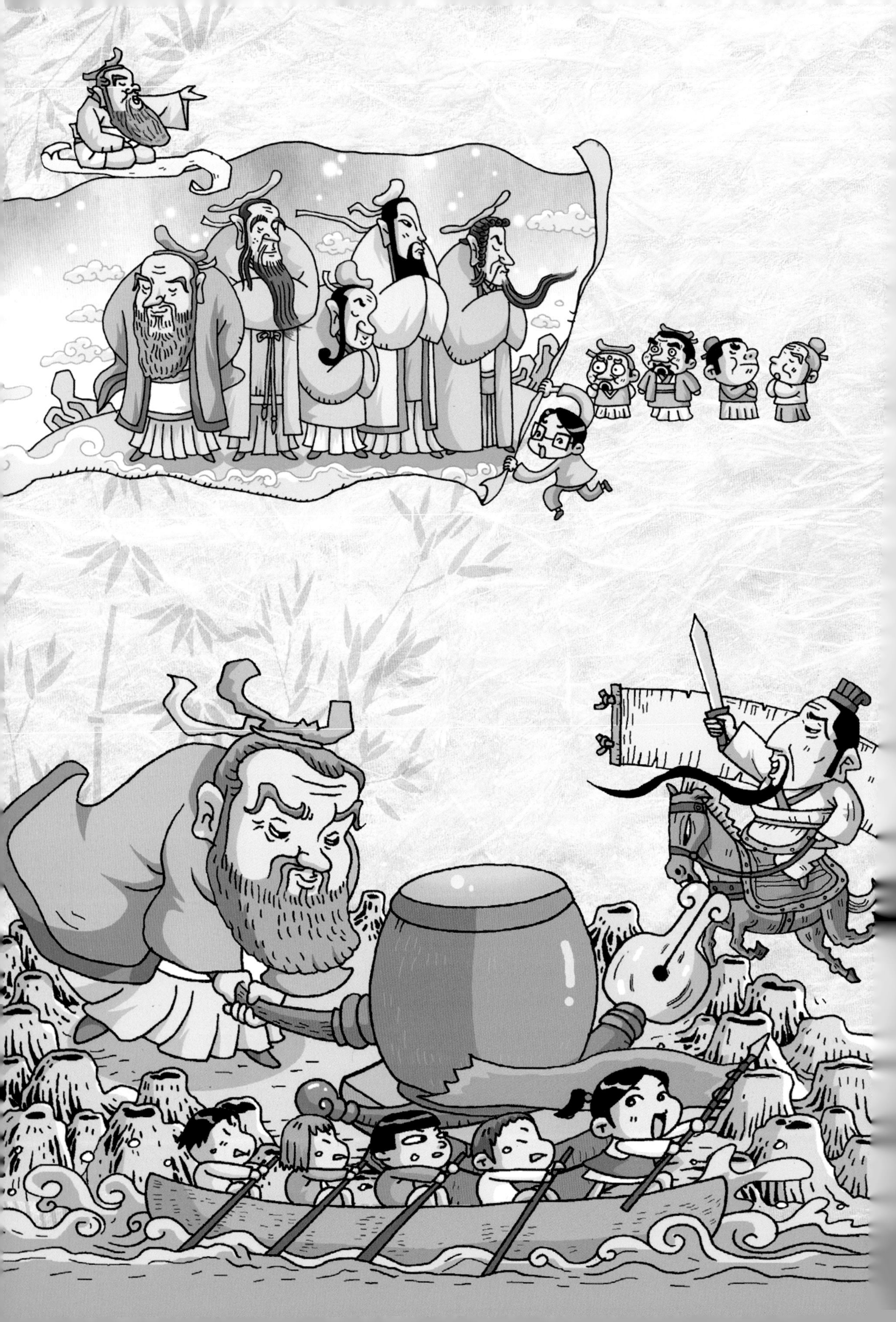

중용의 도

《중용》 깊이 읽기

철학의 학문적 분과와 과학, 철학, 신학의 이해

▲ 칸트

독일의 철학자 칸트(1724~1804)는 철학의 문제를 크게 네 가지 주제(윤리학, 형이상학, 인식론, 논리학)로 나누어서 연구했어. 윤리학은 '인간은 어떻게 하면 올바르게 행동하고 도덕적인 삶을 살 수 있는가?' 를 묻고 대답해. 형이상학은 '존재론' 이라고도 하며, '만물의 본질은 무엇인가? 우리가 관찰하는 현상 너머에는 무엇이 있는가?' 에 관한 질문과 답이라고 할 수 있어. 인식론에서는 '우리는 무엇을 알 수 있는가?' 에 관한 과제를 다루어. 우리의 인식과 사유 내용 그리고 그 능력의 한계를 점검해 보는 거지. 끝으로 논리학은 '우리는 어떻게 하면 합리적이고 명료한 사고를 할 수 있는가?' 에 대한 문제를 다룬다고 할 수 있어.

하지만 어떤 문제를 해결할 때는 이런 구분이 없어지고 모든 학문이 동원되지. 그래서 신이 존재하거나 존재하지 않는다는 걸 어떻게 알 수 있느냐의 질문은 형이상학과 인식론이 합쳐져

야 풀어나갈 수 있어. 또한 이 신의 존재 유무를 증명하는 과정에서는 논리학이 필요하지. 끝으로 신이나 그 밖의 초월적인 힘을 가진 존재가 있기 때문에 우리는 어떻게 살아야 한다는 윤리학이 나오는 거야. 이처럼 모든 학문은 서로 연관되어 있단다. 마치 수학이 모든 과학의 기초가 되고, 언어가 모든 창작물의 기초가 되는 것과 같은 이치야.

▲ 아리스토텔레스의 대표작 《니코마코스 윤리학》은 '윤리학'이라는 이름을 가진 책 가운데 가장 오래됐다.

윤리학은 '나와 상관없는 사람의 불행에 대해서 책임을 져야 하는가?' '선의의 거짓말은 용납되어야 하는가?' '남자와 남자, 여자와 여자끼리의 결혼을 인정해야 하는가?' 등의 질문을 해. 형이상학은 '인간은 정신인가 육체인가, 아니면 둘 다인가?' '신이 존재한다면 이 세상에 존재하는 악들은 무엇인가?' '우주는 어떤 목적을 갖고 있는가?' 등의 질문을 하지. 인식론은 '깊은 산속에서 커다란 소나무가 소리를 내며 쓰러졌다. 그런데 이걸 들은 사람이나 본 사람이 아무도 없다면, 그 소나무는 쓰러졌다고 할 수 있는가?' '눈에 보이는 사물은 사물 본래의 모습인가?' '우리가 알고 있는 것은 정확히 알고 있는 것인가?' 등의 질문을 던지고, 끝으로 논리학은 '올바른 논증은 어떻게 구성되는가?' '〈모든 까마귀는 검다〉는 명제는 참인가, 거짓인가?' 등의 질문을 하지.

이제 눈치 빠른 친구는 '철학은 원리에 관한 학문이구나.' 하고 느꼈을 거야. 그리고 그 원리가 무엇의 원리냐에 따라 '그것에 대한 철학'이 만들어져. 인간의 행위에 대한 철학이 〈윤리학〉이고, 인간의 사유 규칙에 대한 것은 〈논리학〉, 정치에 대한 것이면 〈정치철학〉이 되지. 이런 식으로 심리철학, 교육철학, 과학철학, 수리철학, 미학 등과 같은 철학의 종류들이 성립해.

1+1=2라는 건 누구나 다 알지? 이건 사과 하나 더하기 사과 하나는 사과 두 개라는 예를 보고 배운 걸 거야. 하지만 왜 사과 하나 더하기 사과 하나가 사과 두 개가 되냐고 철학자들은 질문하지. 이 등식이 성립하려면 밀도, 당분, 색깔, 맛, 질량이 같은 사과가 이 세상에 두 개가 존재해야 해. 하지만 똑같은 사과는 존재하지 않잖아. 과학자들은 과학적 발견과 발명으로 세상을 변화시켜. 배, 기차, 자동차, 비행기, 우주선 등의 발명, 약품의 개발로 사람들의 평균수명이 늘어났지. 하지만 사람의 죽음에 대해서 심장이 멎은 걸 기준으로 할지, 뇌 활동이 정지한 걸 기준으로 할지는 과학자들이 결정할 수는 없어. 이 문제에 대해선 과학철학자들이 이야기해. 이처럼 원리에 대한 탐구를 하는 게 과학의 역할이란다.

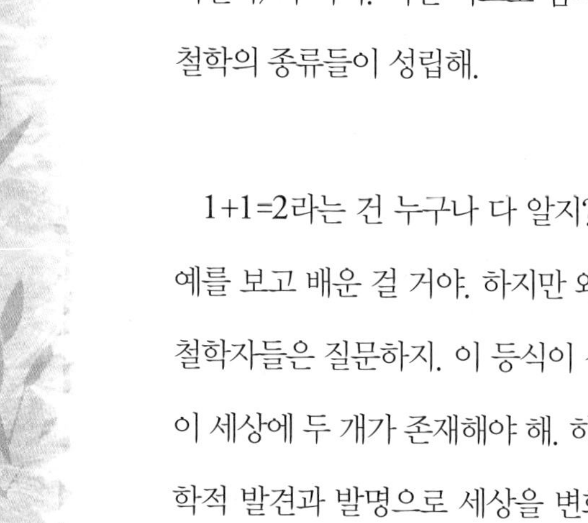
중용

그렇다면 철학은 신학, 과학과 어떤 공통점과 차

이점이 있을까? 먼저 이들의 공통점은 인간의 호기심에서 비롯해 만들어진 학문이라는 사실이야. 봄 · 여름 · 가을 · 겨울이라는 사계절의 변화가 왜 일어났는지, 인간은 왜 생로병사를 겪는지, 죽음 뒤의 세상에는 어떤 것들이 있는지에 대한 궁금증을 나름대로 해결한 게 신학과 철학 그리고 과학이었어.

철학은 신학과 과학의 중간적 위치에 있다고 볼 수 있어. 신학과 마찬가지로 명확한 지식으로 단정을 내릴 수 없는 여러 가지 문제에 대한 생각으로 이루어져 있지. 또한 과학처럼 전통이나 계시와 같은 권위에 호소하지 않고 인간이 이성적으로 이해할 수 있는 설명을 하지. 다시 말해, 철학은 신학적 물음을 과학적 해석과 설명으로 풀이한다는 거야. 이런 이유 때문에 철학은 오히려 명확한 지식을 추구하는 과학과 과학적 사실을 초월한 계시와 예언을 추구하는 신학으로부터 공격을 받기도 해. 이렇게 철학은 신학과 과학의 중간에 있으면서 그 둘의 특징을 갖고 있어.

사군자(四君子)와 사대문에 대하여

군자라는 말은 많이 들어봤지? 그럼 사군자四君子는 뭘 말하는 걸까?

바로 매화, 난초, 국화, 대나무의 '매란국죽梅蘭菊竹'을 말해.

매화梅는 이른 봄에 추위를 이겨내고 제일 먼저 꽃을 피우는 나무야. 계절로는 봄을 상징해. 눈 속에 꽃이 핀다고 하여 '설중매雪中梅'라고 부르기도 하지. 매화는 추위를 이기고 꽃을 피운다 하여 불의에 굴하지 않는 선비 정신의 표상으로 삼았어. 이 때문에 매화는 시나 그림의 소재로 많은 선비들의 사랑을 받았단다.

맹자의 사단四端이 뭔지는 알고 있지? 사람이 갖고 있는 본질적인 성품으로 '인의예지'를 말하는 건데, 남을 불쌍히 여겨 어찌할 수 없는 마음이 '인', 악을 미워하는 마음이 '의' 그리고 사양하여 겸손한 마음이 '예'고 옳고 그름을 가리는 마음이 '지'야.

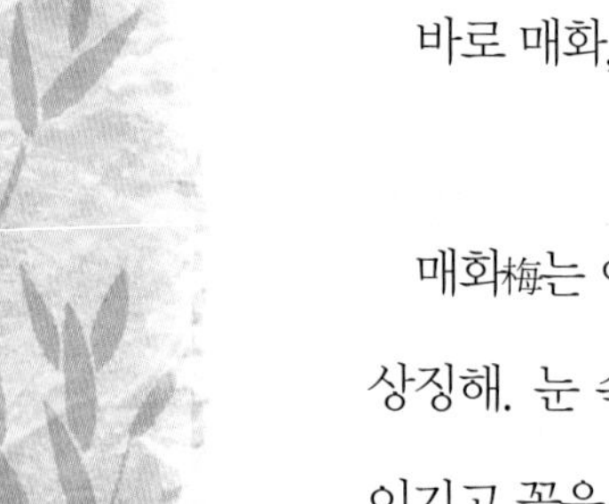

이 사단에 '믿을 신信'을 합쳐서, 사람이 항상 지켜야 할 다섯 가지 도리인 오상五常이 된 거야. 이 매화는 오상 중에서 인仁을 상징해. 계절로는 봄을 상징하지. 방위로는 동쪽을 나타내. 잘 모르겠으면 이 책 219쪽

의 음양오행설 도표를 한번 살펴봐. 자세히 나와 있으니까.

난초蘭는 깊은 산중에서 은은한 향기를 멀리까지 퍼뜨리는 매력을 가지고 있어. 화원에 가서 한번 난초를 봐봐. 난초의 향은 비록 보이지는 않지만 향으로 자신을 알리지. 군자처럼 높은 인품으로 주위를 감화시켜야 한다는 이상이 담겨 있는 꽃이야. 계절로는 여름을, 방위로는 남쪽을, 오상에서는 예禮를 상징하지.

국화菊는 늦은 가을에 첫 추위와 서리를 무릅쓰고 늦게까지 피는 꽃이야. 일반적으로 꽃들은 봄과 여름에 피잖아. 그런데 국화는 날씨가 추워지는 가을에 피어. 이 때문에 국화를 고고한 기품과 절개를 지키는 꽃으로 여겼어. 계절로는 가을을, 방위로는 서쪽을, 오상에서는 의義를 상징해.

대나무竹는 사시사철 잎이 지지 않는 까닭에 겨울에 푸름이 더욱 빛나지. 이 때문에 대나무는 매화, 소나무와 더불어 '세한삼우歲寒三友' 라는 이름으로 그려지기도 해. '세한삼우' 는 날씨가 추워졌을 때의 세 가지 벗이라는 뜻이야. 고난이 찾아왔을 때 어려움을 함께하는 친구란 뜻도 담겨 있어. 곧게 자라는 강직함, 속이 비어 있는 겸허함을 대나무가 표현한다고 생각했지. 또한 부러질지언정 휘지 않는 지조와 절개를 상징해. 계절로는 겨울을, 방위로는 북쪽을, 오상에서는 지智를 나타낸단다.

우리나라의 사대문에는 어떤 것들이 있을까? 그야 동대문, 서대문, 남대문, 북대문이 있겠지? 그런데 각 문에는 본래의 이름이 따로 있어.

동대문은 흥인지문興仁之門이라고 해. 동쪽을 가리키는 오상이 인仁이기 때문이야. 남대문은 숭례문崇禮門이라고 하지. 서대문은 돈의문敦義門이라 하였고, 북대문은 숙청문肅淸門이라고 불러.

▲ 돈의문 (1880년대 후반)

▲ 흥인지문

새해 아침에 종을 치는 보신각에 '신信'이라는 글자가 들어가지? 사대문의 중앙에 있다는 의미야. 이렇게 해서 오상인 '인의예지신' 모두가 들어가지. 그리고 이건 음양오행에도 맞춘 거야. 다시 확인해 보렴.

그런데 북대문을 '숙지문'이라 하지 않았는지 궁금하지 않니? 그리고 왜 동대문만 흥인지문이라고 해서 네 글자인지도 그렇고.

먼저 숙청문이라고 부른 이유가 정확하게 나온 문헌은 없어. 다만 북쪽 지형이 험난하여 사실상 사람이 왕래할 수 없어서 죽은 사람을 실어 나를 때나 특별한 행사가 있을 때만 열었대. 이런 까닭으로 '지혜 지知' 자를 쓰지 않고 '맑을 청淸' 자를 썼단다. 물론 조선 후기 숙종 때 숙청문 서북쪽에 홍지문弘智門을 지음으로써 인의예지를 완성시켜 놓았어.

그리고 흥인지문의 본래 이름은 흥인문이었는데 문 이름에 '갈 지之' 자를 넣은 것은 동대문이 위치한 낙산의 지형이 낮아 '갈 지' 자를 넣어 약한 기운을 보완하려 했다고 해.

또한 도성 문의 현판은 모두 가로로 쓰여 있는데 숭례문은 세로로 쓰여 있지. 왜 그럴까? 그건 관악산의 화기火氣를 막기 위한 거래. 음양오행설에 기초한 풍수지리설의 영향이란다. 숭례문 바로 앞에 보이는 관악산이 불꽃 모양을 한 화산火山 형태이므로 경복궁에 화재가 나기 쉽다고 생각했대.

▲ 숭례문 (1890년대)

▲ 숭례문 화재 (2008년)

우리 생활 곳곳에 숨어 있는 음양오행사상

여러분이 보는 태극기의 흰 바탕은 평화를 사랑하는 백의민족인 우리나라를 상징해. 그리고 가운데 있는 ●모양을 태극이라 하지. 그래서 태극기라고 하는 거란다. 이 태극에서 위에 있는 빨간색은 양이야. 남자의 성질을 뜻한다고 생각하면 돼. 그리고 파란색은 음을 뜻해. 여자의 성질을 의미하지. 그런데 이상하지 않니? 이 빨강과 파랑은 정 가운데로 나누어져 있지 않잖아. 서로가 서로를 침범하거나 서로에게 자신의 영역을 조금씩 양보하고 있지. 남자는 남자의 성질과 여자의 성질을 동시에 갖고 있다는 의미야. 여자도 마찬가지고. 사람들의 호르몬도 남성 호르몬과 여성 호르몬이 있잖아. 남자는 남성 호르몬뿐만 아니라 여성 호르몬도 갖고 있고 여성도 마찬가지야. 이것을 조금 어려운 말로 이야기하면, 양 속에 음이 있고 음 속에 양이 있다고 하지.

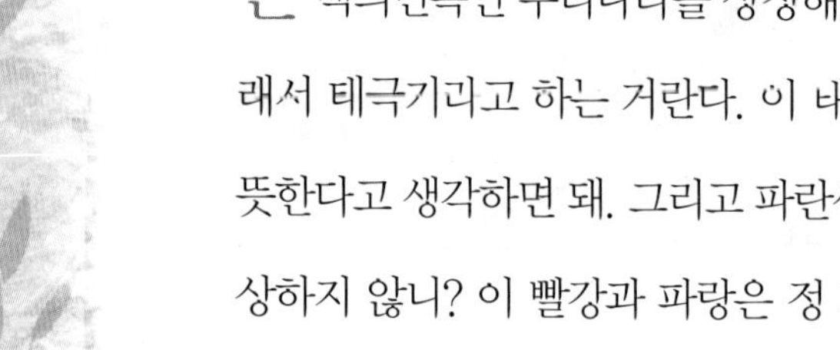

한의학에서는 '수승화강水昇火降' 이란 말을 아주 중히 여겨. 수승화강은 물은 올라가고 불은 내려와야 한다는 의미야. 이렇게 수승화강 하

는 신체를 가진 사람이 건강하게 오래 살 수 있다고 해. 그런데 이상하지 않니? 자연의 이치는 물은 높은 곳에서 낮은 곳으로 내려가게 마련이고 불은 타올라서 아래에서 위로 올라가잖아. 그런데 물이 올라가고 불이 내려오는 게 좋다고 하니 말이야.

한의학에서는 인체의 심장을 불기운火에 비유하고 신장을 물기운水에 비유하고 있어. 수승화강이라는 말은 신장(콩팥)의 물기운이 인체의 뒤에 있는 독맥督脈을 타고 올라가서 머리는 시원해지고, 심장의 불기운은 인체의 앞에 있는 임맥任脈을 타고 내려와서 손발을 따뜻하게 해 이상적인 건강의 조화를 이룬다고 하는 말이야.

중용의 도

도리.이치
성

피를 말린다는 말 들어 보았지? 걱정과 근심이 많아 마음이 편치 않게 되면 입 안이 바짝바짝 마르고 침이 쓰게 되며 머리가 아프고 어지러울 때 쓰잖아. 이것은 심장의 불기운이 올라가기 때문에 생기는 현상이라고 한의학에서는 말해. 이때의 치료방법은 신장의 물기운으로 불기운을 식히거나 끄는 거야. 왜 오행에서 수극화란 말을 설명했잖아. 그래서 물은 올라가고 불은 내려와야 한다는 거야. 그게 수승화강이란 말의 의미이기도 하고.

이와 같은 음양오행설은 생활 곳곳에서 우리의 삶과 정신세계까지도 지배해. 그리고 실제로 음양오행에 따른 건강법과 치료법이 효과를 많이 보기도 하고. 다음의 표는 그 음양오행을 나타낸 거야. 우리의 인체, 감정, 오덕, 색깔, 소리, 계절, 방향, 음식, 시간, 동물, 식물, 숫자, 천간, 지지 등 인간 삶의 모든 것이 음양오행으로 설명할 수 있어. 음양오행표를 알아두면 여러분의 실생활뿐만 아니라 학문의 발전에 도움을 줄 수 있을 거야.

국가

음양오행표

구분	목(木)	화(火)		토(土)	금(金)	수(水)
		군화	상화			
❶ 육장六臟	간(肝)	심(心)	심포(心包)	비(脾)	폐(肺)	신(腎)
❷ 육부六腑	담(膽)	소(小)	삼초(三焦)	위(胃)	대장(大腸)	방광(膀胱)
❸ 오체五體	근(筋)	혈(血)		육(肉)	피(皮)	골(骨)
❹ 오규五竅	안(眼)	설(舌)		구(口)	비(鼻)	이(耳)
❺ 오지五志	노(怒)	희(喜)		사(思)	비(悲)	공(恐)
❻ 오미五味	산(酸)식초	고(苦)		감(甘)	신(辛)매울	함(鹹)짤
❼ 오영五榮	조(爪)	색(色)		순(脣)	모(毛)	발(髮)
❽ 오색五色	청(靑)	적(赤)		황(黃)	백(白)	흑(黑)
❾ 오성五聲	호(呼)	소(笑)		가(歌)	곡(哭)	신(呻)
❿ 오음五音	각(角)	치(徵부를징)		궁(宮)	상(商)	우(羽)
⓫ 오기五氣	풍(風)	열(熱)		습(濕)	조(燥)	한(寒)
⓬ 오시五時	춘(春)	하(夏)		장하(長夏)	추(秋)	동(冬)
⓭ 병재病在	근(筋)	오장(五臟)		설본(舌本)	견(肩)	계(谿)
⓮ 오축五畜	닭[鷄]	염소[羊]		소[牛]	말[馬]	돼지[豚]
⓯ 오곡五穀	보리[麥]	수수[黍]		기장[稷]	현미[稻]	흑콩[斗]
⓰ 오수五數	3 · 8	2 · 7		5 · 10	4 · 9	1 · 6
⓱ 오취五臭	조(臊)	초(焦)		향(香)	성(腥)비릴	부(腐)썩을
⓲ 오액五液	읍(泣)	한(汗)		연(涎)침	체(涕)콧물	타(唾)침
⓳ 변동變動	악(握)	우(憂)		얼(구토)	해(咳)	율(慄)떨
⓴ 천간天干	인묘(寅卯)	사오(巳午)		진술축미	신유(辛酉)	해자(亥子)
㉑ 방향方向	동(東)	남(南)		중앙(中央)	서(西)	북(北)
㉒ 지지地支	갑을(甲乙)	병정(丙丁)		무기(戊己)	경신(庚申)	임계(壬癸)
㉓ 오상五常	인(仁)	예(禮)		신(信)	의(義)	지(智)
㉔ 오정五精	혼(魂)	신(神)		의지(意智)	백(魄)	정(精)
㉕ 오역五役	색(色)	취(臭)		미(味)	성(聲)	액(液)
㉖ 오과五果	이(李)오얏	행(杏)은행		조(棗)대추	도(桃)복숭아	율(栗)밤
㉗ 오채五寀	구(韮)부추	해(薤)염교		규(葵)아욱	총(蔥)파	곽(藿)콩잎

기쁘게 사는 것과 슬프게 사는 건 마음에 달렸다

▲ 굴원

아름다움의 기준은 뭘까? 아름다움의 기준은 관점에 따라 다른데, 어느 추상화를 보고 '뭘 그린 것인지 모르겠다. 이상하다.' 라고 생각하는 사람과 '아름답다.' 라고 생각하는 사람이 있는 것처럼 말이야.

아름다움을 보는 게 사람마다 조금씩 다르듯, 시비是非나 호오好惡의 판단도 개인의 이해관계에서 나타난 거라 할 수 있어. 개인의 이해관계가 사물을 지각할 때 어떻게 작용하는가에 따라서 사물을 판단하는 가치가 달라지지. 이에 대해서는 굴원屈原의 《어부사漁父辭》에 잘 나타나 있어. 굴원은 왕족 출신의 초楚나라 사람이야. 뛰어난 재능으로 20대에 임금의 총애를 받았으나, 그의 재주를 시기하는 사람에 의해 모함을 받고 추방당했어. 그 후 초나라는 진나라에 패하고 굴원은 초나라로 돌아갔으나 다시 쫓겨나. 정치

적 향수와 좌절 속에 10년의 유랑 세월을 보내고 돌을 품은 채 멱라수汨羅水에 몸을 던져 62세의 생을 마감한 그는 중국 역사상 최고의 비극적 시인이었어. 그가 살다간 시대도 중국 역사상 가장 혼란이 극심했던 전국시대 중반이었어.

굴원의 죽음에 대한 현대적인 의미는 아무리 밑에서 옳은 길로 지도자를 인도해도 지도자가 무능하면 나라가 망한다는 것과 충신이나 애국자는 지도자의 무능이나 박해에도 불구하고 나라에 대한 사랑을 버리지 않아야 한다는 거야.

굴원이 쓴 《어부사》의 내용은 굴원이 초나라의 관직에서 쫓겨나 창랑의 강가에서 우수와 탄식으로 세월을 보낼 때, 고기를 낚으며 사는 어부를 만나 문답을 나누는 것으로 되어 있어. 굴원은 세상이 모두 혼탁한데 자기만이 홀로 깨끗하여 이 혼탁한 무리들과 어울려 살기보다는 차라리 창랑에 몸을 던져 청백을 지키는 게 낫다고 어부에게 이야기하지. 이에 어부가 한 수의 노래를 지어 자신의 생각을 전해.

"창랑의 물이 깨끗하면 내 갓끈을 씻을 것이요, 창랑의 물이 더러우면 내 발을 씻으리로다."

어부의 이 노래는 사람들이 갖고 있는 이해관계가 사물에 대한 인식에 어떻게 작용하는가를 잘 보여주고 있어. 창랑의 물은 깨끗하거나 더럽거나 할 거야. 그런데 발을 씻을 때는 깨끗하다고 여겼던 물이 갓끈을 씻으려니까 더럽다고 생각되는 거지. 어부는 물의 깨끗하고 더러움이 사람들의 이해관계에 따라서 달라짐을 노래하고 있는 거야. 그런데 사람들은 어부처럼 생각하지 못하고 물 자체가 더럽거나 깨끗하다고만 생각하지. 물 자체가 청탁의 성질을 갖고 있는 것으로 생각하는 것이야. 정말 물이 그런 성질을 갖고 있을까?

우리는 똥을 더럽다고 하지. 하지만 똥개나 똥돼지의 입장에서도 똥이 더러운 걸까? 이 세상 모든 사물은 미추, 선악, 청탁, 시비, 호오 등의 구별이 사실상 없어. 그래서 더러운 물과 깨끗한 물 즉, '옳은 것' 과 '그른 것' 의 구별이 없지. 그와 같은 구별은 인간의 이해관계에서 비롯된 것일 뿐이야. 어부는 굴원이 갖고 있는 구분하고 구별하는 마음이 자신의 이해관계에서 비롯되었음을 시를 통해서 말해 준 거야.

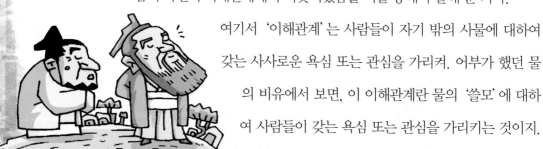

여기서 '이해관계' 는 사람들이 자기 밖의 사물에 대하여 갖는 사사로운 욕심 또는 관심을 가리켜. 어부가 했던 물의 비유에서 보면, 이 이해관계란 물의 '쓸모' 에 대하여 사람들이 갖는 욕심 또는 관심을 가리키는 것이지. 발을 씻는 데 쓸 것인가 또는 갓끈을 씻는 데 쓸 것인

가가 이해관계에서 물의 청탁이 가려지잖아. 그리하여 이해관계에 따라 물에 대한 인식도 달라지는 것이야.

이 세상은 주체와 객체라는 의미로 나누어 볼 수 있어. 주체는 이 세상을 살고 있는 '나'를 말하는 것이야. 객체는 '나'를 제외한 그 모든 사건과 사물을 말하지. 여러분은 주체인 나에 대해서 객체고, 여러분이란 주체에 대해서 선생님은 객체야. 중요한 건, 주체인 자신이 객체인 다른 사람과 세상을 어떻게 바라보고 받아들이며 살아갈지 하는 '인식'의 문제야. 인식認識이란 말의 뜻은 사물을 분별하고 판단하여 아는 행위를 말해. 일반적으로 사람이 사물에 대하여 가지는 개념이나 그 개념을 얻어가는 과정을 말하지. 여러분 모두는 개념의 인식을 통해서 이 세상을 이해하고 해석할 수 있는 거야. 그 때문에 살 수 있는 거고.

학술대회와 제사의 중요성

자연에는 많은 꽃들이 다양한 향기와 빛깔을 나타내며 조화롭게 살고 있어. 또한 수많은 동물들은 때로는 경쟁하며, 때로는 협동하며 살아가고 있지. 이렇게 전체적인 자연의 입장에선 이들 동식물들은 서로의 장점을 발휘하고 단점을 보완하면서 조화롭게 살고 있단다.

우리 사회에도 다양한 사람들이 모여 살아. 다양한 능력을 가진 사람들이 서로 협동과 경쟁을 하며 살고 있지. 이 사회에는 계급이 높은 사람이 있고 낮은 사람도 있어. 또한 능력이 뛰어나서 사람들로부터 인정받는 사람도 있고, 주변 사람들의 도움으로 살아가는 약한 사람들도 있어. 그러나 이 모든 사람들이 서로 조화롭게 살아갈 때 그들 각자는 의미 있는 거야. 사회적 약자가 있기에 사회적 강자는 의미 있는 거야. 강자와 약자, 능력 있는 자와 능력이 부족한 자. 이들 모두가 조화롭게 사는 세상이 좋은 것임을 알려주는 게 바로 제사야.

잘 모르겠지? 그렇다면 여러분이 대학교에 가

서 참가하고 공부하게 될 학술발표회를 예로 들어 설명해 줄게. 대회장에는 회장, 부회장과 모임에 공식적으로 초대를 받고 온 사람인 내빈來賓 등이 앞자리의 특별석에 앉게 돼. 이것은 이 대회의 참석자들에 대한 높고 낮음, 귀하고 천함을 구별하는 것이야. 그러나 사회자, 발표자, 진행자 등을 임명함에 있어서는 나이나 귀천을 떠나서 하지. 그 일을 할 수 있는지의 능력에 따라 정하게 되는 거야. 그리고 대회가 끝난 후에는 회장, 발표자, 사회자 등이 모여 회식을 해. 이때는 지위가 낮은 사람들이 윗사람들에게 술을 권하고, 윗사람들은 또 그들의 노고를 치하하지. 이렇게 함으로써 모든 사람이 소외됨 없이 일체감을 형성하게 되는 거야.

이런 학술대회에 한 번 참가한 사람의 실력은 일취월장할 수 있어. 왜냐하면 많은 선배와 후배 들의 공부한 바를 체험했고, 그 때문에 자신이 공부해야 할 방향을 새롭게 정할 수 있기 때문이야. 또한 학술대회를 통해서 좋은 스승과 선후배를 만날 수 있으며, 함께 공부하는 친구도 만날 수 있어. 그 때문에 그의 공부는 나날이 깊어지고 넓어질 수가 있는 거야.

종묘제례에서 '종宗'은 마루, 근본, 으뜸을 뜻하고, '묘廟'는 위패를 모신 사당을 뜻해. 그리고 '제례祭禮'는 제사 지낼 때의 예의를 말하지. 이 종묘제례도 학술대회와 마찬가지로 진행되는데, 먼저 제사에 관련된 사람들과 초대한 손님들이 오겠지. 그리고 제례를 진행할 사회자와 집전자도 있을 거고. 이런 역할은 능력에 따라 정해지는 거야.

학술대회와 마찬가시로 제사의 중요한 기능 중의 하나는 거기에 참여한 사람들의 일체감을 형성하는 데 있어. 제사에 술을 올릴 때는 연장자 순으로, 또는 높고 낮음의 순으로 제배를 올리지. 그리고 내빈들이 가고, 같은 혈통을 가진 집안사람들만 남았을 때는 마무리하는 의미로 잔치를 해. 이때는 머리카락의 색을 기준으로 질서를 정해. 즉 장유의 순서로 자리를 정하지. 순수한 내부인들만 있고 또 행사가 다 끝났으므로 직위나 능력의 차이를 극복하는 거야. 여기서는 누가 어떤 지위와 역할을 가졌다가 중요한 게 아니야. 중요한 건 누구의 자식이며 누구의 형과 아우라는 혈연관계야.

때문에 이 자리에서는 누구도 소외되지 않아. 모두가 자신이 할 수 있는 곳에서 할 일을 한 것에 대한 격려와 반성이 있을 뿐이지.

또한 이 종묘제례에 참가한 사람들의 공부는 나날이 넓어지고 깊어질 수 있어. 왜냐하면 자신이 관계 속의 인간이란 사실을 다시 한 번 깨닫게 되면서 자긍심을 가질 수 있거든. 그리하여 존경하는 사람을 본받으려고 노력하고, 욕먹는 사람들의 행동을 하지 않으려고 하지. 인격적·도덕적 수양의 깊이가 깊어지고 넓어지는 게 종묘제례를 통해 얻는 배움이야.

동서양의 인식 차이

우두머리

동양과 서양의 문화적 차이는 상당히 큰 편이야. 물론 환경의 영향이 크겠지만, 세상을 바라보는 입장이 너무 큰 것들이 있어. 이건 여러분들이 세상을 바라보는 지혜를 얻기 위해서 잠깐 살펴볼 내용이야. 이 내용들은 물질과 정신은 서로 영향을 미친다는 사실을 알려주고자 하고 있는데, 그걸 일곱 가지로 정리해 보았어.

1. 삶과 죽음에 대한 인식 차이

동양에서는 '삶은 잠시 머무는 것이요, 죽으면 다시 되돌아가는 것'이라고 생각했어. 죽음이란 삶이 시작되었던 어떤 점에서 출발하여 둥근 길을 따라가다가 다시 그 시작점으로 돌아간다고 이해했던 거야. 그래서 누군가 죽으면 '돌아가셨다' 고 하잖아. 생과 사는 낮과 밤과 같다고 생각하여 윤회사상과 제사문화가 발달했으며, 상복도 광명의 상징인 흰옷을 입는 게 동양의 의식이야.

서양에서는 죽음을 삶에 대한 이질적인 개념으로 보고 아주 심각하게 여겼어. 그래서 기독교는 윤회를 인정하지 않으며 제사도 지내지 않고 상복도 암흑의 상징인 검은 옷을 입어. 또한 시간은 끊임없이 앞으로만 흐른다는 직선적인 사고방식을 갖고 있어.

그래서 하느님의 나라와 지상의 나라가 엄격히 구분되지. 동양이 생生·장長·염斂·장藏의 순환적인 시간관을 바탕으로 하는 윤회사상인 반면, 서양은 천지창조에서 시작하여 영생으로 종결되는 직선적인 시간관을 바탕으로 하고 있어.

2. 성명 표기

동양은 온고이지신을 강조하기에 전통을 중시해. 그 때문에 동양에서는 성을 먼저 쓰고 이름을 뒤에 쓰는 게 일반적이야. 하지만 현재를 앞세우는 서양에서는 성보다 이름을 먼저 써. 왜냐하면 자신이 쌓아놓은 업적에 따라 길흉화복이 결정된다고 생각하기 때문이지. 이런 점에서 본다면 동양인의 사고방식은 서양인의 사고방식에 비해서 상대적으로 보수적이라 할 수 있어. 그 때문에 서양인들에 비해서 동양인들은 처음 보는 사람에게 덜 웃고, 덜 친절하잖아.

3. 글자문화

동양의 글자는 위에서 밑으로 세로쓰기를 하였지만, 옆으로 쓰는 수평적 표기도 가능해. 이에 비해 서양의 글자는 세로쓰기는 애당초 어렵고 좌에서 우로의 가로쓰기만 가능해. 또한 글자를 쓰는 동양의 붓은 순리와 예의에 따르는 굽힘의 성질順天道을 갖고 있는 반면, 서양의 펜은 눌러도 굽히지 않는 강한 저항정신과 직선적인 성질逆天道을 갖고 있어.

4. 거주문화

음양론에서 이야기했던 것처럼, 양의 성질을 갖고 있는 동양문화는 정신과 육체 중에서 정신을 더욱 중시해. 하지만 양은 음을 선호하잖아. 그래서 정신문화권인 동양은 음인 지구와 가까이 하기 위해 방바닥에 붙어사는 온돌문화가 발달했어. 그러나 결과와 현실, 물질적인 측면의 음의 물질문명권인 서양은 태양과 가까이 하기 위해 위로 올라가는 침대, 의자, 고층 빌딩 등의 생활문화가 발달했어.

5. 식사문화

동양은 먹기에 알맞도록 장만하여 숟가락과 젓가락으로 식사를 하지만, 서양에서는 직접 썰어 먹으라고 칼과 포크가 식탁에 등장하지. 이건 어디까지나 환경에 의해 결정된 문화이지만, 그 문화가 인간의 의식마저도 결정하게 되었어. 그래서 동양은 공동으로 먹는 찌개와 국을 통해서 공동체 의식을 강조하지만, 서양은 각자가 필요한 만큼만 적당하게 먹도록 권장해. 이 때문에 동양은 나와 우리 중에서 공동체인 '우리'에 비중을 더 두는 데 비해, 서양은 개체인 '나'에 비중을 더 두지.

6. 예술

동양의 예술은 여백이 많고 여운을 남기나 서양의 예술은 여백의 미가 없어. 동양화는 그리는 부분보다 안 그리는 부분이 많고, 안 그린 부분마저도 감상하지. 그러나 서양화는 그리지 않는 부분이 하나도 없으며 그린 내용만을 감상하는 게 일반적이라 할 수 있어.

동양의 악기는 여백을 두고 울리지만 서양의 악기는 공백 기간이 없이 줄곧 울리지. 이것은 서양은 눈에 보이는 현상적인 것을 미덕으로 여기기 때문이며 동양은 눈에 안 보이는 잠재적인 부분에서 미를 찾고 안 들리는 소리마저도 미로 듣기 때문이야.

7. 기타

그 외에도 동서 문화의 차이는 동양은 은폐성이 강한 한복인 데 비해 서양은 노출성이 강한 양장이고, 동양은 은근하게 전달하는 애정표현인 데 비해, 서양은 적극적인 언어와 동작으로 애정표현을 하지. 춤에서도 마찬가지야. 동양은 정중동의 어깨춤이 일반적이나 서양은 정열적인 다리춤과 허리춤이지. 또한 아기를 업어 키우는 데도 동양은 등으로 업는 데 비해, 서양은 가슴으로 업지. 우리가 손가락으로 숫자를 셀 때는 편 상태에서 엄지부터 안으로 구부리는 데 비해, 서양은 주먹을 쥔 상태에서 새끼손가락부터 밖으로 펴면서 셈을 하지. 또한 회의 때 의사봉을 두드리는 횟수가 우리는 세 번으로 목木을 나타내는 데 비해, 서양 특히 미국은 네 번으로 금金을 나타내. 자세한 건 음양오행표를 살펴보고 음미해 봐! 생활에 많은 도움이 될 거야.

중용

이수석 글 | 진선규 그림

01 《중용》을 쓴 사람은 누구일까요?

① 공자 ② 맹자 ③ 순자 ④ 자사 ⑤ 노자

02 《중용》의 전체에서 이야기하고 있는 것으로, 《중용》을 단적으로 표현한 것은 무엇일까요?

① 과유불급(過猶不及) ② 소국과민(小國寡民)
③ 장유유서(長幼有序) ④ 일체개고(一切皆苦)
⑤ 사필귀정(事必歸正)

03 《중용》은 본래 '오경'의 하나인 이 책에 들어 있던 한 편이었습니다. 이 책은 어떤 책일까요?

① 《대학》 ② 《맹자》 ③ 《예기》
④ 《주역》 ⑤ 《논어》

04 다음 설명에 해당하는 책은 무엇일까요?

• 지나치지도 모자라지도 않게, 모든 일에 성실히 살면 바르고 잘 사는 것이라고 주장함
• 사서 중 가장 형이상학적이고 철학적인 책

① 《대학》 ② 《중용》 ③ 《논어》
④ 《맹자》 ⑤ 《주역》

05 다음은 동양의 5성에 관한 설명입니다. 잘못된 설명을 고르세요.

① 공자는 지극한 성인의 경지에 이르렀다 해서 '지극할 지(至)'를 써서 지성(至聖)이라 부른다.

② 안회는 학문과 덕이 높아서, 공자도 그를 칭송했다. 사람들은 안회를 '제2의 공자'라는 뜻에서 '다시 복(復)'을 써서 복성(復聖)이라 부른다.

③ 증자는 공자의 뛰어난 제자 가운데 한 사람으로, 유교 학통을 잇는 데 가장 뛰어난 공헌을 했다는 뜻에서 '유가에서 가장 뛰어나다'는 뜻으로 종성(宗聖)이라 부른다.

④ 자사를 '짓다', '말하다', '글로 표현하다'의 의미가 있는 술성(述聖)이라 부르는 이유는, 그가 공자의 사상을 사람들에게 이해하기 쉽도록 잘 설명해 주었기 때문이다.

⑤ 맹자는 공자로부터 직접 배운 적은 없지만, 공자의 사상을 보다 체계적으로 발전시켜 유교를 학문으로 만들었기 때문에 아성(亞聖)이라 부른다.

06 ⑤ : 《대학》을 읽어 학문의 규모를 정하고, 《논어》에서 사람 사는 이치와 근본을 배우고, 《맹자》에서 그 발전을 터득한 후, 마지막 《중용》에서 선인들의 높은 사상을 음미했습니다.

07 시중 / 08 중용 / 09 '살려는 마음과 의지'는 모두 다 같기 때문입니다.

10 천지 만물과 자연 상태의 모든 생명체들은 자연의 이치인 타고난 성품인 성(性)을 갖고 있습니다. 성은 태어날 때의 마음으로서 살고자 하는 의지를 말합니다. 이 의지는 천지만물이 갖고 있기에, 지나치지도 모자라지도 않게 행동하는 과유불급(過猶不及)이 가장 이상적인 삶이라고 주장합니다.

06 《중용》에 대한 설명입니다. 틀린 것을 고르세요.

① 사서삼경 중 사서에 속하는 책이다.

② 지은이는 공자의 손자인 자사라고 하나, 이설이 있기도 하다.

③ 본래 이 책은 삼경의 하나인 《예기》에 《대학》과 함께 들어 있던 한 편이었다.

④ 중용의 핵심은 결국은 말한 바를 이룬다는 성(誠)의 실천에 있다 할 수 있다. 왜냐하면 그 무슨 일에든 타고난 본질인 성(性)은 살려는 의지를 그대로 실천하는 것이기 때문이다.

⑤ 사서삼경의 학습 순서는 일반적으로 《대학》을 읽어 학문의 규모를 정하고, 《논어》에서 사람 사는 이치와 근본을 배우고, 《중용》에서 선인들의 높은 사상을 음미하고, 끝으로 《맹자》를 읽어 사람 사는 이치와 다스리는 이치를 공부했다고 한다.

07 다음 글이 말하고자 하는 것은 무엇일까요?

군자는 중용을 따르고 소인은 중용을 거스른다. 군자가 중용을 따르는 것은 때에 맞춰 행하기 때문이요, 소인이 중용을 거스르는 것은 소인이면서 거리낌이 없기 때문이다. 군자는 자신의 처지에 맞게 행동하고 그 밖의 것은 바라지 않는다. 부귀에 처하면 부귀를 누리고, 빈천에 처하면 빈천을 즐기고, 오랑캐 나라에 가면 오랑캐 풍속을 따르며, 환란을 맞으면 피하지 않고 받아들인다.

정답

01 ④ / 02 ① : 지나친 건 부족함만 못합니다. 맛있다고 너무 많이 먹으면 배탈이 나고 비만이 됩니다.

03 ③ / 04 ②

05 ⑤ : 사람들이 맹자를 공자 다음가는 성인이라는 뜻으로 두 번째라는 뜻을 가진 '아(亞)'를 붙여 아성(亞聖)이라고 불렀습니다. 성장기 시절에 맹자는 공자의 손자가 되는 자사의 제자를 스승으로 삼아 공부했습니다. 맹자 스스로도 공자의 학문을 이어받은 사람으로 자처하며 공자를 매우 존경했다고 합니다.

08 다음은 무엇에 대한 설명일까요?

- 아랫사람에게 묻는 걸 부끄러워하지 않는다는 불치하문(不恥下問).
- 나와 남의 처지를 바꾸어 생각한다는 역지사지(易地思之).
- 달력에 나오는 월화수목금토일, 일주일의 음양오행(陰陽五行).

09 자사는 사람의 타고난 마음인 주관적인 성(性)이 객관적인 하늘의 마음이 될 수 있는 천심(天心)의 천(天)과 통하는 이유를 성(性)의 어떤 특성 때문이라고 했을까요?

10 자사가 《중용》을 통해 하고자 하는 말이 무엇인지 간단히 설명하세요.

진시황제와 중국 통일
코페르니쿠스와 과학 혁명
마르크스 레닌주의
제2차 세계 대전